O TEMA QUENTE

OBJETIVA

Gabrielle Walker & Sir David King

O TEMA QUENTE

COMO COMBATER O AQUECIMENTO GLOBAL E MANTER AS LUZES ACESAS

Tradução
Caroline Chang

OBJETIVA

EDITORA OBJETIVA LTDA.
Rua Cosme Velho, 103
Rio de Janeiro — RJ — CEP: 22241-090
Tel.: (21) 2199-7824 — Fax: (21) 2199-7825
www.objetiva.com.br

Título original
The Hot Topic

Capa
Andrea Vilela de Almeida

Imagem de capa
Wide Images — Photonica

Preparação de texto
Alberto Gonzales

Revisão
Ana Kronemberger
Catharina Epprecht

Editoração eletrônica
Abreu's System Ltda.

CIP-BRASIL. CATALOGAÇÃO-NA-FONTE
SINDICATO NACIONAL DOS EDITORES DE LIVROS, RJ

W178t

Walker, Gabrielle

O tema quente : como combater o aquecimento global e manter as luzes acesas / Gabrielle Walker e Sir David King ; tradução de Caroline Chang. – Rio de Janeiro : Objetiva, 2008.

Tradução de: *The hot topic – How to tackle global warming and still keep the lights on*
286p. ISBN 978-85-7302-902-4

1. Aquecimento global. I. King, D. A. (David Anthony). II. Título.

08-2195 CDD: 363.73874
CDU: 504.7

Para Rosa Malloy e Jane Lichtenstein

SUMÁRIO

Prefácio 9

PARTE I ❑ O problema

1 O mundo em aquecimento 15
2 Quem é o culpado? 30
3 Sentindo o calor 43
4 O que vem por aí 56
5 As cartadas imprevisíveis do aquecimento 73

PARTE II ❑ Soluções tecnológicas

6 Qual deve ser o nosso objetivo? 89
7 Menos é mais 104
8 Aviões, trens e automóveis 115
9 Poder para mudar 130

PARTE III ❑ Soluções políticas

10 É a economia, ora! 149
11 A estrada que veio de Kyoto 169
12 Nações em rápido desenvolvimento (ou "ora veja, o tratado é adorável") 184
13 Países industrializados (ou de quem é mesmo a culpa?) 194
14 O que você pode fazer para mudar o mundo 219

Agradecimentos 239

Anexo — Mitos sobre o clima, meias-verdades
e informações equivocadas 241

Glossário 251

Notas 255

Índice 275

PREFÁCIO

O Pólo Norte do planeta Terra é um lugar extraordinário. É um borrão circular de mar congelado, cercado pelas massas de terra da Sibéria, América do Norte e Europa. Ocasionalmente surgem rachaduras em sua superfície, nos locais onde o gelo foi estraçalhado pelos ventos, vindos de cima, e pelas correntes, de baixo. Mas, na maior parte, a extensão de branco cinzento é tão firme quanto a de uma rocha. Sobre ele pode-se caminhar, bater os pés, até mesmo aterrissar aviões. Quando se está lá, o oceano Ártico não parece nem um pouco frágil, apenas imóvel, silencioso e forte, como se a água tivesse se transformado irreversivelmente em pedra.

E ainda assim, fotografias tiradas por satélites mostram de maneira conclusiva aquilo que os cientistas vêm temendo há décadas: o Pólo Norte está derretendo. A cada verão, a extensão de água congelada diminui um pouco. Está desaparecendo de debaixo dos pés dos ursos polares do Ártico. Se nada fizermos para parar esse processo, no final do século o gelo, os ursos polares e todo o resto podem não existir mais.

A história do aquecimento global progrediu, nos últimos anos, de simples conjectura para suspeita e, finalmente, para dados concretos e implacáveis. Agora sabemos ao certo que em todos os continentes habitados da Terra, ano após ano, década após década, a temperatura do mundo está subindo. Algo, ou alguém, está mexendo no termostato.

Será que devemos dar atenção a isso? Afinal de contas, ao longo dos bilhões de anos de existência do nosso planeta, o clima na Terra já se alterou várias vezes. Nosso passado geológico inclui eras do gelo, inundações em escala global e ondas de calor. E também houve vencedores e perdedores em toda a história da Terra — algumas espécies se extinguiram e outras sobreviveram e se multiplicaram.

Mas desta vez é diferente. Se a atual onda de mudanças levar a melhor sobre nós, os ursos polares não serão os únicos a sofrerem. A civilização humana nunca antes enfrentou um clima que se alterasse tão rápido ou tão furiosamente. A ameaça tornou-se imediata. Em 2004, um de nós (David King) causou uma grande polêmica ao descrever essa mudança climática como "o problema mais grave que enfrentamos hoje, mais sério até mesmo do que a ameaça terrorista".[1] Desde então, a relevância do problema se tornou ainda mais nítida.

Além disso, é claro, a quantidade de material que trata da questão tem se multiplicado de forma quase incontrolável. Livros, jornais, programas de tevê, de rádio — a cada dia, uma nova manchete. Hoje é quase impossível distinguir o que é realmente importante disso tudo.

Em meio a essa dissonância, há um punhado de vozes que persistem em argumentar que não há aquecimento, ou que o aquecimento não é culpa dos humanos, enquanto outras vêem uma catástrofe a cada esquina e se deleitam com cenários horripilantes que foram apelidados de "pornografia climática". Nós não concordamos com nenhuma dessas duas abordagens. O clima está mudando, e grande parte da culpa é sim dos seres humanos. Entretanto, não acreditamos que o desastre seja inevitável. Alguns Prius* novos em folha não nos tirarão dessa enrascada, e tampouco adiantará enfiar a cabeça na areia como um avestruz. Mas ainda temos tempo para lidar com os piores aspectos da mudança climática, se agirmos rápido e trabalharmos com afinco.

Ao longo deste livro, traçaremos um caminho em meio à enxurrada de informação e confusão sobre o aquecimento global, explicando cada ponto da maneira mais direta e clara possível. Ambos somos cientistas com larga experiência, e nossa abordagem será justamente a científica — isto é, examinar as provas, dando ênfase às pesquisas rigorosas que foram confirmadas por nossos pares.

Se você está em busca de um debate sobre a ciência do aquecimento global, não é aqui que vai encontrá-lo, apesar de tratarmos de alguns

---

* Carro da Toyota movido a gasolina e eletricidade; primeiro modelo híbrido a ser produzido e vendido grande escala. Atualmente é um dos veículos com maior eficiência do mercado. (N. da T.)

dos equívocos mais comuns sobre o problema em uma lista bastante prática de mitos sobre o clima, no final do volume. O que você encontrará são as últimas explicações científicas sobre quanto o mundo está aquecendo, que evidências temos de que a culpa é dos seres humanos, quais os piores cenários futuros, um panorama das novas tecnologias mais promissoras e um resumo de como o mundo está se posicionando politicamente na luta para resolver o problema.

Embora tenhamos bastante experiência no mundo da mídia e da política, não somos lobistas ou políticos, e não temos segundas intenções a servir. Vamos esmiuçar a essência da história do aquecimento global — o que nós, humanos, fizemos, como o fizemos, de que forma precisaremos nos preparar para as mudanças inevitáveis que nos aguardam e como prevenir efeitos ainda piores que ocorrerão se não forem combatidos. Nosso objetivo é contar tudo o que você sempre quis saber sobre o aquecimento global mas estava deprimido demais para perguntar.

Entretanto, não somos ativistas do meio ambiente e este não é um livro sobre questões ecológicas genéricas. A maior parte das ações que melhoram a eficiência energética e que reduzem o desperdício também ajuda — pelo menos um pouco — a combater o aquecimento global. Mas este livro não é um genérico chamado ambientalista às armas. Ele propõe uma série muito específica de soluções a um problema muito específico — ainda que amplamente abrangente.

Em especial, o livro busca mostrar que a história não precisa necessariamente ter um final triste. Aquecimento global é um problema sério, provavelmente o mais sério que a raça humana, coletivamente, já enfrentou. Mas ainda podemos fazer algo a respeito. Esta não é uma época para pessimismo nem para fazer vista grossa. É a hora para uma ação construtiva e determinada.

PARTE I

O PROBLEMA

Antes de começarmos a discutir de que forma podemos sair do caos climático, é preciso primeiro definir qual exatamente o problema a ser tratado. Tem havido uma incrível quantidade de confusão e informação errada na ciência das alterações climáticas — o que é surpreendente, já que estamos falando de uma das poucas áreas de ciência complexa na qual pesquisadores estão quase que totalmente de acordo. Nos próximos capítulos explicaremos o que é a ciência do aquecimento global — o que está acontecendo, de que forma determinam-se as causas, quais as inevitáveis mudanças reservadas para o futuro e aquelas que ainda podemos evitar.

1

O MUNDO EM AQUECIMENTO

Mudanças climáticas não são novidade. O nosso planeta está em constante mutação, e o meio ambiente dificilmente permanece inalterado por muito tempo. Houve momentos, em um passado distante, em que os níveis de dióxido de carbono na atmosfera estiveram muito mais elevados do que hoje e a Antártida era um paraíso tropical. Também houve outras épocas em que os níveis de dióxido de carbono estavam muito mais baixos e mesmo a linha do equador estava coberta de gelo.

Mas nos últimos 10 mil anos — o período de existência da civilização humana —, o clima na Terra tem estado extraordinariamente estável. Nós, humanos, nos acostumamos com um mundo em que a vida é sempre mais ou menos igual, pelo menos no que diz respeito à temperatura. Em outras palavras: até hoje tivemos sorte.

Agora o nosso estável e confiável clima está mudando, e desta vez a culpa não é da natureza. Mas de que forma podemos ter certeza de que o mundo está de fato ficando mais quente, e como identificar o culpado?

Cidades escaldantes

Quando se trata de verificar se a temperatura do mundo está subindo, o maior problema é conseguir identificar um sinal nítido em meio ao "ruído" de fundo. Mesmo nessa época, relativamente estável, as temperaturas sobem e descem bruscamente, de um dia para o outro, de uma estação para a outra, de um ano a outro ano, de um ponto a outro do planeta. Para se ter certeza de que a tendência subjacente a todas essas variações normais realmente indica uma alteração, é preciso fazer medições em muitos lugares do mundo, e por um período extremamente longo.

Graças a algumas pessoas que decidiram fazer medições de temperatura para a eventualidade de algum dia elas se mostrarem úteis, temos uns poucos registros realizados ao longo de anos. A medição que abarca o maior período de tempo é o Registro de Temperatura da Região Central da Inglaterra, um legado dos obsessivos hábitos de coletar dados dos naturalistas britânicos do século XVII. Cobre uma região triangular que tem como pontas as cidades de Londres, Bristol e Lancashire, e remonta a 1659. Este impressionante registro mostra, de fato, sinais claros de aquecimento, sobretudo no final do século XX.

Entretanto, esse registro diz respeito apenas a uma pequena parte do globo terrestre. Mudanças climáticas na Inglaterra não necessariamente refletem mudanças climáticas nos Estados Unidos, por exemplo, ou no Brasil. E além disso o registro não recua no tempo o suficiente a ponto de revelar o quão incomum são as elevadas temperaturas atuais. De que maneira se comparam, por exemplo, ao aparente período quente nos tempos medievais, em que os vikings se estabeleceram em uma verdejante e agradável região chamada Groenlândia — Terra Verde — e havia vinhedos no norte da Inglaterra? Ou com a chamada Pequena Era do Gelo, em meados do último milênio, quando o rio Tâmisa em Londres congelou de tal modo que foram realizadas feiras sobre a sua superfície sólida?

Para responder a esses questionamentos, os cientistas descobriram meios engenhosos de expandir graficamente os registros no tempo e no espaço. Algumas pessoas tentaram interpretar registros escritos que não mencionam propriamente temperaturas,[1] porém a melhor maneira é olhar para os registros gravados não por humanos, mas pela própria natureza.

Todos os anos, cresce em torno das árvores um novo anel de madeira. Após um bom ano o anel será mais largo; em um ano ruim, mais fino.[2] Os pesquisadores fazem um pequeno furo na lateral da árvore, do diâmetro de uma rolha de vinho, extraem um cilindro da madeira e então fazem as suas medições. Ao analisar árvores de épocas diferentes, e até mesmo algumas árvores há muito mortas mas que tiveram partes preservadas em um lodo turfoso, eles descobriram um registro de temperatura que remonta a mais de mil anos e que cobre todo o norte da Europa, da Rússia e da América do Norte.

No caso de regiões tropicais, os corais podem desempenhar um papel similar, já que, como as árvores, também ganham uma nova camada por ano. E nas calotas polares (e nos picos nevados das montanhas de zonas tropicais), também o gelo contém informações sobre como era o clima no passado. A precipitação de neve de um ano cobre a neve do ano anterior. Se as temperaturas são baixas o bastante, a neve dura tempo suficiente para, uma vez prensada sob a ação da gravidade, transformar-se em gelo e mostrar de maneira nítida a camada referente a cada ano, pois os cristais de neve do verão são maiores do que os do inverno, ou porque a cada ano se deposita sobre a neve a poeira carregada pelos ventos invernais. A quantidade de neve que caiu em um dado ano e sobretudo as mudanças nos tipos de átomos de oxigênio presos no gelo[3] fornecem pistas sobre a temperatura naquele momento.

Outro indício vem das mudanças na vida vegetal, que fica registrada na lama acumulada no fundo dos lagos. À medida que a temperatura se eleva e cai, diferentes tipos de plantas se desenvolvem, e cada uma delas distribui o seu pólen com ajuda das correntes de ar que por ali passam. Um pouco desse pólen aterrissa na superfície de um lago próximo antes de lentamente submergir em direção à lama lá no fundo. Faça uma perfuração nessa lama, colete e analise os grãos de pólen que cada camada contém, e você terá mais um tipo de registro das mudanças de temperatura ao longo do tempo.

Os pesquisadores têm usado uma enorme variedade de maneiras de analisar e combinar essas diferentes medições e todos chegam a conclusões surpreendentemente similares sobre as temperaturas dos últimos mil anos.[4] O século XI foi, de fato, relativamente quente, correspondendo ao Período Quente Medieval. (A "verdejante" Groenlândia acabou se mostrando mais um exercício de marketing do que uma verdade. Porções de gelo extraídas por perfuração do coração da calota polar da Groenlândia mostram que uma quantidade substancial de gelo já estava presente na ilha há centenas de milhares de anos. Os vikings que caíram no engodo devem ter tido uma surpresa desagradável ao chegar lá.)

As temperaturas também eram mais baixas no século XVII, o que corresponde à Pequena Era do Gelo, e no início do século XIX. Esses períodos quentes e frios aparentemente ocorreram em todo o planeta, embora pareçam ter sido menos freqüentes no hemisfério sul.[5]

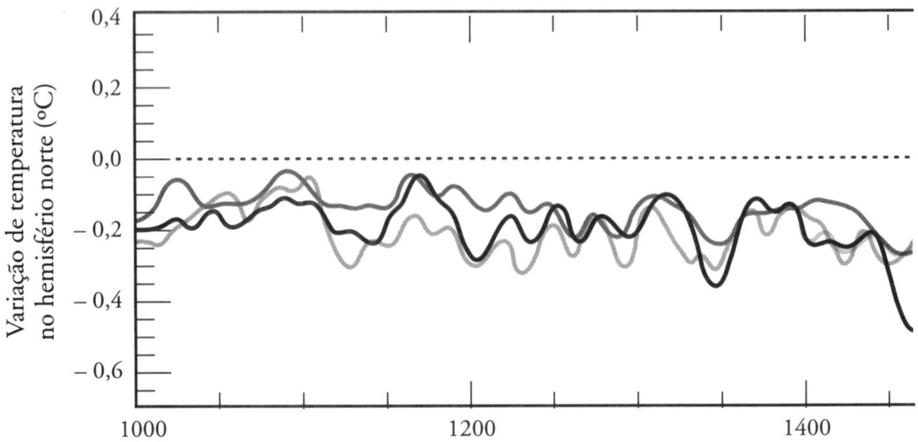

Variação da temperatura registrada no hemisfério norte ao longo dos últimos mil anos em relação aos valores de 1961-1990, em graus Celsius. As várias linhas refletem dados de diferentes fontes e colhidos por vários métodos, mas todas mostram uma elevação dramática na temperatura das últi-

Porém, foi somente no século XX que as temperaturas realmente começaram a mostrar elevações importantes. O aquecimento não aconteceu de modo gradual, mas em dois grandes saltos — dado que acaba se mostrando de grande importância. O primeiro salto ocorreu durante os primeiros anos do século XX e foi forte o suficiente a ponto de se fazer sentir de maneira nítida. Em 1939, a revista *Time* publicou: "Os velhos camponeses que alegam que os invernos eram mais duros quando eles eram crianças estão certos. (...) Os meteorologistas não têm dúvida alguma de que o mundo, pelo menos por ora, está ficando mais quente."[6] Mas as décadas seguintes trouxeram temperaturas mais amenas, pelo menos no hemisfério norte, e então o interesse público arrefeceu.

A segunda onda de aquecimento começou nos anos 1970 e desde então tem se acelerado. E as temperaturas que experimentamos agora são mais quentes do que as temperaturas em todo o último milênio. Até mesmo o Período Quente Medieval foi mais frio do que o clima atual.[7]

Vejamos alguns números. Em termos de médias globais, dos anos 1910 aos anos 1940 as temperaturas sofreram uma elevação de 0,35°C. Depois disso, houve um resfriamento de 0,1°C, e desde 1970 o mundo registrou um aquecimento de mais 0,55°C.[8] Pode até não parecer, mas esses números são muito significativos. A temperatura de onde você vive

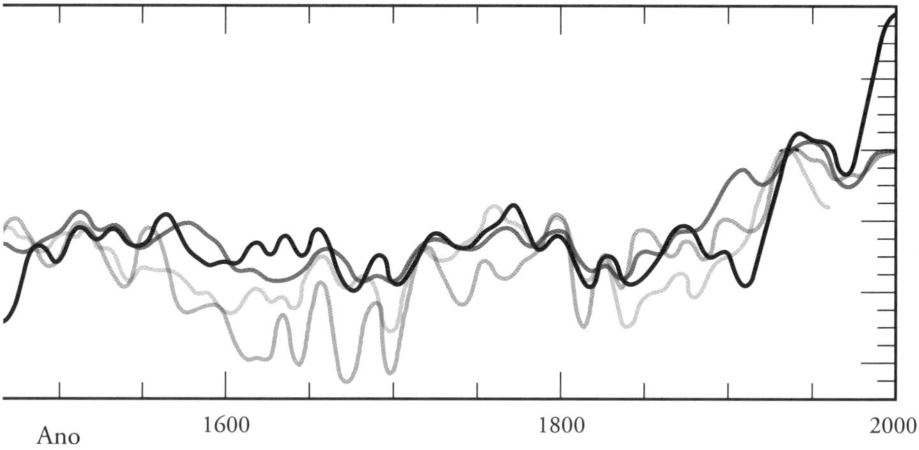

mas décadas. (Fonte: P.D. Jones, T.J. Osborn e K.R.Briffa. The Evolution of Climate over the Last Millenium. *Science*, v. 292 (5517), p. 662-7, 27 de abril de 2001)

pode oscilar muito mais do que isso no espaço de algumas horas ou dias, mas é muito mais preocupante quando médias anuais do mundo inteiro revelam uma inexorável tendência de crescimento. Esse tipo de média dilui pequenas variações acontecidas em um curto espaço de tempo e mostra o que está de fato ocorrendo. É por isso que uma pequena alteração nas temperaturas médias globais pode refletir uma grande guinada do clima. Em termos de médias globais, apenas alguns graus nos separam do gélido mundo da última era do gelo.[9]

Apesar de os registros indiretos dos anéis das árvores, camadas de gelo e similares darem uma boa indicação das temperaturas médias ao longo de um intervalo de tempo de décadas, não são tão úteis quando se trata de verificar a temperatura de anos isolados. Assim, embora possamos dizer que a temperatura atual é mais alta do que a de qualquer outro momento dos últimos mil anos, é difícil afirmar com exatidão de que forma 2005 se compara com, digamos, o ano de 1105. Para medições precisas desse tipo, só um registro humano funcionará. Registros bons e abrangentes começaram a se tornar disponíveis por volta de 1850, de modo que podemos relacionar cada um dos últimos anos aos últimos 160. Mais uma vez, a mensagem é clara. Os anos mais quentes em todo registro foram 1998 e 2005. Anos muito próximos entre si, e há divergências quanto a qual deles foi o campeão de calor. Os anos de 2002, 2003 e 2004 foram, respectivamente, o terceiro, o quarto e o quinto mais quentes já registrados. Na realidade, 11 dos últimos 12 anos estão entre os 12 mais quentes da história.[10]

(Muito alvoroço se fez em torno das recentes notícias de que um ajuste feito nos registros da Nasa mostrava que o ano das tempestades de areia em Oklahoma, 1934, teria sido ligeiramente mais quente, nos Estados Unidos, do que 1998. Apesar de alguns céticos alegarem que isso pôs as pesquisas sobre o aquecimento global de pernas para o ar, na realidade isso não aconteceu. Esses dois anos foram durante muito tempo conhecidos por estarem centésimos de grau um do outro no registro das temperaturas locais americanas. Mas levando em consideração as médias mundiais, 1998 e 2005 continuam empatados como os campeões de temperatura. Registros regionais são interessantes, mas não contam a história do ponto de vista global.)

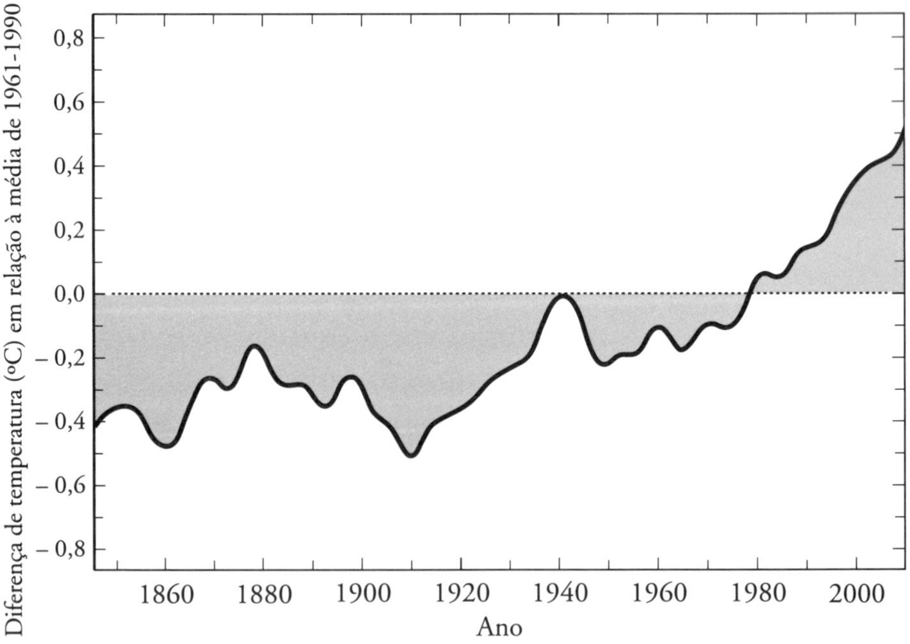

Mudança na temperatura nos últimos 150 anos em °C em relação à média de 1961-1990. (Fonte: IPCC)

O IPCC (sigla em inglês de Painel Intergovernamental sobre Mudanças Climáticas) é um grupo internacional formado por renomados cientistas climáticos e conselheiros governamentais de todo o mundo. Em 2007 recebeu o prêmio Nobel da Paz por seu trabalho na identificação das causas do aquecimento global. Já que o seu relatório precisa refletir a visão consensual de seus muitos colaboradores, tem a reputação de ser um grupo conservador. Também é considerado pela maioria como a autoridade máxima na ciência da mudança climática.

O último relatório do IPCC, publicado em 2007, descrevia o aquecimento das últimas décadas como "inequívoco".[11] Não há mais espaço para dúvidas. O mundo está de fato sofrendo um aquecimento. O que precisamos saber a seguir são as razões que levaram a isso.

Pessoas que vivem em estufas

O principal suspeito de causar o aquecimento é, claro, o infame "efeito estufa". É ele que faz com que sejamos capazes de afetar o clima; sem o efeito estufa, poderíamos queimar combustível infinitamente, e o planeta não esquentaria nem um pouquinho sequer. Por conta disso, o efeito estufa é freqüentemente retratado como o vilão da história. Talvez cause surpresa a informação de que o efeito estufa em si é algo muito bom. Sem ele, a Terra estaria completamente congelada.

Se olharmos para os nossos vizinhos mais próximos, Marte e Vênus, seremos tentados a pensar que o nosso planeta tem a melhor localização do sistema solar. Vênus está mais perto do que nós do Sol e é tão quente que a sua superfície derreteria chumbo. Marte está mais distante do Sol, e os seus invernos são tão frios que o aço racharia sobre a sua superfície. A Terra, o planeta do meio, tal como Cachinhos de Ouro, é considerada como estando "no ponto".

Entretanto, não é bem assim. Na verdade, em matéria de conforto, estamos um pouco longe demais do Sol. Se dependesse apenas da nossa localização, a Terra seria, sem sombra de dúvida, completamente congelada. Isso foi descoberto em 1827 pelo cientista francês Joseph Fourier, que estava decidido a tentar consertar os livros sobre a energia da Terra.

O sistema de aquecimento central do nosso planeta tinha que ser simples: a energia nos chega do Sol, na forma de raios de luz. A Terra é banhada por essa luz. Então reflete calor, emitindo outro tipo de luz, que está muito além da faixa vermelha do arco-íris para que nossos olhos possam ver, sendo assim chamada de "infravermelha". (Todos os corpos quentes emitem esse fulgor infravermelho — inclusive os humanos. Os equipamentos de visão noturna, assim como os mísseis infravermelhos, funcionam detectando essas emissões.)

Fourier pensava que os raios infravermelhos emitidos pela Terra, que reflete luz de modo invisível, voltavam ao espaço para equilibrar a troca de energia e estabilizar a nossa temperatura média global em confortáveis 15ºC. Mas quando calculou a energia que chegava do Sol e a que saía na forma de radiação infravermelha ele ficou pasmo. Segundo os seus cálculos, nossa temperatura média global deveria ser 15ºC *negativos.* Em outras palavras, todo o planeta deveria estar congelado. Fourier também descobriu que, a cada noite, quando a entrada dos raios solares é temporariamente interrompida, radiação continua a ser emitida pela Terra em direção ao espaço, o que deveria esfriar a superfície da Terra ainda mais. Ou seja, deveria haver diferenças maiores entre as temperaturas do dia e da noite do que as que vemos.

Obviamente algo nos fornece mais calor do que mereceríamos. Fourier percebeu que a chave de tudo é a atmosfera. Porém, ele não sabia qual parte do nosso ar funcionava como um cobertor. A peça que faltava foi descoberta por um excêntrico irlandês chamado John Tyndall. Tyndall trabalhava na Instituição Real de Londres e, quando não estava no andar de cima deliciando platéias de poetas e políticos com suas famosas e divertidas palestras sobre ciência, ele ficava no porão, bancando o inventor maluco com seus experimentos sobre a atmosfera. Ele estava fascinado pelos cálculos de Fourier e se perguntava se algo não estaria bloqueando parte das invisíveis emissões infravermelhas, evitando assim que elas se dispersassem no espaço.

Para verificar isso, Tyndall construiu um céu artificial em uma espécie de tubo e começou a emitir raios infravermelhos através dele. Ele queria que o seu céu fosse o mais limpo possível, de forma que retirou todas as "impurezas" do ar. Ele deixou os dois gases responsáveis por

99% da nossa atmosfera: oxigênio e nitrogênio. Para seu espanto, os raios infravermelhos atravessavam o ar sem sofrer bloqueio algum. Em outras palavras, os gases que respondem pela maior parte da nossa atmosfera — o nitrogênio e o oxigênio — não fazem diferença alguma para a temperatura do planeta.

Num lance um tanto quanto desesperado, Tyndall devolveu ao tubo de ar um pouco daquelas "impurezas". Ele acrescentou uma baforada de metano, um pouco de vapor d'água e um tantinho de dióxido de carbono, os quais existem em ínfimas quantidades na atmosfera. E, de repente, tudo mudou. No que dizia respeito aos raios infravermelhos, o céu artificial de Tyndall ficou completamente escuro. Essas chamadas "impurezas" de fato bloqueavam os raios infravermelhos e evitavam que pelo menos parte deles escapasse e se dispersasse no espaço. Tratava-se do misterioso ingrediente aquecedor de Fourier.

Tyndall e Fourier descobriram o que chamamos hoje de efeito estufa. Vapor d'água, dióxido de carbono, metano e outros chamados "gases do efeito estufa" têm em comum uma propriedade que os mais abundantes oxigênio e nitrogênio não apresentam. Atuam como as paredes e tetos de vidro de uma estufa, que permitem que os raios de sol entrem, para esquentar o ar lá dentro, mas não deixam que o ar quente se disperse. A diferença é que os gases do efeito estufa não bloqueiam fisicamente o ar. Funcionam mais como um vidro com uma face espelhada. Deixam os raios de sol penetrar a atmosfera para aquecer a superfície da Terra, mas então bloqueiam parte das emissões de energia que, de outra forma, levariam calor de volta para o espaço.

Essa descoberta nos ensina duas coisas importantes.

Primeiro, um pouco de efeito estufa é algo bom. Sem a intervenção dos gases do efeito estufa, nosso planeta seria gélido e sem vida. Ou, como Tyndall colocou, de forma um tanto mais poética: "O calor dos nossos campos e jardins se dispersaria de forma irreversível no espaço, e o Sol nasceria sobre uma ilha agrilhoada pelo férreo jugo do frio."

Em segundo lugar, um pouco de efeito estufa faz uma grande diferença. Observe as pessoas que afirmam que os gases do efeito estufa não podem afetar a temperatura da Terra pelo fato de responderem por uma porção tão pequena da atmosfera. São de fato escassos se comparados ao oxigênio e ao nitrogênio, mas isso não é relevante. Graças à sua propriedade de bloquear a saída de radiação infravermelha, uma quantidade pequena de gases do efeito estufa pode mudar a temperatura de toda a atmosfera da mesma forma que algumas gotas de tinta podem mudar a cor de uma banheira cheia d'água.

A atmosfera contém um grande número de gases do efeito estufa,[12] mas os mais importantes são aqueles que Tyndall testou: vapor d'água, metano e dióxido de carbono. Desses, a água em estado gasoso é de longe o que mais afeta a temperatura do ar. Isso ocorre principalmente porque, comparado aos outros gases do efeito estufa, o vapor d'água é muito abundante. Sua concentração no ar varia de menos de 1% a alguns pontos percentuais, dependendo da região, da estação do ano e da hora do dia.[13]

Entretanto, quando se trata do poder de mudar o clima, o dióxido de carbono e o metano (e, em certa medida, os outros gases do efeito estufa, embora mais escassos) é que ditam as regras. O dióxido de carbono responde por menos do que 0,04% do ar, e o metano, por ainda menos. Mas ambos tem um peso bem maior quando se trata de aquecimento global, por duas razões importantes.

Primeiro, há tanto vapor d'água na atmosfera que as atividades humanas quase não fazem diferença na quantidade total — mais ou menos como acrescentar alguns baldes de água a um oceano. Mas como há relativamente pouco dióxido de carbono e metano na atmosfera, não é preciso acrescentar muito desses gases para fazer uma grande diferença. É como colocar alguns baldes extras de água em uma banheira. De forma que os humanos já conseguiram quase dobrar a quantidade de gases do efeito estufa presente no ar.

Em segundo lugar, ao bloquearem o calor, os gases do efeito estufa têm uma ação indireta sobre a quantidade de vapor d'água no ar. Uma porção de ar quente pode absorver mais água, e lagos, rios e mares mais quentes evaporam mais facilmente, transformando-se, assim, em vapor d'água, na atmosfera. Conclusão: se você esquenta um pouco que seja o ar ao adicionar a ele uma quantidade extra de dióxido de carbono, esse ar então reterá muito mais vapor d'água. Esta quantidade extra de vapor d'água age como um gás do efeito estufa e aquece o ar ainda mais, quase dobrando o efeito que esses gases produziriam se agissem sozinhos. Os cientistas chamam isso de feedback positivo — positivo não porque seja bom, mas porque amplia o efeito original em vez de diminuí-lo.[14]

Então, se você alterou as quantidades dos gases do efeito estufa presentes no ar, espera-se que a temperatura aumente. E é exatamente isso o que nós temos feito nos últimos séculos. Desde que as pessoas passaram a usar carvão como combustível, ou a usá-lo para alimentar motores a vapor, a taxa de dióxido de carbono no ar vem aumentando. A descoberta do petróleo e do gás natural acelerou o processo. Cada fogão ou aquecimento central movido a gás, cada tanque de gasolina e cada usina de energia movida a carvão, gás ou petróleo acrescentou um pouco de dióxido de carbono ao ar. Petróleo, carvão e gás natural são as três bruxas más da história da alteração climática, porque são ricos repositórios de carbono.[15]

De que forma os gases do efeito estufa estão se alterando?

O carbono é um elemento químico incrível, um elo de união que pode promover ligações químicas com quase tudo. Devido a essa extrema flexibilidade, o carbono é o mais importante componente da vida na Terra. Forma a espinha dorsal de tudo — de carboidratos, proteínas e gorduras a folhas, madeira, ossos, pele e cabelo.

Uma conseqüência disso é que quando você queima algo que já foi um organismo vivo, o carbono que ele continha é liberado, geralmente na forma de dióxido de carbono.[16] É o que acontece quando se queima petróleo, carvão e gás natural. Esses três são conhecidos como "combustíveis fósseis" porque são os restos fossilizados de animais e plantas que viveram muitos milhões de anos atrás e, até o início da Revolução Industrial, por volta de 1850, permaneceram enterrados no chão.

Para se obter carvão, é preciso árvores, pântanos e muito tempo. A maior parte do carvão de hulha do mundo se formou entre 360 e 290 milhões de anos atrás, em um período apropriadamente conhecido como Carbonífero. Era uma época em que os insetos atingiam tamanhos inacreditáveis, dignos de filmes de terror — os milípedes tinham 2 metros de comprimento, aranhas e libélulas chegavam a um metro, e as baratas podiam medir até 30 centímetros. O carvão em si provém do tronco de grandes árvores que cresciam nos pântanos que recobriam a Terra do período Carbonífero.[17] Quando essas árvores caíam, os estagnados pântanos evitavam que elas apodrecessem, e então elas gradualmente sofriam processos de prensagem, secagem e cozimento até chegar ao carvão que hoje queimamos.

Já com petróleo o processo é mais delicado. O petróleo foi formado em grande parte também no período Carbonífero, dos corpos mortos de minúsculas criaturas do mar, mas esses corpos tinham que ser capturados, preservados e cozidos exatamente a uma determinada temperatura e a uma determinada pressão. Por isso há bem menos chances de se encontrar petróleo do que carvão. Se o processo de cozimento não se desenrolasse da maneira correta, o petróleo se quebraria e se transformaria em metano, também conhecido como gás natural. Quase todas as reservas de petróleo apresentam também depósitos de metano, que também é muitas vezes encontrado sozinho.

Esses três combustíveis fósseis são compostos por formas de carbono, já que foram gerados a partir do que costumava ser seres vivos. Conseqüentemente, queimar combustíveis fósseis produz dióxido de carbono.

Há algo importante a ser dito sobre o equilíbrio natural do dióxido de carbono. Queimar matéria que um dia teve vida não é a única maneira de acrescentar dióxido de carbono ao ar. Quando nós e a maior parte dos seres vivos respiramos, estamos "queimando" nosso alimento para produzir energia (que é uma das razões pelas quais se fala em "queimar calorias"). E porque o nosso alimento um dia também foi um ser vivo, o subproduto dessa queima de caloria é o dióxido de carbono. O dióxido de carbono que nós, animais, expiramos é absorvido pelas plantas, que o utilizam para construir sua estrutura, provendo-nos com alimento, o que completa o ciclo. Assim, vastas quantidades de CO_2 passam a fazer parte da atmosfera de uma maneira perfeitamente natural, todos os dias. Mais ainda: a queima de madeira, de restos de colheitas e de qualquer outra coisa que um dia foi um ser vivo também acrescentará dióxido de carbono ao ar. Então, por que é dada tanta importância aos combustíveis fósseis?

A razão pela qual os combustíveis fósseis são tão importantes para a mudança climática é que eles envolvem a queima de carbono que há centenas de milhões de anos estava enterrado. O carbono da madeira, diferentemente, estava no ar até há muito pouco tempo — provavelmente há apenas algumas décadas —, antes que a árvore o absorvesse e o convertesse em tronco e galhos. Quando você queima madeira, está colocando esse mesmo dióxido de carbono de volta na atmosfera. A longo prazo, nada se altera.

Do mesmo modo, quando você respira, libera dióxido de carbono que provavelmente havia sido absorvido nos últimos dois anos para fazer o alimento que você ingeriu. Mais uma vez, o ciclo se completa e a quantidade de carbono na atmosfera não muda.[18]

Mas quando você queima algo que até há pouco esteve enterrado durante centenas de milhões de anos, e que portanto estava fora do contato com o ar, há uma diferença crucial. Ao queimar combustíveis fósseis estamos liberando um velho e profundo reservatório que há muito era mantido à parte, e dessa forma alteramos drasticamente o equilíbrio do ar.

Mas será que isso realmente importa? Afinal de contas, conforme havíamos sugerido no prefácio, houve épocas no passado em que os níveis de dióxido de carbono estiveram muito, muito mais elevados do que hoje. O problema é que essas épocas foram inimaginavelmente há muito tempo, antes de os humanos serem sequer um vislumbre aos olhos da natureza.

Sabemos disso porque, graças a uma milagrosa conjunção de ciência e ingenuidade, temos partículas de ar antigo para estudar. Essas partículas provêm da Antártida, cujas temperaturas geladas durante o ano inteiro significam que a neve que caiu centenas de milhares de anos atrás ainda hoje está lá. Foi soterrada por sucessivas camadas, de forma que é preciso cavar bem fundo para encontrar a neve realmente antiga (que desde então foi comprimida até virar gelo). Pesquisadores na estação russa Vostok fizeram exatamente isso, perfurando um testemunho de gelo que remonta a 400 mil anos atrás. Outra perfuração posterior, em uma base franco-italiana no Domo C, produziu um testemunho ainda mais antigo, de 800 mil anos.[19] Nesse gelo antigo encontram-se minúsculas bolhas de ar que foram aprisionadas quando a neve caiu.

Cientistas têm analisado essas bolhas para verificar quanto dióxido de carbono e metano elas contêm. Os resultados mostram que, ao longo de períodos de tempo extensos, os níveis de dióxido de carbono normalmente se elevam e voltam a cair. Durante eras do gelo, esses níveis costumam ser bastante baixos. Durante períodos mais quentes, os níveis de dióxido de carbono se elevam. Entretanto, não há um só momento dos últimos 650 mil anos em que o nível de dióxido de carbono tenha estado tão alto quanto hoje.[20]

Graças a um pesquisador americano extremamente persistente chamado Charles David Keeling sabemos que os níveis de dióxido de carbono recentemente enveredaram por um péssimo caminho. Na década de 1950, Keeling decidiu descobrir de que forma o dióxido de carbono na atmosfera estava mudando. Ele escolheu um ponto no Havaí, distante de chaminés industriais que pudessem influenciar o resultado, e então começou a medir. Naqueles primeiros anos ele teve dificuldade em convencer possíveis patrocinadores de que o estudo valia a pena ser feito e, mais que isso valia a pena continuar sendo realizado. Mas ele teve êxito, e a sua "curva Keeling" se tornou um ícone da história do aquecimento global.[21]

Isso porque a curva mostra uma ascensão infinita. Ao longo do século e à medida que queimamos cada vez mais combustíveis fósseis, a curva de dióxido de carbono de Keeling se ergue como uma malévola serpente.

Mais uma vez, vejamos os números. Devido ao fato de a princípio haver tão pouco dióxido de carbono na atmosfera, é difícil usar porcentagens. Em vez disso, para medir o dióxido de carbono e outros gases que são escassos no ar, cientistas usam ppm, "partes por milhão". Um ppm corresponde a 0,0001%.

Durante as eras do gelo, o dióxido de carbono chega a um ponto mínimo de 180-190 ppm. Nos períodos mais quentes entre uma era do gelo e outra (sendo que nosso atual clima é exemplo de um desses períodos), a concentração de dióxido de carbono costuma subir a um teto de 290. Da época mais fria da última era do gelo — cerca de 20 mil anos atrás — até o ano 1900, os níveis permaneceram em uma saudável faixa de 260 a 290 ppm.[22]

Mas durante o período de tempo coberto pela curva Keeling, esse nível subiu muito, chegando a 383 ppm em 2007. A atmosfera do nosso planeta contém hoje um nível de dióxido de carbono que é quase 40% mais elevado do que os valores "naturais" da era pré-industrial, e que ainda está subindo de 2 a 3 ppm por ano.

Mais do que isso: os níveis de outros gases do efeito estufa, como o metano, também estão subindo. No caso do metano, as razões para essa elevação são mais complicadas — derivam das crescentes áreas de campos de arroz alagados, do gás que escapa quando se está perfurando o solo em busca de petróleo e até mesmo do arroto de vacas.[23] Além disso, há ainda as substâncias químicas artificiais, os chamados clorofluorcarbonetos (CFCs), que quase destruíram a camada de ozônio e são excelentes gases do efeito estufa por si só. Colocando tudo isso junto e calculando quanto esses fatores contribuem com o efeito do dióxido de carbono, temos então um nível de "equivalente de dióxido de carbono" (CO_2eq) de cerca de 430 ppm. Em outras palavras, acrescentamos cerca de 60% aos gases do efeito estufa, comparado ao que havia antes. E o número só aumenta.

Em resumo, sabemos que a temperatura do mundo está em elevação. Os fenômenos primeiramente descobertos por Tyndall nos mostram que o dióxido de carbono é um gás do efeito estufa que aquece a Terra. Os testemunhos de gelo também mostram que, quando o nível de dióxido de carbono sobe, a temperatura sobe. E o nível de dióxido de carbono está mais alto agora do que nas últimas centenas de milhares de anos. Quando você busca uma explicação para o recente aquecimento da Terra, o dióxido de carbono e os gases do efeito estufa são claramente os culpados mais prováveis.

Mas será que a culpa é mesmo deles?

2

QUEM É O CULPADO?

Por razões já explicadas no capítulo 1, o principal suspeito pelo aquecimento do nosso clima é, claro, o efeito estufa. Mas há ainda outras maneiras perfeitamente naturais de mudanças climáticas. Como temos certeza de que este aquecimento recente não é parte de um ciclo normal?

A melhor maneira de verificar isso é observar as características do aquecimento, como que identificando o responsável por sua impressão digital. Por exemplo, alguns mecanismos de aquecimento funcionam de um modo geograficamente amplo, ao passo que outros têm uma ação mais regional. E alguns fazem com que a atmosfera se aqueça em todas as altitudes, ao passo que outros provocam aquecimento apenas próximo ao chão. Foi observando quais mecanismos mudaram na direção "certa" (ou seja, rumo ao aquecimento) e então usando esses dados para decidir entre eles, que os cientistas conseguiram determinar o culpado de forma confiável.

Como mencionamos no capítulo 1, a temperatura da Terra resulta do equilíbrio entre a luz que esta recebe do Sol e a radiação infravermelha que ela emite em direção ao espaço. Então, em princípio, há quatro maneiras de provocar o aquecimento do planeta:

Aumentar a quantidade de luz do Sol

A luz solar, em si, sofre variações. A cada 11 anos, mais ou menos, nossa estrela-mãe passa por explosões de energia seguidas por períodos de repouso, e a força e a duração deste ciclo também variam. Por exemplo, durante o período chamado Mínimo Maunder, entre 1645 e 1715, havia muito menos manchas solares do que o normal, e isso coincidiu com a época mais fria da Pequena Era do Gelo. Igualmente, o Sol esteve um pouco mais ativo durante a primeira parte do século XX, o que provavelmente contribuiu para o primeiro salto de calor dos últimos cem anos.

Entretanto, o brilho do Sol não aumentou nas últimas décadas. Na verdade, desde 1970 o Sol tem esfriado ligeiramente.[1]

Alguns pesquisadores sugeriram que o mecanismo em ação pode ser algo ainda mais sutil. Minúsculas partículas de alta energia chamadas raios cósmicos constantemente caem na Terra vindas do espaço sideral. É possível que, quando algumas dessas partículas atingem o ar, elas encorajem a formação de gotículas, que por sua vez formam as nuvens. Assim, um número menor de raios cósmicos pode significar um número menor de nuvens, que — dependendo da altura em que se encontram — podem, por sua vez, significar que menos luz solar está sendo bloqueada.

O próprio Sol poderia perfeitamente ajudar a provocar essa situação. Quando o Sol se torna mais ativo, seu campo magnético fica mais forte. Esse campo se estende a todo o sistema solar e age como um campo de força gigante, impedindo que raios cósmicos entrem no nosso espaço aéreo. Assim, um Sol mais ativo significaria um número menor de raios cósmicos, o que por sua vez pode significar um número menor de nuvens e portanto um clima mais quente.

Essa idéia é interessante, mas abarca uma série de hipóteses, o que perturba muitos pesquisadores. Mas um problema ainda pior para os seus proponentes é o fato de indícios recentes mostrarem que o número de raios cósmicos ultimamente não tem diminuído, apesar de a temperatura ter inegavelmente sofrido uma elevação. Na verdade, assim como a quantidade total de radiação solar, os raios cósmicos enveredaram justamente na direção "errada". Eles deveriam ter causado, quando muito, um resfriamento.[2]

Em outras palavras, seja qual for a linha de raciocínio que você escolher, mudanças solares não explicam a dramática elevação na temperatura verificada ao longo das últimas décadas.

Reduzir a reflexão de raios solares em direção ao espaço

A maneira de se fazer isso seria alterar o brilho do planeta. Parte da luz do Sol que chega à Terra é refletida de volta para o espaço antes de provocar qualquer aquecimento. Por exemplo, ela pode refletir na parte de cima de nuvens — razão pela qual sentimos um refresco quando uma nuvem passa entre nós e o Sol.[3]

Não há nenhuma razão clara para que tivesse havido uma alteração na quantidade de nuvens ao longo do último século. Mas a luz solar também pode ser rebatida de volta para fora da atmosfera, se encontrar uma neblina de pequenas partículas — conhecidas por aerossóis, pois estão suspensas no ar.[4] Se a abundância de aerossóis decresceu nos últimos anos, isso poderia explicar por que o planeta começou a esquentar.

Versões naturais de aerossol incluem porções de sujeira, areia ou poeira, cinza vulcânica, fuligem ou gotículas de sal marinho, e até mesmo as maiores dessas partículas são ainda menores do que o ponto final desta frase. A maior parte delas é varrida rapidamente pelo vento e fica no ar apenas um curto período de tempo antes de voltar a cair na Terra. Mas a cinza e as gotículas de sulfato expelidas por vulcões são propulsionadas mais alto no ar, e às vezes podem durar tempo suficiente para ocasionar um resfriamento significante.

Em 1991, o monte Pinatubo, nas Filipinas, entrou dramaticamente em erupção. Além das vastas quantidades de cinzas que jogou sobre os arredores, também jorrou um enorme volume de aerossóis, lançando-os a 30 quilômetros de altitude. Tão alto que perduraram bem acima dos sistemas climáticos, que, de outra maneira, poderiam tê-los levado de volta à Terra por meio da chuva. Nos 18 meses subseqüentes, eles se espalharam pelo mundo, e as temperaturas globais sofreram um resfriamento de cerca de 0,5°C. Erupções violentas como essa fazem com que os aerossóis subam o suficiente e durem tempo suficiente para afetar o clima. Se tais erupções teporariamente se enfraquecem, isso poderia fazer com o que o mundo sofresse um aquecimento.

É uma idéia interessante, mas, infelizmente, está errada. Houve uma pausa nas atividades vulcânicas entre 1915 e 1956, mas desde então os vulcões da Terra têm entrado entusiasticamente em erupção. Na verdade, retomaram as suas atividades exatamente antes de o aquecimento iniciar.[5] Nos anos recentes, os aerossóis vulcânicos têm, se tanto, efetuado um brando controle sobre as temperaturas. Para encontrar a razão do aquecimento em si, é preciso procurar em outro lugar.

Espalhar a luz solar de maneira irregular, como parte de um ciclo natural de curta duração

Ainda seria possível que estivéssemos apenas passando pela fase quente de algum ciclo perfeitamente normal que distribui o calor de maneira irregular, às vezes aquecendo, às vezes resfriando a Terra. Sabemos que o nosso planeta passa por vários desses ciclos, a maioria dos quais não é inteiramente compreendida. Talvez os mais famosos sejam os ciclos Milankovitch. Trata-se de ligeiras oscilações na órbita da Terra em torno do Sol que afetam a quantidade de luz solar que chega ao hemisfério norte durante o verão ao longo de 100 mil anos, aproximadamente.

Os cientistas acreditam que esse fenômeno é o gatilho que provoca o início e o fim de eras do gelo na Terra. Funciona porque o hemisfério norte contém a maior parte de superfície terrestre da Terra, e para existir grandes geleiras é preciso que haja terra. Verões ligeiramente mais frios no hemisfério norte significam que parte da neve do inverno anterior poderá permanecer no chão sem derreter. Gradualmente, a neve se transforma em gelo, e geleiras gigantes começam a se formar.

A mudança na quantidade de luz solar em si não é grande o suficiente para explicar o início de uma era do gelo. Mas outros fatores rapidamente passam a ter influência. O gelo, por ser branco, reflete mais luz do Sol do que o chão, que é escuro, causando um resfriamento na Terra. Então, à medida que o planeta esfria, vários outros mecanismos começam a tirar dióxido de carbono do ar — o que provoca um resfriamento ainda maior. O resultado é que uma pequena alteração na quantidade de energia que recai em uma parte do planeta provoca uma alteração considerável no clima do mundo inteiro.

(Coincidentemente, é por isso que, segundo os registros de testemunhos de gelo, a temperatura começa a cair um pouco antes de os níveis de dióxido de carbono mostrarem qualquer alteração. Muitos céticos argumentam que esse intervalo entre uma coisa e outra significa que o dióxido de carbono não pode jamais ser considerado responsável por mudanças de temperatura. Na verdade, isso é apenas uma leitura errada dos registros. Em eras do gelo, o primeiro fenômeno é sempre provocado por algum agente externo. Mas é apenas quando esse primeiro acontecimento desencadeia alterações nos níveis de dióxido de carbono que as verdadeiras oscilações na temperatura começam a se fazer sentir. Depois disso, o registro de testemunhos de gelo mostra de forma nítida o quão intimamente ligadas estão as alterações nos níveis de dióxido de carbono e as mudanças climáticas. Uma vez a alteração de CO_2 iniciada, os dois registros caminham de mãos dadas.)

O mais provável candidato a responsável pelo aquecimento ao longo de apenas alguns anos, mais do que ao longo de milênios, é o chamado El Niño/Oscilação Sul. Falando de modo geral, o El Niño ocorre quando águas quentes superficiais geralmente estacionadas na Indonésia se dirigem para o leste, na direção da costa oeste da América do Sul. Por meio de uma série complexa de conexões atmosféricas, esse processo tende a esquentar um pouco o mundo. Quando essas águas superficiais voltam a se dirigir para o oeste, o mundo torna a esfriar, na mesma proporção.

Entretanto, o efeito de aquecimento do El Niño dura apenas alguns anos. E também tende a ser um efeito restrito do ponto de vista espacial; apesar de o mundo esquentar como um todo, o Pacífico — Norte e Sul — tende a esfriar. Nosso recente aquecimento, diferentemente, tem sido sentido em todo o mundo.

Na verdade, esse mesmo tipo de argumento pode ser aplicado a qualquer forma de ciclo interno. Conforme fora anunciado pelo relatório do IPCC: "Nenhum tipo de variação interna leva a um aquecimento tão extenso, quase universal, tal como tem sido observado nas últimas décadas".[6] Além disso, conforme discutimos no capítulo 1, os registros de temperatura da natureza mostram que pelo menos nos últimos mil anos não houve um aquecimento como este que vivemos agora, o que diminui ainda mais a possibilidade de que estejamos no pico de um ciclo natural.

O que nos deixa uma possibilidade...

Aprisionar radiação infravermelha quando esta tenta escapar da atmosfera, fenômeno conhecido como efeito estufa

O capítulo 1 explica como os gases do efeito estufa afetam a temperatura e também de que forma a concentração desses gases tem aumentado.

Mas há outras razões para acreditarmos que os gases do efeito estufa são de fato a causa do recente aquecimento.

Para começar, diferentemente de aerossóis, que são facilmente lavados da atmosfera com a chuva, os gases do efeito estufa têm vida longa. O metano permanece na atmosfera por volta de 12 anos. O dióxido de carbono, por mais de um século. Já que ambos os gases têm bastante tempo para se espalhar pelo globo, o efeito deles seria sentido em todos os lugares. E é. O aquecimento que temos experimentado desde 1970 foi percebido claramente em todos os continentes.

Além disso, o aquecimento causado pelo dióxido de carbono costuma ser registrado próximo ao solo. Normalmente, as partes mais elevadas da atmosfera absorvem parte da radiação emitida em direção ao espaço e assim sofrem uma pequena elevação de temperatura. Mas quando o dióxido de carbono segura o calor nas camadas inferiores da atmosfera, como um cobertor, a parte inferior da próxima camada, a estratosfera, deveria resfriar. Essa é uma das marcas registradas do efeito estufa em ação, e é exatamente o que tem acontecido. Medições realizadas por satélites e por balões mostram que a camada inferior da estratosfera sofreu um resfriamento de 0,3 a 0,6°C a cada década desde 1979, que é o que se esperaria se os gases de efeito estufa estivessem aprisionando radiação.[7]

A prova cabal de que os gases do efeito estufa realmente são o problema deriva dos modelos atmosféricos de como o ar funciona. Tais modelos evoluíram muito nas últimas décadas. O tipo mais sofisticado deles, chamado Modelo de Clima Global ou GCM ,[8] usa computadores grandes, rápidos (e caros) para calcular o comportamento do ar. Eles encaram a atmosfera como torres de caixas contíguas, as quais obedecem às leis básicas da física. Ar, calor e umidade atravessam as caixas, a radiação entra e sai. O ar também pode interagir com o oceano, e em muitos casos com a vegetação na superfície da Terra.

Os GCMs foram criticados porque nem sempre se pode determinar o seu grau de precisão. Mesmo se fazem um excelente trabalho de simulação do mundo, isso poderia significar simplesmente que os operadores deram um jeito de garantir a coerência dos modelos. Mas felizmente temos bastante informação sobre como o clima mudou no passado — informação muitas vezes obtida por meio das medições indiretas que descrevemos no capítulo 1: testemunhos de gelo, anéis de árvores, corais etc. De modo que é possível, sim, testar quão precisos são os GCMs a partir da exatidão com que conseguem reproduzir o passado. E, geralmente, os melhores GCMs se saem bastante bem.

Os modelos climáticos, porém, não são perfeitos. Por exemplo, ainda não conseguem chegar ao detalhe regional de que precisamos se queremos prever com antecedência acontecimentos que afetarão comunidades específicas — como tempestades e variações locais na quantidade de chuva; também não são muito bons em simular nuvens; os aerossóis são um desafio à parte, e por isso, entre outras razões, é que diferentes modelos ainda fornecem um leque variado de respostas sobre exatamente qual alteração de temperatura decorrerá de uma dada alteração no nível de dióxido de carbono. Falaremos mais sobre isso no capítulo 6.

Mas há uma coisa que apenas os modelos são capazes de nos proporcionar: experimentos que envolvam todo o planeta. Normalmente, se os cientistas querem determinar a causa de um efeito específico, são realizados vários testes. "O que acontece se eu acrescento isto?" "Vamos tentar novamente sem isso" etc. Mas no caso do clima eles ficam numa sinuca — afinal, há apenas um planeta Terra.

Os modelos podem ajudar a suplantar esse problema. Você pode fazer um modelo funcionar com diferentes especificações — digamos, levando em consideração apenas a atividade solar e atividades vulcânicas, ou apenas gases do efeito estufa, e então ver como são os resultados. Ao compararmos isso com o mundo de verdade, temos pistas sobre de quem é a culpa.

E, ao fazermos isso, todos os GCMs chegam à mesma conclusão. Não há maneira de explicar o aquecimento das últimas décadas a menos que se considere na equação o aumento dos gases do efeito estufa. Quando você inclui os gases, o resultado é exatamente o que aconteceu no mundo. A mesma história se aplica individualmente a todos os continentes habitados da Terra. Cada um deles testemunhou um dramático aquecimento nas décadas passadas, e, em todos os casos, os modelos só podem responder pelo aquecimento se os gases do efeito estufa são acrescentados ao experimento.

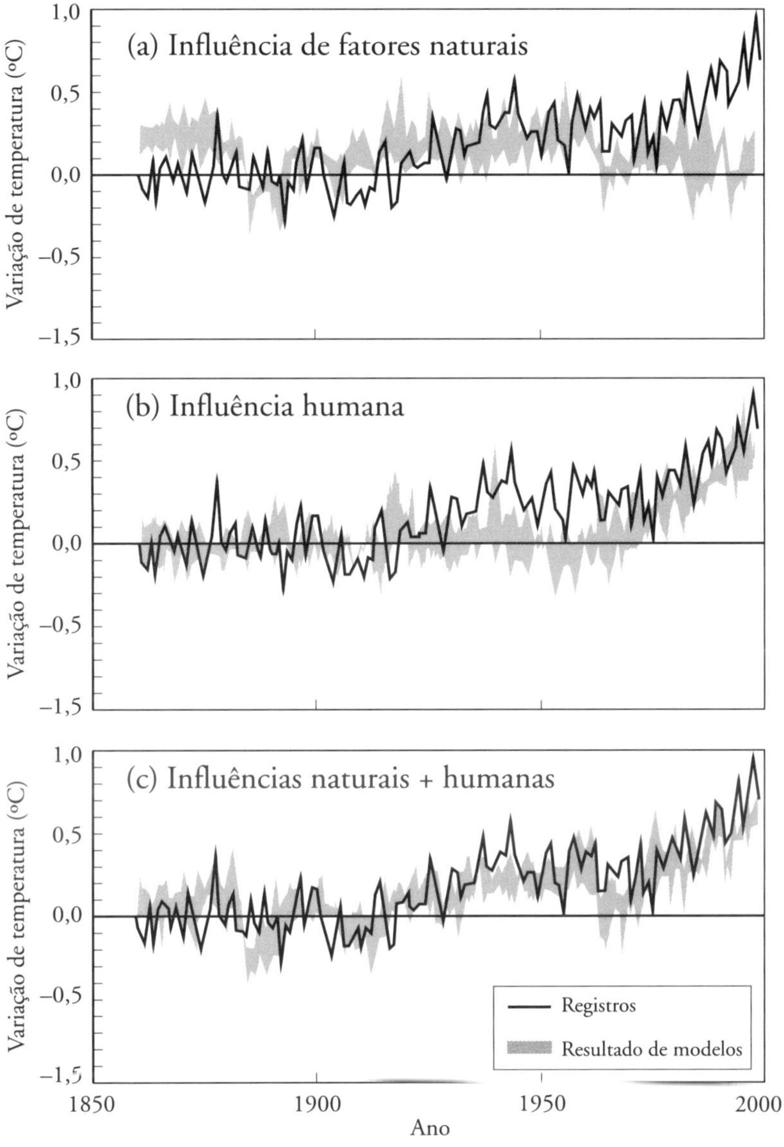

Variações de temperatura ao longo dos últimos 150 anos em ºC, em relação à média de 1961-1990. Os modelos só conseguem reproduzir essas variações quando incorporam tanto as influências naturais quanto as humanas. (Fonte: IPCC)

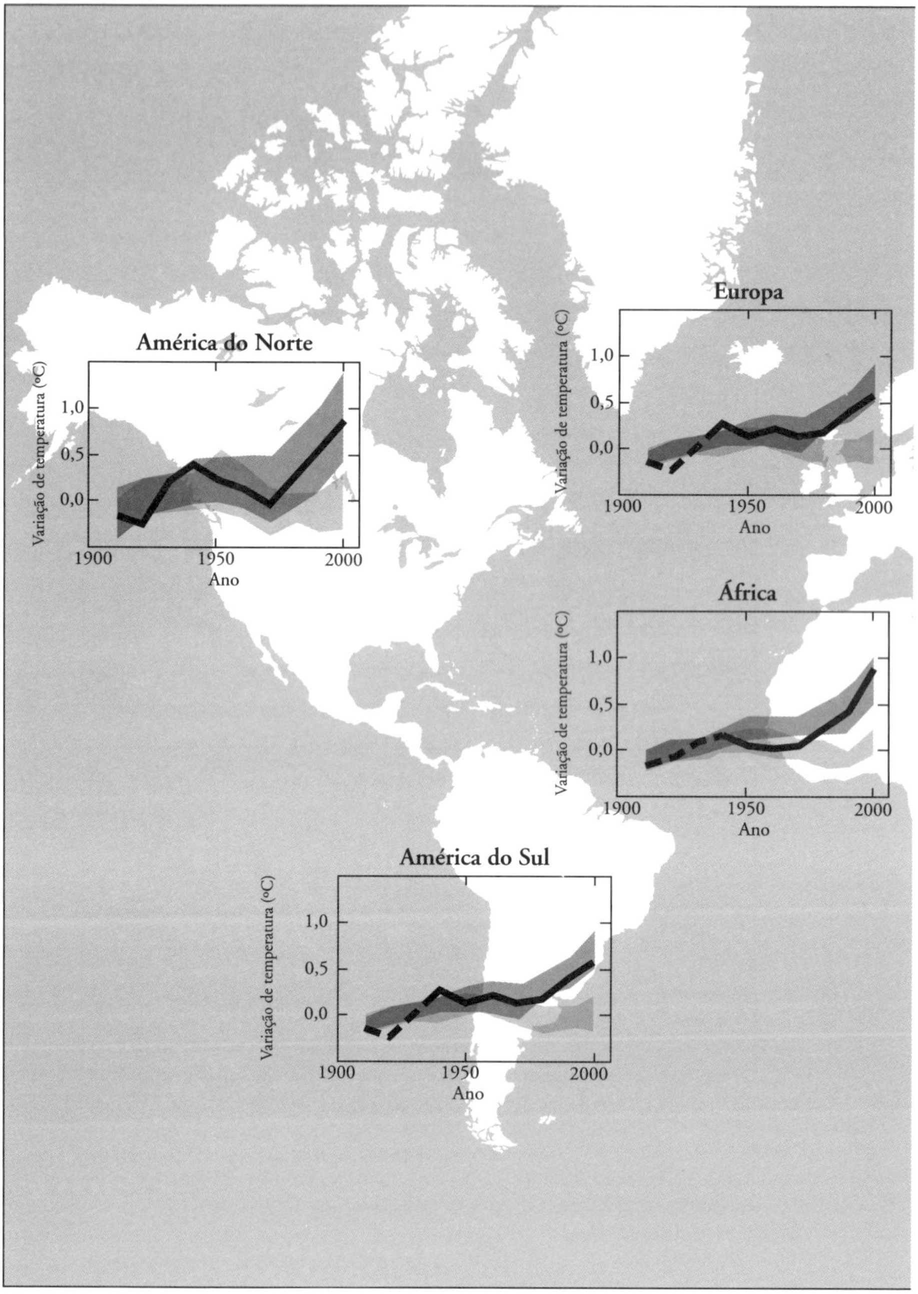

A temperatura está subindo em todos os continentes habitados. Simulações de modelos climáticos não conseguem explicar essa elevação, a menos que incorporem os efeitos das mudanças provocadas pelo homem na concentração dos gases do efeito estufa. (Fonte: IPCC)

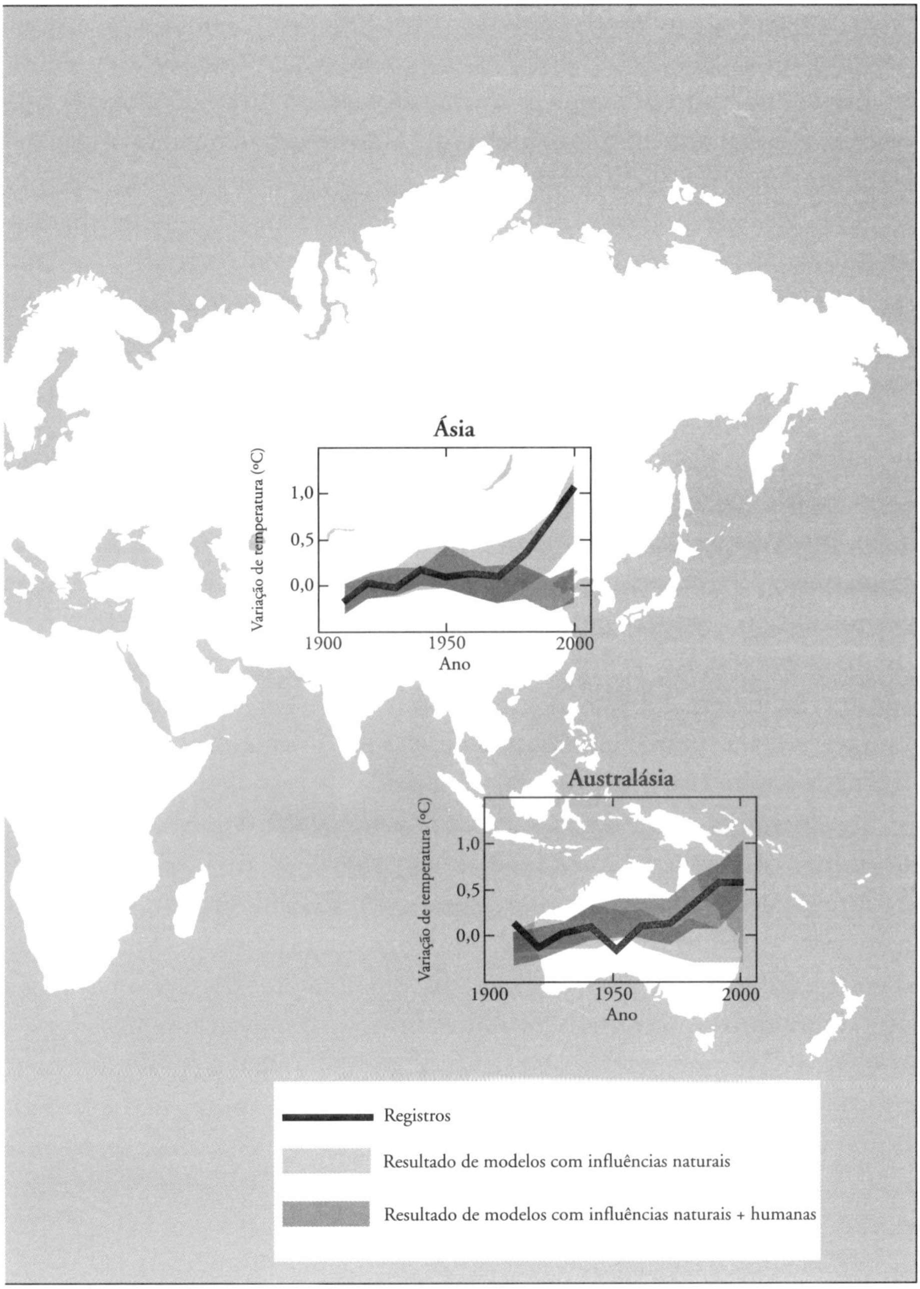
Ásia
Variação de temperatura (ºC)
1,0
0,5
0,0
1900
1950
2000
Ano
Australásia
Variação de temperatura (ºC)
1,0
0,5
0,0
1900
1950
2000
Ano
Registros
Resultado de modelos com influências naturais
Resultado de modelos com influências naturais + humanas

Em geral os modelos explicam bem todas as mudanças que aconteceram no século XX, incluindo o fato de as temperaturas aparentemente terem caído um pouco em meados do século — queda da qual os céticos sobre aquecimento global adoram se aproveitar. Acontece que o resfriamento foi decorrência de algo que já discutimos neste capítulo: os aerossóis. Eles tiveram, de fato, um efeito acentuado na temperatura do século XX. Entretanto, não foi um processo natural. A queima de carvão sujo produz vários tipos de aerossóis que contêm enxofre, e pesquisadores agora acreditam que eles foram responsáveis pelo ligeiro resfriamento que ocorreu entre 1940 e o final da década de 1960.

Alguns tipos de aerossóis mais escuros, formados a partir de combustão, podem ter o efeito oposto. Partículas marrons e pretas de fuligem provocam aquecimento porque a cor escura faz com que absorvam luz solar, conseqüentemente esquentando o ar ao seu redor. Por exemplo, as nuvens marrons de neblina que pairam sobre partes do subcontinente indiano ajudam a explicar por que parcelas dessa região estão testemunhando um aquecimento muito mais rápido do que a média global, o que, por sua vez, explicaria por que as geleiras tibetanas estão se desfazendo numa rapidez tão alarmante.[9] Mas aerossóis contendo enxofre causam resfriamento, e foram eles que dominaram a partir da metade do século XX.

A primeira parte desse século foi atingida por efeitos cumulativos do aumento da exposição à luz solar, da redução de atividade vulcânica e do aumento dos gases do efeito estufa, contrabalançados em parte pelos aerossóis de carvão sujo. O efeito total foi de aquecimento. Mas, à medida que a atividade do Sol arrefeceu, os aerossóis venceram essa batalha, e por alguns anos a Terra testemunhou um reduzido resfriamento.[10]

Um dos principais indícios apontando que esse raciocínio está certo provém do fato de o resfriamento ter sido registrado apenas no hemisfério norte. Os aerossóis oriundos de focos de incêndio e chaminés de fábricas não são lançados tão alto na atmosfera quanto os do monte Pinatubo e portanto tendem a ser dissipados pela chuva após uma semana ou duas. Conseqüentemente, não têm tempo de se espalhar e flutuam somente nas áreas onde foram formados. Como o hemisfério norte tem a maior parte da superfície terrestre do planeta e o maior número de países industrializados, foi aí que os aerossóis ficaram localizados. E é por isso que apenas o hemisfério norte testemunhou esse resfriamento de meados do século.

Mas, logo depois disso, muitas nações industrializadas passaram por um processo de "limpeza" de seus processos industriais. Ninguém mais queria viver em cidades asfixiantes e sujas, e uma série de Leis do Ar Puro foram aprovadas. Ironicamente, ao limpar os sinais óbvios de poluição do nosso ar, perdemos parte do efeito de resfriamento que essas partículas nos forneciam. E permitimos que os gases do efeito estufa, poluidores invisíveis e muito mais letais, ficassem livres para provocar estragos.

Os modelos climáticos mostram isso perfeitamente. Quando juntamos aquecimento solar e gases do efeito estufa, a primeira parte do século, representada no modelo, aquece exatamente como aconteceu na realidade. Os aerossóis gradualmente tomam conta, até meados do século, mas os gases do efeito estufa acabam levando a melhor no final.[11]

De fato houve algumas falhas aparentes no argumento que apontava os gases do efeito estufa como os responsáveis pelo aquecimento — e cada uma dessas falhas foi cuidadosamente abraçada pelos céticos. Mas todas, nos últimos anos, foram superadas.

Por exemplo, apesar de medições junto ao solo terem mostrado de forma clara que a Terra estava em processo de aquecimento, satélites pareciam sugerir que um pouco mais acima, da parte média à parte superior da troposfera, as temperaturas não indicavam alteração alguma. Mas isso se revelou o resultado de simples erros na análise dos dados de satélites. Uma análise apropriada revela que as camadas superiores da troposfera estão, sim, em aquecimento, a uma razão muito parecida à da alteração junto ao solo.

Além disso, algumas pessoas sugeriram que o dióxido de carbono não acarretava o aumento de vapor d'água no ar, porque a parte de cima da troposfera secaria à medida que a camada inferior se umedeceria. Sem o reforço de uma quantidade extra de vapor d'água para ajudar no efeito estufa disparado pelo dióxido de carbono, diziam, a alteração na temperatura seria mínima e sequer seria sentida. Entretanto, medições de satélite agora mostram que a camada superior da troposfera está de fato cada vez mais úmida, conforme o previsto.[12]

Todas essas comprovações apontam para uma mesma direção. O recente aquecimento do planeta Terra está inteiramente marcado pelas impressões digitais do dióxido de carbono. Ou, para resumir e responder à pergunta colocada no título desse capítulo: o culpado somos nós. A atividade humana é a responsável pela elevação da temperatura nas últimas décadas, e será responsável por mais mudanças que ainda estão por vir. Há espaço de sobra para debate na história do aquecimento global, mas não quanto à nossa culpa. Se alguém afirmar algo diferente, essa pessoa ou é tola ou se beneficia de alguma maneira ao ignorar os argumentos científicos.

Até agora, nos concentramos nas mudanças de temperatura que a Terra vivenciou nas últimas décadas. Mas estas mudanças também afetaram muitos outros aspectos do clima, acarretando problemas também para os habitantes do nosso planeta. Falaremos sobre isso no próximo capítulo.

3

SENTINDO O CALOR

Até agora experimentamos apenas um relativamente pequeno aquecimento global — cerca de três quartos de um grau centígrado. Mas isso foi o suficiente para jogar uma substancial quantidade de areia nas engrenagens da natureza. Não se trata apenas de animais e plantas que não suportam o calor, e simplesmente caem mortos. É que suas vidas estavam cuidadosamente afinadas com um clima que não existe mais.

A essência do problema é a corrida contra o tempo. Os animais usam indícios específicos para tomar decisões sobre quando sair da hibernação, se reproduzir ou iniciar uma jornada que vai levá-los ao outro lado do mundo. E indícios que costumavam ser ultraconfiáveis estão começando a escassear. Em todo o mundo, a primavera está começando cada vez mais cedo, e o outono, cada vez mais tarde. Apesar de alguns animais e algumas plantas conseguirem conviver com isso, a natureza é como uma orquestra. Se alguém erra o ritmo, você não consegue belas harmonias — o que você terá é uma bela confusão.

Tomemos como exemplo a marmota-de-barriga-amarela, um esquilo terrestre que vive nas montanhas do oeste dos Estados Unidos e do Canadá. A cada ano, essa criatura decide, testando a temperatura do ar, o momento certo para emergir do seu esconderijo terrestre. O ar quente deveria significar que a neve logo derreterá e que o alimento não tardará. Mas ultimamente o ar quente está vindo cada vez mais cedo, quando a neve ainda forma uma camada grossa no chão. As marmotas estão saindo das tocas um mês antes do que deveriam e tornam-se vulneráveis tanto à falta de comida quanto aos predadores, que são levados às suas portas pelas reveladoras pegadas na neve.[1]

A borboleta *Euphydryas editha* se guia pela neve, em vez de pela temperatura, para decidir quando emergir da crisálida e dar início às suas tentativas reprodutivas. Mas no seu habitat nas Montanhas Rochosas a neve está rareando, o que faz com que as borboletas rompam a crisálida em abril, em vez de maio ou junho. Em um determinado ano, não havia plantas para alimentá-las, e os corpos das borboletas encheram as colinas circundantes, num tapete de asas frescas e frágeis de um laranja vivo. Após várias outras tentativas abortadas de se reproduzir, elas desapareceram dessa parte do mundo.

Mudanças na precipitação pluvial também têm um efeito insidioso e sutil. De um modo geral, as porções setentrionais do mundo têm ficado cada vez mais úmidas, mas os trópicos estão sofrendo estiagem. Mais chuva tem caído na parte leste das Américas, no norte da Europa e nas porções norte e central da Ásia, ao passo que o norte e o sul da África, a zona mediterrânea e partes do sul da Ásia começaram a perder umidade. Mas mesmo em lugares em que o índice anual de chuva permaneceu mais ou menos inalterado, o padrão da precipitação começou a mudar — cada vez mais as tempestades são mais intensas, entremeadas por períodos cada vez mais longos e mais secos.

Os lêmures de Madagascar são um exemplo bastante ilustrativo da sutileza dos efeitos das alterações climáticas. Estes incríveis primatas vão do minúsculo rato-lêmur (*Microcebus murinus*), pequeno o suficiente para caber na palma de uma mão, ao indri, que é famoso por seu assombroso canto e é do tamanho de (e parece quase igual a) uma criança de 4 anos vestida numa fantasia de panda. Uma gama de outras espécies encontra-se entre esses dois extremos, e cada uma delas tem o seu calendário de acasalamento. Mas o que é realmente incrível é que todas elas se programam para desmamar as crias mais ou menos na mesma época — quando os frutos da floresta são mais abundantes.

Os lêmures, como muitos outros animais, orientam-se pelo número de horas de luz do Sol no dia. Essa é a constante de um mundo que está sempre em mudança. Em qualquer ponto do planeta Terra, esse número de horas varia em função de onde estamos em nossa órbita em torno do Sol; não depende da temperatura ou da precipitação pluvial ou outros fenômenos caprichosos. Assim, a quantidade de luz solar informa aos lêmures a data em que se encontram de modo tão certeiro quanto se eles tivessem um círculo vermelho marcado nos seus calendários.

Esse tipo de comportamento funciona maravilhosamente desde que as frutas também entrem na brincadeira. Mas se o padrão da precipitação de chuvas muda, apesar de estarmos na data certa, a disponibilidade de alimento será completamente alterada. E já há sinais de que isso pode estar acontecendo em Madagascar. O efeito pode ser sutil: com um pouco menos de alimento, menos jovens da espécie sobrevivem de um ano para o outro, e, assim, o grupo torna-se cada vez menor. Mas quando se trata de animais que já estão em fase de extinção devido às serras-elétricas, que destruíram a maior parte de seu habitat natural, os sutis efeitos da mudança climática podem tranqüilamente ser suficientes para liquidá-los de vez.

Também o papa-moscas preto começou a perder confiança no seu calendário interno. A cada ano esses pássaros fazem uma incrível viagem de 5 mil quilômetros do oeste da África para as suas zonas de procriação, na Holanda. A data para início da jornada é rigorosamente controlada, e nos últimos vinte anos eles têm chegado ao destino final na mesma época. Mas as temperaturas locais na Holanda começaram a mudar. A primavera está chegando cada vez mais cedo à Europa, quando a população de lagartas que os filhotes de papa-moscas deveriam comer já se encontra em declínio. Se eles não alterarem a data de início da sua viagem migratória, morrerão.

Algumas espécies estão conseguindo se adaptar.[2] Entretanto, alterações climáticas causadas pelos seres humanos estão acontecendo muito mais rápido do que o aquecimento por causas naturais. O resultado é que as criaturas que conseguem mudar também são aquelas cujo passo evolutivo é mais rápido — ou seja, moscas e mosquitos e outros insetos com ciclos reprodutivos curtos, mais do que os animais maiores e mais fotogênicos.

Há muitos outros sinais de que a natureza já está sofrendo com o calor. As linhas de árvores (área de vegetação limítrofe com a tundra, ao norte) estão cada vez mais indo em direção aos pólos e subindo encostas de montanhas. Animais estão seguindo colina acima a vegetação que lhes serve de alimento. Parques nacionais cuidadosamente mantidos, planejados para proteger determinados habitats, estão parecendo cada vez mais vulneráveis, e conservacionistas estão começando a se dar conta de que a mudança climática pode ser o golpe de misericórdia para muitas das espécies em extinção do mundo.

Nenhuma espécie específica teve ainda a honra duvidosa de ser apontada em consenso como a primeira vítima da mudança climática. O melhor candidato até agora é o maravilhoso sapo-dourado, da Costa Rica, que desapareceu para todo o sempre em meados da década de

1980 de uma selva tropical aparentemente nunca tocada por humanos. Primeiro, pesquisadores sugeriram que a espécie desaparecera à medida que alterações de temperatura acabaram com o nevoeiro que cingia a floresta, seu habitat natural. Mais tarde pareceu mais provável que uma doença tivera um papel importante na perda desta espécie, assim como na de outras espécies de sapos da Costa Rica nos anos 1980 e 1990. Ainda assim, em 2006, os pesquisadores originais publicaram um artigo muito convincente em que defendiam que a alteração climática havia criado as condições perfeitas para que a doença se espalhasse.[3]

Apesar de muitos terem ficado tristes com o fato de que o sapo-dourado deu seus últimos pulos sobre a Terra, é tentador pensar que, com tantas espécies no planeta, podemos abrir mão de algumas sem sofrer nada mais grave do que uma fisgada na consciência. Mas isso não dá o devido crédito à amplidão da escala das perdas em potencial. O relatório IPCC prevê que entre um quinto e um terço de todas as espécies da Terra podem correr risco de extinção ao final deste século,[4] e outros pesquisadores sugerem que pode ser acima de 50%. É o suficiente para desencadear uma onda de extinção na escala dos dinossauros.

Por enquanto, o mais alarmante é que o aquecimento global não está afetando apenas espécies específicas. Também está alterando ecossistemas inteiros. Os dois exemplos mais dramáticos são os recifes de coral, que estão ficando brancos, e a calota de gelo do Ártico, que está ficando preta.

O caso do sumiço do pólo

A Antártida é um continente coberto por gelo e cercado por água, e o gelo sobre a sua superfície pode ter até 3 quilômetros de espessura. O Ártico, por sua vez, é um oceano cercado por um anel de terra. O gelo no Pólo Norte flutua sobre a água do mar e tem apenas alguns metros de espessura. Por causa disso, o gelo de lá derrete muito mais facilmente.

Ao longo dos últimos trinta anos, conforme as temperaturas começaram a se elevar, a área do mar de gelo durante o verão encolheu quase 8% por década.[5] É chocante ver uma seqüência de imagens de satélite do desaparecimento do gelo. Cada ano, a área branca encolhe perceptivelmente e é substituída pelo oceano, negro.

Os últimos quatro anos viram quedas recordes de áreas de gelo marítimo, com 2005 fornecendo aquilo que um pesquisador chama de "ponto de exclamação" no registro. Esse ano registrou 20% menos cobertura de gelo do que a média — uma perda de 1,3 milhão de quilômetros quadrados.[6] E 2007 foi ainda pior. Desde a década de 1990, as temperaturas da primavera começaram a subir em toda bacia do Ártico,[7] e muitas partes do Ártico começaram a experienciar ondas de calor sem precedentes.

Modelos prevêem que, se o aumento da emissão de gases do efeito estufa continuar, por volta do final do século, o Ártico, no verão, será completamente destituído de gelo.[8] Um planeta que costumava se orgulhar de suas duas calotas de gelo polar terá, então, apenas uma.

O ecossistema já está mudando. Por exemplo, há sinais de que a perda começou a prejudicar os ursos-polares, o garoto-propaganda de toda história do aquecimento global. Ursos-polares são predadores especializados que se alimentam quase exclusivamente de focas. As focas, por sua vez, crescem no gelo marítimo. De forma que o acesso ao gelo do mar é vital para os ursos, especialmente para as fêmeas que, no verão, emergem de uma toca no gelo com suas crias após um período de jejum que dura seis ou sete meses. Se, ao emergirem, não encontram nada além da água negra do oceano, eles têm de nadar ou morrer. Um grupo de ursos em Western Hudson Bay já declinou de 1,2 mil espécimes em 1987 para menos do que 950 em 2004.[9]

A perda do gelo do mar é ruim não apenas para os membros maiores e mais fotogênicos do ecossistema do Ártico, mas também para muitas das presas menores — até chegar ao fitoplâncton, que vive no gelo e que responde por uma grande proporção do fornecimento de alimento.[10] Ainda não está bem claro de que forma as espécies árticas vão se adaptar a este novo Ártico, mais úmido, mas de uma coisa se pode ter certeza: todo o ecossistema mudará a ponto de se tornar irreconhecível.

Corais pálidos

Os recifes de corais encerram tantas espécies coloridas que são freqüentemente chamados de "florestas tropicais" do oceano. Apesar de seu aspecto duro, são na verdade criaturas de consistência gelatinosa, que vivem dentro de uma casa de cálcio construída por elas mesmas. Nessas casas, também encontram-se hóspedes, como algas, que servem de alimentos para os corais. Normalmente esse acordo satisfaz ambas as partes, mas quando o coral fica estressado, a primeira coisa a ser dispensada é o hóspede. As algas são ejetadas sem cerimônia alguma, e os corais ficam brancos. Isto é conhecido como branqueamento de corais e ocorre especialmente se a água do mar esquenta.

É o que ocorreu em 1998, um dos dois anos mais quentes de todo o registro histórico. O branqueamento começou no Pacífico Leste, na Polinésia Francesa, antes de se dirigir para oeste. Por alguma razão, o efeito não foi sentido em muitas ilhas do Pacífico Sul, mas semeou devastação na Grande Barreira de Coral. O dano ali foi tão devastador que a gigante cicatriz é visível do espaço. O branqueamento chegou até o oceano Índico, onde destruiu 90% dos corais das ilhas Maldivas. Então aconteceu na África e no Caribe. A amplitude do efeito pegou os pesquisadores de surpresa. Ninguém nunca vira nada como aquilo.

O branqueamento voltou a acontecer em 2000, desta vez destruindo grandes porções de corais das ilhas Fiji. Em 2002, a Grande Barreira de Coral foi novamente atingida, e em 2005 o Caribe sofreu perdas ainda piores do que em 1998.

Os corais conseguem sobreviver a episódios de branqueamento e reencontrar as algas quando a temperatura volta a cair. Mas se o aquecimento é grande, ou se dura demais, os corais morrem. O que não quer dizer que entrem em extinção. Corais podem ser recolonizados, ou podem estabelecer novas colônias em outro lugar. Eles vencem pela quantidade. Tantas larvas de corais são liberadas a cada desova que milhões de indivíduos podem morrer sem que a espécie desapareça inteiramente. Eles também podem migrar a lugares com temperaturas mais apropriadas e alguns podem conseguir se adaptar rápido o suficiente, encontrando uma maneira de tolerar as altas temperaturas e uma maior acidez do ambiente. Mas, como resultado do branqueamento, muitos dos recifes de coral existentes já estão morrendo. E enquanto as temperaturas do oceano continuarem a se elevar, o branqueamento só se tornará pior.

O aumento do dióxido de carbono tem outro efeito colateral que também será nocivo para os corais. Até hoje, os oceanos absorveram cerca de metade das emissões de dióxido de carbono provenientes da queima de combustíveis fósseis, da fabricação de cimento e de alterações no uso da terra. Ainda bem, pois de outra maneira haveria ainda mais dióxido de carbono no ar e, portanto, um aquecimento ainda maior do que o visto até agora. Mas esse benefício tem um preço. Todo esse dióxido de carbono extra está gradualmente tornando o oceano mais ácido.

É difícil acreditar nisso, e, de fato, muitos cientistas inicialmente descartaram essa possibilidade. Os oceanos, afinal de contas, são vastos e especialistas em neutralizar qualquer material que ameace tornar suas águas mais ácidas. Mas o problema é que o dióxido de carbono está se acumulando rápido demais. Numa razão maior do que a capacidade compensatória do oceano. Um relatório produzido pela Sociedade Real Britânica em 2005 estimava que os oceanos da Terra já estavam 0,1 unidade mais ácidos, o que significa um aumento de 30% dos íons que causam a acidez.[11] E um estudo calculou que o aumento desenfreado de dióxido de carbono nos próximos séculos pode deixar os oceanos mais ácidos do que jamais estiveram em 300 milhões de anos.[12]

Ninguém sabe ainda se isso está tendo algum impacto nas criaturas marítimas, sobretudo porque se trata de algo difícil de mensurar. Mas a maioria concorda que os efeitos serão logo sentidos — se é que, de fato, eles já não estão entre nós. De acordo com o relatório da Real Sociedade, animais com metabolismo mais acelerado, como a lula, provavelmente sofrerão em águas mais ácidas. Mas o verdadeiro perigo é para qualquer espécie de animal que construa para si próprio uma concha, ou um esqueleto, a partir de carbonato de cálcio (a mesma substância de que é feito o giz usado em quadros-negros) dissolvido na água. Quanto mais ácida a água, mais difícil é fazer uma concha, e, num cenário mais pessimista, conchas já prontas começarão a se dissolver.

O perigo se aplica a espécies que respondem por uma grande parte da cadeia alimentar, de minúsculos plânctons e pterópodes — que servem de alimento ao bacalhau, ao salmão e às baleias — até mexilhões, búzios e ouriços-do-mar. E aplica-se, sobretudo, aos corais.

Sessenta e cinco milhões de anos atrás, um meteoro do tamanho de Nova York chocou-se contra a Terra. O caos ambiental que se seguiu, acredita-se, pôs fim aos dinossauros. Mas também houve outro efeito, menos conhecido. De acordo com Ken Caldeira, do Instituto Carnegie de Washington, na Califórnia, o meteoro lançou na atmosfera vastas quantidades de enxofre, que então choveu sobre o mar na forma de ácido sulfúrico. Por um breve momento as camadas superficiais do oceano se acidificaram — talvez por apenas um ou dois anos. Mas foi o que bastou. Praticamente toda criatura do mar que construía conchas ou esqueletos a partir de carbonato de cálcio ou se tornou muito rara ou se extinguiu. Um punhado de corais deve ter sobrevivido, senão não mais os teríamos na Terra hoje. Mas ainda assim eram escassos demais para deixar traços; só reapareceram nos registros fósseis dois milhões de anos depois.[13]

No total, o relatório IPCC afirma que mais de 29 mil dados de observação espalhados em 75 estudos mostram mudanças significativas em sistemas físicos e biológicos em todo o mundo.[14] E 90% desses dados são exatamente o que se esperaria de um cenário de aquecimento. E mais: as regiões em que as alterações estão acontecendo coincidem com as regiões em que um maior aquecimento foi registrado. Isso não pode ser apenas uma questão de variação natural. A mensagem da natureza é a de que a alteração climática já está em ação.

Isso soa como péssima notícia para os amantes da vida selvagem, mas é mais importante do que isso. Nosso ecossistema trabalha para nós, de maneiras às quais estamos tão acostumados que — nas palavras memoráveis de Joni Mitchell — "só saberemos o que temos quando o perdermos".[15] Esses chamados serviços de ecossistema fazem mais do que fornecer uma tela de fundo bonita para uma caminhada na floresta. Também nos dão comida e materiais naturais com os quais trabalhar, e cumprem uma série de outras funções que incluem absorção da nossa poluição, entrega de água onde dela precisamos e armazenagem de água onde ela não é necessária.

Mesmo sendo sempre difícil relacionar diretamente qualquer ocorrência específica com a mudança climática, três dramáticos acontecimentos recentes ajudaram a chamar a atenção para os perigos de os humanos mexerem com o clima.

Guerras climáticas

Até poucas décadas atrás, poucos ocidentais teriam ouvido falar de Darfur, uma região no oeste do Sudão, bem ao sul do Saara. Esta era, afinal de contas, uma área essencialmente pacífica, em que pastores árabes nômades guiavam seus animais amigavelmente nas terras de fazendeiros africanos. Agora, claro, Darfur é um lugar de um horror inimaginável. Aconteceu algo que fez com que aqueles vizinhos, outrora pacíficos, começassem a se matar uns aos outros. Mais de 2 milhões de pessoas foram "deslocadas", tiveram suas casas destruídas e suas vidas, arruinadas. Pelo menos 400 mil civis foram mortos.

As origens do conflito são complexas, mas foram disparadas por uma estiagem que persiste ainda hoje e que teve um terrível início no Sudão e no Chifre da África em meados da década de 1980. A vida, que já era frágil, estava prestes a esvair-se de vez. Pessoas e gado morreram em números alarmantes. E os escassos recursos de água e terras férteis que restavam se tornaram um terreno fértil para conflitos. No final dos anos 1980, os cada vez mais desesperados pastores árabes começaram a atacar vizinhos fazendeiros. O resultado nós sabemos bem qual foi.

Primeiro, pensou-se que a estiagem que dera início a essa disputa por recursos naturais havia sido causada pela degradação ambiental. Ocidentais bradaram que o cultivo e a pastagem intensivos haviam transformado a terra em um punhado de pó. Mas modelos mais recentes mostraram que o uso da terra não fornece a resposta para a questão.

Em vez disso, os modelos sugerem que a razão para o estio está ligada a um resfriamento no Atlântico Norte, em relação ao Atlântico Sul. Isso, por sua vez, alterou a localização de uma série de correntes de ar conhecidas pelos cientistas como Zona de Convergência Intertropical, e pelos fazendeiros e pastores de Darfur como prenúncio de chuva.[16]

A partir daí a coisa fica menos nítida. É possível que o resfriamento do Atlântico Norte tenha sido causado por razões naturais. Mas também é possível que tenha acontecido devido aos comparsas do dióxido de carbono: aerossóis de sulfato. Conforme explicamos no capítulo 2, esses aerossóis levantam-se, entre outras razões, a partir da queima de carvão sujo. Porque refletem a luz solar direto de volta ao espaço, estão perpetuamente engajados em um cabo-de-guerra com o dióxido de carbono, causando um resfriamento que equilibra em parte o aquecimento do efeito estufa. Apesar de muitos desses aerossóis terem sido varridos nas últimas décadas, ainda surgem de usinas de energia e chaminés de fábricas em quantidade suficiente para jogar um manto sobre os oceanos que circundam os centros industriais do mundo.

E o efeito-chave quanto a Darfur foi de caráter puramente regional. Um modelo sugere que nuvens de aerossóis sobre o Atlântico Norte podem ter devolvido um pouco de luz solar de volta para o espaço, o que teria resfriado a superfície do mar no local, o que por sua vez teria mandado a Zona de Convergência Intertropical para o sul, roubando a chuva da região do Sahel.[17]

Claro que o que se viu depois da estiagem foi um amontoado de fatos políticos — sobretudo a negligência da região e a libertação de caudilhos sedentos por poder por parte do governo central do Sudão, em Cartum. Mas o violento e aterrorizante conflito poderia nunca ter acontecido se a queima de combustíveis fósseis não tivesse preparado o terreno. Como alguém comentou: "Nas próximas décadas, Darfur poderá ser vista como uma das primeiras verdadeiras guerras da mudança climática."[18]

Seja isso verdade ou não (e os modelos ainda precisam chegar a um consenso sobre a questão), Darfur segue sendo um exemplo dramático de como uma pequena alteração no clima em uma só região pode ter conseqüências humanas dramáticas e aterrorizantes.

Katrina

O mesmo se aplica a outro desastre recente. Na manhã do dia 29 de agosto de 2005, o furacão Katrina atingiu o sudeste da Louisiana. Foi o sexto mais forte furacão atlântico já registrado, apesar de ter enfraquecido consideravelmente antes de atingir a superfície terrestre. Ainda assim, foi um dos mais mortíferos furacões atlânticos já vistos. O Katrina causou prejuízos da ordem de US$ 80 bilhões e mais de 1,8 mil mortes. E também, de modo infame, transformou Nova Orleans — uma cidade grande no país mais rico do mundo — em um inferno; um lugar onde corpos inchados boiavam pelas ruas, e onde a ilegalidade e a doença corriam soltas.

Apesar de muitas pessoas terem sugerido que o Katrina foi uma conseqüência direta da mudança climática, não sabemos se isso é verdade. Imagine um dado viciado, que tem duas vezes mais chances de dar o resultado seis. Metade dos seis que você obtém ainda poderiam ser considerados "naturais". Mas a outra metade seria resultado da mudança que você deliberadamente fez nos dados. Nós não sabemos — não temos como saber — se o Katrina foi uma jogada "natural" dos dados climáticos ou uma das jogadas decorrentes do fato de o dado ser viciado. O que podemos afirmar é que, graças à mudança climática, mais katrinas deverão ocorrer.

O aquecimento global dificilmente fará diferença quanto ao *número* de furacões ao redor do mundo.[19] Mas deve deixá-los mais *intensos*. A energia que alimenta os furacões vem da água quente do mar, o que explica por que eles só se formam nos trópicos, e mesmo assim somente nos meses mais quentes. O aquecimento global já está fazendo com que a superfície do mar esquente,[20] e isso, por sua vez, está aumentando as chances de os furacões se tornarem verdadeiramente destrutivos. Furacões mais intensos têm mais água com que trabalhar, já que níveis marítimos em ascensão lhes dão cada vez mais alcance.

A temperatura do mar não é a única influência na potência final de um furacão. Se a velocidade do vento muda em diferentes alturas acima da superfície da água, isso pode ter o efeito da "fatiar" os pequenos furacões antes de eles crescerem e se fortalecerem. Entretanto, evidências históricas sugerem que temperaturas em elevação já estão tendo conseqüências. Ao longo dos últimos trinta anos, os furacões de fato se tornaram cerca de 70% mais fortes.[21] Desde 1970, o número de furacões das categorias 4 e 5 — os mais fortes e mais destrutivos — cresceram dramaticamente, sendo que as áreas mais afetadas são o Pacífico Norte, o oceano Índico e o oceano Pacífico Sudoeste. Os furacões podem inclusive estar expandindo seus limites históricos: em março de 2004, pela primeira vez um ciclone tropical no Atlântico Sul chocou-se contra a costa brasileira. Tomou os meteorologistas tão completamente de surpresa que eles sequer chegaram a lhe dar um nome.

Onda de calor

No verão de 2003, uma intensa onda de calor se espalhou por toda Europa. Enquanto os países mais ao norte lagarteavam no calor inesperado, o resto da Europa torrava. O definhamento das lavouras custou aos fazendeiros mais de US$ 12 bilhões. Incêndios de florestas em Portugal custaram outros US$ 1,6 bilhões em danos.[22] E pessoas morreram. O número de mortes por mês em todo o continente mostra um enorme pico nas primeiras semanas de agosto, o mês mais quente. Essas mortes ocorreram entre pessoas a partir dos 40 anos. A maioria delas já era vulnerável: pessoas mais velhas, asmáticas, que literalmente não conseguiam suportar o calor. Mas, ainda assim, não eram pessoas que estivessem próximas da morte. Se fossem, a alta abrupta de mortes em agosto teria sido seguida por uma queda durante os meses seguintes. Mas isso não aconteceu. Em vez disso, pelo menos 35 mil e talvez até mesmo 52 mil pessoas morreram muito antes da sua hora.[23]

Isso foi apenas um ruído "natural" ou foi culpa do aquecimento global? Nesse caso, diferentemente dos dois casos anteriores, as evidências pró-implicação da mudança climática são fortes. Em 2004, vários pesquisadores britânicos testaram um dos mais avançados modelos climáticos só com variações naturais em atividade solar e vulcânica, e então o executaram novamente com a adição de gases do efeito estufa. Calcularam em quanto os gases do efeito estufa haviam aumentado o risco de haver outro verão com os níveis de temperatura de 2003. O resultado mostrou que o aquecimento global havia tornado esse tipo de verão muito mais provável do que antes.[24]

Uma maneira de interpretar isso é pensar sobre a diferença entre clima e tempo. Tempo é o que nós vivenciamos de mês a mês e de ano a ano. Oscila constantemente, e um gráfico das mudanças nas temperaturas anuais na Europa central mostra uma floresta de pequenas lanças, algumas subindo, outras descendo. Clima é a média dessas flutuações ao longo do tempo, uma linha horizontal que atravessa as lanças.

Ultimamente, nosso clima está esquentando, de modo que essa linha-média estável riscada através das lanças que marcam nossas temperaturas anuais tem se elevado. Isso significa que qualquer lança ascendente, que, de resto, é apenas um distanciamento banal da média, agora está começando de uma linha-base mais elevada. Atinge o ápice em uma temperatura muito mais alta do que, de outra forma, aconteceria.

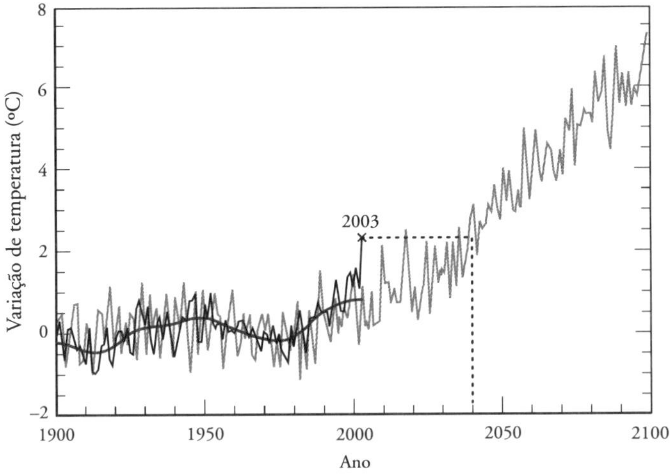

Temperaturas dos verões na Europa (registros e média) em °C (linhas pretas) comparadas à média de 1961-1990, terminando com a onda de calor européia de 2003 (cruz). De acordo com os modelos (linhas cinza), até 2040 os valores de 2003 terão se tornado comuns. (Fonte: P.A. Stott, D.A. Stone e M.R. Allen. Human contribution to the European heat wave of 2003. In: *Nature*. Vol. 432. p. 610-14, 2 de dezembro de 2004)

Desse modo, metade do excesso de temperatura de 2003 deveu-se à linha-base em elevação. O resto explica-se pelo que de outra maneira seria um pico quente, mas não especialmente incomum, de temperatura. Aliás, a linha-base subiu tanto que a temperatura média do verão no centro da Europa agora está próxima ao valor para o verão mais quente do século XX. Nas próximas décadas, a linha-base provavelmente subirá aos níveis das temperaturas de 2003. *Então*, quando um pico de calor vier, o efeito será verdadeiramente tórrido.

Esses são apenas alguns exemplos de sofrimento humano em massa já causado por mudanças relativamente pequenas no clima. Goste-se ou não, isolados em cidades ou em pradarias, nas estepes ou nas savanas, todos nós fundamentalmente dependemos dos serviços que a natureza nos fornece — e sofremos quando esses serviços são negados.

Entretanto, isso não quer dizer que devemos apenas ficar olhando e aceitar o que nos é dado. O sofrimento humano em cada um desses casos poderia ter sido evitado se estivéssemos devidamente preparados. A próxima parte da história é tentar descobrir, exatamente, o que devemos esperar do aquecimento global ao longo das próximas décadas e como estar à altura do desafio.

4

O QUE VEM POR AÍ

Mudanças são inevitáveis

A maioria das pessoas já se deu conta de que a mudança climática está agindo sobre nós. Se incentivada, a maior parte também diria que, se não fizermos algo para mudar a nossa forma de viver, as coisas provavelmente piorarão. Mas poucos parecem ter percebido um dos pontos mais importantes a emergir das projeções científicas dos últimos anos. Todas as evidências sugerem que o clima da Terra experimentará mudanças significativas e potencialmente muito perigosas ao longo das próximas décadas *independente do que fizermos agora.*

Isso acontece porque o oceano tem um tempo de defasagem interno. Demora para esquentar, o que explica por que a melhor época para tomar banho de mar é o final do verão, e não o alto verão. O mesmo princípio se aplica ao aquecimento global, mas em uma escala de tempo maior: porque os oceanos gradualmente absorvem a energia gerada pela quantidade extra de gases do efeito estufa, o efeito total só será sentido depois de décadas — ou até séculos.

Isso significa que, independente do que fizermos agora para mudar os nossos hábitos de emissão de carbono, demorará várias décadas até que obtenhamos algum efeito. Em outras palavras, de acordo com as melhores previsões que os nossos modelos podem nos fornecer, os próximos vinte ou trinta anos serão mais ou menos iguais, mesmo se rapidamente dermos um jeito nos nossos hábitos de emissão de dióxido de carbono ou se continuarmos queimando tanto combustível fóssil quanto possível.[1] Seja lá o que fizermos hoje para reduzir emissões de gases do efeito estufa, fará diferença para a geração dos nossos filhos e mais além, mas não para a nossa. O problema da alteração climática é uma questão de legado.

Falaremos mais sobre isso depois. Por enquanto, o importante é que alguma mudança climática já está em preparação. Apesar de alguns detalhes terem sido apenas meramente esboçados, cientistas têm uma idéia razoável do que nos aguardará nas próximas décadas. Observe que as descrições a seguir partem da hipótese de que nada seja feito a fim de nos preparar para as mudanças que já não podem mais ser interrompidas. Mais além neste capítulo explicaremos algumas formas de nos adaptarmos a elas.

Tempestades

Conforme mencionado no capítulo 3, a quantidade de furacões provavelmente não crescerá, mas eles devem ficar mais fortes e durar mais tempo. Fora dos trópicos a coisa é mais complicada. Nessas zonas, tempestades são muito maiores e mais abrangentes do que furacões. Ocasionam uma meteorologia impossível de prever, mas também uma chuva que é essencial às grandes faixas nas latitudes médias em ambos os hemisférios. Se mudarão em número ou intensidade, é algo que dependerá de uma série complexa de variáveis, incluindo temperatura, níveis de umidade e quão rápido a temperatura muda à medida que você se desloca dos quentes trópicos aos congelados pólos. Ainda assim, os modelos não apresentam os mesmos resultados entre si. Porém, uma coisa que parece clara em todos é que os rastros de tempestades — os "trilhos" da parte mais elevada da atmosfera ao redor dos quais a tempestade avança — provavelmente se moverão na direção dos pólos, o que significaria menos chuva no sul da Austrália, no norte dos Estados Unidos e em partes do sul da Europa. A maioria dos modelos também prevê o fortalecimento dos ferozes ventos oeste no Atlântico, o que significaria tempestades de inverno mais fortes no norte da Europa.[2]

Água

Haverá menos precipitação de neve, menos geleiras, padrões mais variáveis de chuva e tempestades individualmente mais intensas. Em meados deste século, altas latitudes e algumas áreas tropicais se tornarão 40% mais úmidas — com mais vazão de água nos rios e, no geral, uma maior disponibilidade de água. Mas algumas regiões nas latitudes médias (como o sul da Europa e o sudoeste dos Estados Unidos) e os trópicos secos vão se tornar 30% mais secos. O desaparecimento das geleiras e das coberturas de neve reduzirá a água de degelo que normalmente desce das cadeias de montanhas, o que afetará mais de um bilhão de pessoas. No oeste da África, 25 cursos de água cruzam as fronteiras de 17 países e, à medida que a região seca, haverá um perigo crescente de conflitos do tipo que devastaram Darfur. Ao norte, dez países partilham os recursos do rio Nilo. Ao passo que a população nessas nações está em franco crescimento, muitos modelos climáticos prevêem que as águas vão recuar.[3] Até mesmo em lugares em que o índice de precipitação pluvial anual cai, espera-se que tempestades isoladas derramem mais água em pancadas intensas. Como resultado, quase 1,5 bilhão de pessoas que moram em bacias de rios padecerão com enchentes.

Ondas de calor

Nas próximas décadas, ondas de calor tal como a que devastou a Europa em 2003 se tornarão cada vez mais comuns. Na década de 2040, por exemplo, pelo menos metade dos verões europeus serão tão quentes quanto.[4] Muitas regiões provavelmente sofrerão as conseqüências de verões secos e quentes, em especial na forma de um número crescente de pontos de incêndio nas áreas selvagens, tais como os que assustaram a Grécia continental em 2007. Isso, entretanto, é o que se pode esperar como acompanhamento de uma elevação na temperatura. Muito provavelmente também haverá menos invernos rigorosos. Já que o número de mortes devido ao frio é em geral bem maior do que o número de mortes causadas pelo calor, isso significa que poderá acontecer um decréscimo generalizado no número de mortes relacionadas à temperatura. Entretanto, como os autores de um estudo colocaram: "Isso pouco reconforta aqueles que são afetados pelo calor."[5]

Monções

Há uma considerável incerteza sobre o que acontecerá com as monções. Uma combinação do efeito de resfriamento dos aerossóis sobre os oceanos Atlântico e Índico e o possível enfraquecimento das correntes marítimas sugere que as monções podem se tornar mais secas, o que seria potencialmente catastrófico para as regiões cuja sobrevivência depende de forma sensível das chuvas anuais.

Por outro lado, muitos modelos prevêem que a monção asiática deve ficar cada vez mais úmida. Isso parece uma boa notícia, já que traria mais água para cerca de 2 bilhões de pessoas nas regiões leste e sul da Ásia. Entretanto, essa chuva cairá em pancadas ainda mais intensas do que o normal, o que pode significar severas enchentes. Em agosto de 2005, Mumbai vivenciou tempestades recordes. Um metro de chuva caiu sobre a cidade em questão de horas. Os alagamentos resultantes fecharam escolas, bancos, a bolsa e o aeroporto. Mais de mil pessoas morreram.[6]

Alimentos e florestas

A boa notícia é que a produção global de alimentos vai aumentar nas próximas décadas. O diabo, entretanto, está no detalhe regional. No caso das altitudes médias e altas, a produção agrícola deve subir. (Embora, caso a temperatura suba mais de 2 ou 3ºC, a produtividade vá cair inclusive nessas zonas.) Por contraste, nas latitudes baixas, sobretudo nas regiões tropicais, até mesmo o pequeno aumento na temperatura previsto para as próximas décadas será responsável pelo enfraquecimento do cultivo agrícola. Isso, claro, inclui a maior parte da África e da Ásia, cujas populações emitem apenas um pequeno volume de dióxido de carbono per capita em comparação aos países ocidentais. É uma terrível ironia que as pessoas menos responsáveis pelo problema sejam também aquelas a sofrerem antes as conseqüências, e em maior intensidade.

Elevação do nível do mar

Os oceanos expandem-se quando esquentam. Esse efeito, somado ao degelo das geleiras, já está provocando a elevação do nível do mar em todo o mundo. Para o século XX, a taxa de aumento prevista era de cerca de 2mm por ano, mas ultimamente subiu para 3mm por ano, e esse aumento continua. A maioria dos pesquisadores acredita que a taxa de elevação vai se acelerar à medida que as altas temperaturas avançarem sobre os grandes mantos de gelo da Groenlândia e da Antártida. Mas até mesmo a taxa atual, ao longo das próximas décadas, seria o suficiente para produzir uma elevação de até 10cm.

Isso pode não parecer muito, mas também é importante o fato de que a elevação não é uniforme. O oceano é surpreendentemente desuniforme; correntes e a Terra em rotação jogam a água de uma bacia do oceano para a outra. Então, em alguns lugares a elevação no nível do mar será maior, e em outros o nível do mar vai inclusive cair. (Apesar do que os céticos dizem, o nível do mar baixar em algumas regiões é uma conseqüência perfeitamente normal do comportamento dos oceanos, e de modo algum um indicador da mudança climática.)

O oceano em elevação vai ocasionar erosão e enchentes em muitas regiões costeiras, assim como vai transformar os terrenos alagadiços costeiros em brejos de sal. Mais de 3 bilhões de pessoas — mais ou menos metade da população do mundo — vivem a 200 quilômetros da costa. Muitas delas estão próximas o suficiente para sofrer do que serão ondas de tempestades cada vez mais mortais que trarão a enchente do mar para a terra. Grande parte desta população vive em países em desenvolvimento que são os mais dependentes de produção de alimento e fornecimento de água locais, onde recursos financeiros para adaptações são mais escassos. Mas a elevação do nível do mar não faz distinções, e virá também para as grandes cidades costeiras de países industrializados — por exemplo, Londres, Nova York, Tóquio e Sydney.

Em certa medida, isso já está acontecendo. A barreira do Tâmisa estende-se sobre a boca do rio e pode ser elevada para proteger a cidade de Londres das enchentes. Quando começou a funcionar, no início da década de 1980, era usada, em média, uma vez a cada três anos. Agora está sendo colocada em ação até seis vezes no ano.

Corais

Em poucas décadas, os recifes de corais do mundo serão duramente atingidos pela mortífera dobradinha de um oceano mais ácido e temperaturas do mar em elevação. Ainda que algumas espécies de corais não entrem em extinção, muitos recifes de coral existentes desbotarão e morrerão, o que, por sua vez, afetará as pessoas que dependem dos peixes que ali se escondiam para subsistência, alimento e dinheiro do turismo.

Desenvolvimento

Muitas das variações que a mudança climática trará nas próximas décadas exacerbarão especificamente os problemas de desenvolvimento já enfrentados pela maior parte do mundo. Por exemplo, até mesmo atualmente, 800 milhões de pessoas estão subnutridas, e a redução prevista para a produção de alimentos nas áreas de baixa latitude apenas piorará essa realidade. De modo similar, cerca de 2 bilhões de pessoas hoje não têm acesso a água limpa. Nas zonas rurais, os pobres, mais do que ninguém, dependem do ecossistema para a sua sobrevivência. Uma diminuição na vazão da água em algumas áreas pode fazer com que os estoques de energia de usinas hidrelétricas seja menos confiável. E, claro, há o perigo de que a competição por recursos minguantes exacerbe problemas de segurança local, nacional e regional.

Aprendendo a se adaptar

A 4,5 quilômetros acima do nível do mar, bem elevado no platô tibetano, encontra-se um lago chamado Tsho Rolpa. As temperaturas cada vez mais altas têm acelerado o degelo das geleiras da região que alimen-

	ESCASSEZ DE ÁGUA	PRODUÇÃO DE ALIMENTOS	DOENÇAS
África	Ameaça a 75-250 milhões de pessoas até a década de 2020.	Redução na produção de todo o continente, em alguns países, de até 50%. Risco crescente de fome para centenas de milhões de pessoas.	Provável redução na zona de contágio da malária no sul da África e provável extensão para as terras altas orientais.
Ásia	De 120 milhões a 1,2 bilhão de pessoas ameaçadas até a década de 2020.	Redução de 2,5 a 10% na produção de lavouras na década de 2020. Até 49 milhões de pessoas correndo risco de fome.	Aumento dos riscos de doenças infecciosas, sobretudo o cólera e a febre tifóide, devido a enchentes e altas temperaturas.
Austrália, Nova Zelândia e pequenas ilhas	Redução de escoamento de água na maior parte do leste e do sudoeste da Austrália, com queda de até 20% no sudeste até 2030. Diminuição significativa da cobertura de neve no sudeste.	Melhora de condições de cultivo na maior parte da Nova Zelândia e nas partes mais úmidas do sul da Austrália. Devido à combinação de estiagem e incêndios, possível redução de produção alimentícia em partes do leste da Nova Zelândia e nas porções sul e leste da Austrália que estão longe de grandes rios. Riscos para os peixes que vivem entre os corais ao redor das pequenas ilhas tropicais.	Entre 100 e 300 mil pessoas expostas ao risco da dengue até 2020.

ENCHENTES	ONDAS DE CALOR E INCÊNDIOS	CORAIS E GELO
Altos riscos para grandes cidades costeiras, como Lagos e Alexandria.	Aumento da ameaça de incêndios a muitas florestas devido à combinação de seca e elevação da temperatura.	Corais do mar Vermelho e da África Oriental sob o risco de branqueamento.
2,5 milhões de pessoas flageladas até 2050, a maior parte nos deltas do Ganges-Brahmaputra e do Mekong. Muitas mais sob riscos de tufões cada vez mais intensos, elevação do nível do mar e tempestades marítimas. Monções mais instáveis podem ocasionar enchentes-relâmpago.	Aumento da mortalidade decorrente de ondas de calor nas partes sul e leste do continente, e talvez até na Sibéria. Redução da mortalidade decorrente de frios extremos.	Perda substancial ou total das geleiras do Himalaia até 2035 e perda de 30% dos recifes de corais.
Elevação do nível do mar e ciclones mais intensos aumentam os riscos de enchentes costeiras na Austrália e na Nova Zelândia. Riscos substanciais de enchentes mais sérias nas pequenas ilhas de baixa altitude, bem como de invasão de água salgada em campos costeiros.	Aumento de 4 a 25% na freqüência de dias com riscos de incêndios no sudeste da Austrália até 2020. Aumento de 100% nas mortes relacionadas ao calor em Adelaide, Melbourne, Perth, Sydney e Brisbane até 2020.	Branqueamento gradual de 58 a 81% da Grande Barreira de Coral até 2030. Branqueamento substancial de corais próximos às pequenas ilhas.

	ESCASSEZ DE ÁGUA	PRODUÇÃO DE ALIMENTOS	DOENÇAS
Europa	No sul da Europa, diminuição do escoamento de superfície em 0-23% até 2020. Estiagens mais longas e aumento de riscos de incêndio, sobretudo na bacia mediterrânea.	Aumento na produção de alimentos no norte da Europa, mas redução da produção do sul do continente, sobretudo na bacia mediterrânea, sudoeste dos Bálcãs e sul da Rússia.	Nenhuma mudança significativa prevista para doenças infecciosas.
América do Sul e América Central	De 7 a 77 milhões de pessoas ameaçadas até a década de 2020.	A produção de soja pode crescer, mas a produção de arroz deve cair. No caso do trigo e milho é difícil prever, mas um total de 5 milhões de pessoas correrão mais risco de fome em 2020.	Possível redução de risco de malária na Amazônia e na América Central, mas a área de transmissão poderia se estender além do atual limite sul.
América do Norte e regiões polares	Cerca de 41% do suprimento de água do sul da Califórnia ficará vulnerável à perda de cobertura de neve de Sierra Nevada e da bacia do rio Colorado.	Provável aumento de produção agrícola de 5 a 20% nas próximas décadas, mas lavouras hoje próximas ao limiar climático, como os vinhedos da Califórnia, devem sofrer queda na produção, na qualidade ou em ambas.	Área da doença de Lyme, transmitida por carrapatos, deve se estender 200 km mais para o norte até a década de 2020.

ENCHENTES	ONDAS DE CALOR E INCÊNDIOS	CORAIS E GELO
Intensificação das tempestades no Atlântico Norte até 2030. Elevação do nível do mar, tempestades de inverno mais rigorosas e chuvas mais intensas ameaçam cidades costeiras e do interior, sobretudo no norte, onde o escoamento também deve aumentar.	Até 2030, ondas de calor como a de 2003, que matou mais de 30 mil pessoas, vão deixar de ser exceção e se tornar regra. Haverá, entretanto, redução do número de mortes causadas por frio extremo.	Perda substancial de glaciares alpinos; decréscimo da área de neve de temporada, sobretudo em baixas altitudes.
Perigo de enchentes em áreas de baixa altitude, sobretudo El Salvador, Guiana e litoral argentino. Furacões mais intensos no Caribe.	Fogos silvestres se tornarão mais freqüentes na América do Sul, inclusive na floresta amazônica e em partes da América Central.	Degelo substancial ou total da maior parte das geleiras tropicais. Branqueamento severo dos corais caribenhos.
Aumento da vulnerabilidade das cidades costeiras, sobretudo no golfo do México, devido à intensificação das tempestades tropicais.	Trilhas de tempestades movimentando-se ao norte trarão enchentes e incêndios a partes do norte e do oeste dos Estados Unidos, onde a média de área queimada a cada ano quase dobrou. Aumento do risco de incêndios no sul do Canadá.	Degelo substancial ou completo do Glacier National Park até 2030. Perda considerável de glaciares da Groenlândia, do Alasca, norte do Canadá e da península Antártida. Perda muito substancial de gelo marítimo do Ártico até 2030.

tam este lago, e entre os anos 1950 e 1990 a área do Tsho Rolpa mais do que septuplicou.[7] Com isso, a água do lago — 100 milhões de metros quadrados de superfície de água — estava forçando uma frágil represa de morena (fragmentos de rochas transportados por geleiras), ameaçando uma planta hidrelétrica mais abaixo, bem como muitas cidadezinhas. Então, o governo nepalês cortou um canal no paredão de morena e instalou um portão para controlar a vazão de água e baixar o nível do lago. A construção levou quatro anos e custou US$ 3,2 milhões. Além disso, para o caso de enchentes, um sistema de aviso preventivo foi estabelecido em 19 aldeias correnteza abaixo. Os próprios aldeões ajudaram a projetar o esquema e a realizar treinos periódicos para assegurar que todo mundo saiba exatamente o que fazer quando soar o alarme.

Mencionamos essa história porque ela concentra várias das lições que devemos aprender se quisermos nos adaptar à mudança climática. Parte da resposta virá por meio de projetos de engenharia, parte por meio de sistemas de alarme e preparo. O resto, talvez a parte mais difícil, requererá mudanças em muitos aspectos da vida que levamos atualmente.

Projetos de engenharia

Um dos mais importantes papéis que os projetos de engenharia vão desempenhar no auxílio pró-adaptação à mudança climática será fornecer proteção contra enchentes costeiras (conseqüência da elevação do nível do mar e do aumento de tempestades marítimas) e no interior (por causa da maior precipitação pluvial). O Reino Unido está atualmente implementando em todo o país uma estratégia para defesas contra enchentes e contra elevação do nível do mar, baseada em um detalhado relatório Foresight encomendado por um de nós (David King) em 2002. Aprendemos muitas coisas importantes com esse exercício.

Em primeiro lugar, aprendemos a importância de previsões feitas a partir de modelos, acuradas e regionalmente detalhadas. Os modelos do Hadley Centre que estávamos usando tinham uma resolução de 260 por 260 quilômetros. Em outras palavras, os resultados vêm em quadrados de 260 quilômetros de lado. Em uma escala global, isso diz muito.

Mas se você começa a usar caixas desse tamanho para tentar tirar conclusões sobre a área de um país, você acaba praticamente sem nenhum detalhe regional. O que precisamos para boas estratégias de adaptação para cidades específicas, condados e regiões são modelos globais que possam fazer previsões climáticas acuradas em uma escala de 60 por 60 quilômetros, ou até mesmo menor. Esse tipo de solução está em preparação, mas requererá os maiores computadores do mundo para ser implementada. Deveria ser uma prioridade urgente. Note-se que o que é importante não é tanto uma previsão detalhada sobre onde exatamente mais chuva cairá, e sim a identificação das áreas mais vulneráveis a mudanças do tipo e a outros acontecimentos extremados.

O próximo passo é projetar a barreira, o dique ou o sistema de drenagem necessário para estar à altura de responder às mudanças que o modelo prevê. Apesar de parecer óbvio, isso é extremamente importante. O furacão Katrina com certeza era forte, mas não teria tido o mesmo impacto mortal se os diques fossem mais altos e resistentes. As defesas de Nova Orleans foram projetadas para um acontecimento que poderia ocorrer uma vez em cada duzentos anos, e isso nem de longe foi o suficiente, nem mesmo antes de a mudança climática provocar uma elevação na linha-base.

Isso ilustra um importante aspecto da retórica sobre a mudança climática. Independente do que você possa ouvir de alguns dos mais vivazes mensageiros do apocalipse, a razão pela qual os danos provocados por furacões se ampliaram nas últimas décadas não é, na verdade, a maior intensidade dos furacões em si. Apesar de os furacões parecerem mais fortes, até agora um fator muito maior tem sido a corrida para morar no litoral. Tem havido um aumento massivo no número de pessoas que vivem nas linhas costeiras do mundo, e apenas um mínimo de atenção dedicado à proteção dessas pessoas. A crescente intensidade das tempestades e o nível do mar, cada vez mais alto — previsões que podemos fazer para o futuro — apenas piorarão a situação.

Uma vez realizados os projetos, é necessário testar se serão eficazes. O projeto Foresight do Reino Unido criou um programa de computador chamado Floodranger, baseado no jogo de computador Sin City. O programa permitiu que os idealizadores "construíssem" seu projeto, simulassem de forma acelerada as alterações previstas para o clima e vissem como as defesas funcionavam. A importância deste tipo de método ficou clara quando o modelo produziu alguns resultados impressionantes. Por exemplo, a sugestão de que as costas não são o único problema. O Floodranger mostrou que cidades continentais também poderiam padecer se enchentes-relâmpago derivadas de uma maior precipitação pluvial ultrapassassem a capacidade dos seus sistemas de drenagem. Isso é exatamente o que aconteceu nas enchentes britânicas de 2007, durante as quais mais de vinte pessoas morreram e dezenas de milhares foram expulsas de suas casas e escritórios pela água.

Finalmente, é preciso destinar recursos para custear a adaptação. O governo britânico está investindo £ 500 milhões por ano em um programa urgente para atualizar defesas costeiras e sistemas de drenagem, e esse valor subirá para £ 700 milhões por ano em 2011.

Programas nacionais similares necessitarão ser implementados em regiões vulneráveis do mundo todo. O Reino Unido está agora trabalhando com a China para transferir conhecimento adquirido no âmbito do projeto para Shanghai e para a bacia do Yangtsé. Muitos dos países mais vulneráveis são também os que têm menos condições de pagar por programas nacionais desse porte — no capítulo 10, falaremos mais sobre como isso pode ser solucionado.

Projetos como esses também precisam ser constantemente revistos, à medida que os modelos evoluem. No caso do Foresight, isso acontecerá a cada cinco ou dez anos.

Enquanto isso, está começando a se insinuar em várias partes do mundo a mensagem de que qualquer novo grande projeto de engenharia civil terá de levar em conta as mudanças climáticas. Por exemplo, a Ponte da Confederação, de 13 quilômetros de extensão, no Canadá, que liga a ilha do Príncipe Eduardo ao continente, foi construída um metro mais alto do que o necessário, levando em consideração o possível aumento no nível do mar ao longo de sua vida útil, de cem anos.[8] Do mesmo modo, a planta de tratamento de esgoto da Deer Island, de Boston, foi construída com uma elevação suficiente para proteger os dutos de saída de serem inundados pelo nível crescente da água do mar.

No platô tibetano, a estrada de ferro Quinghai-Tibete é vulnerável ao degelo do *permafrost*. Cerca de 500 quilômetros da estrada de ferro ficam sobre uma dessas áreas de gelo permanente e que se encontra, hoje, a poucos graus do degelo. Por isso, os engenheiros incorporaram ao projeto uma combinação de sistemas de isolamento térmico e resfriamento para assegurar que os trens não façam o *permafrost* atingir o ponto de degelo.

A ferrovia Konkan, no oeste da Índia, o metrô de Copenhague, na Dinamarca, e a barreira do Tâmisa, em Londres, todos estão atualmente sendo avaliados para incorporar sistemas que permitam atenuar possíveis complicações decorrentes da mudança climática.

Soar o alarme e saber o que fazer

Essa abordagem será necessária para o tipo de acontecimento dramático e repentino que, se nos pegar desprevenidos, pode causar consideráveis perdas de vidas humanas e danos materiais. Exemplos trágicos que já experimentamos incluem a onda de calor na Europa em 2003, as mortes pelo furacão Katrina em Nova Orleans em 2005 e os incêndios que assolaram a Grécia em 2007. Uma combinação de avisos eficazes e preparo poderia ter salvo milhares de vidas.

Quando se trata de alertar a população sobre desastres naturais, um dos melhores exemplos é aquele correntemente utilizado em Bangladesh, para tufões iminentes. A Organização Mundial de Meteorologia (OMM) emite um aviso de que uma tempestade muito grave está chegando. Homens munidos de bicicletas e apitos repassam a informação às pessoas. Os habitantes locais foram treinados para se deslocarem imediatamente para lugares mais altos ou para abrigos elevados. Apesar de os tufões na região parecerem estar se tornando mais fortes, as taxas de mortalidade despencaram.

Isso ilustra os dois aspectos mais importantes de qualquer sistema de alarme eficaz. Primeiro, o alarme tem de ser oficial, fornecido por uma instituição confiável e encarregada da supervisão que examinará cuidadosamente qualquer ameaça em potencial. Sobretudo, não se podem permitir alarmes falsos, para que a população não se torne complacente.

A OMM já concordou em trabalhar com as Nações Unidas para estender o seu sistema de alarme para todos os desastres naturais, e não apenas furacões e tufões. Nossa proposta é incluir fenômenos climáticos extremos nesse programa, o que seria muito natural. A OMM é a instituição mais indicada para supervisionar um sistema de alarme global para acontecimentos relacionados à mudança climática.

Em segundo lugar, todos têm de estar de acordo e saber muito bem o que fazer. Na Europa central, em 2003, muitas pessoas — incluindo equipes de hospitais — estavam de férias quando aconteceu a onda de calor. Não havia ninguém para emitir uma simples informação para as pessoas vulneráveis — os mais velhos —, como assegurar que bebessem água suficiente a fim de evitar a desidratação, ou que mudassem os seus hábitos e saíssem de casa apenas durante as horas mais frescas do dia.

E já que estamos falando sobre adaptação às ondas de calor, devemos fazer um comentário sobre onde mora, na verdade, o perigo. Nós, humanos, já somos incrivelmente adaptáveis às temperaturas em que porventura nos encontrarmos. Um estudo descobriu que a faixa de temperatura ideal no norte da Finlândia, a fim de minimizar mortes relacionadas ao calor era de 14,3 a 17,3°C, ao passo que a temperatura à qual as pessoas de Atenas melhor se adaptaram era muito mais alta, entre 22,7 a 25,7°C. A mensagem é que sobrevivemos melhor nas temperaturas a que estamos mais habituados.[9]

Muito de como nos adaptamos tem a ver com os nossos hábitos, por exemplo a hora do dia que normalmente escolhemos para executar trabalhos ao ar livre, ou se bebemos água ao sair de casa. O resto depende de como é a nossa infra-estrutura, como o tipo de construção em que moramos e os meios de transporte que usamos. Hábitos são mais fáceis de mudar do que prédios, mas nenhum deles se altera instantaneamente.

Assim, o problema de uma onda de calor (ou de uma onda de frio) é que ela leva a temperatura para cima (ou para baixo) da nossa zona de conforto mais rápido do que podemos reagir. Por isso tantas pessoas morreram na Europa em 2003. O desafio agora é adequar os nossos hábitos e os nossos prédios antecipadamente, de modo que possamos estar prontos quando chegarem as ondas de calor.

Perda gradual de serviços fornecidos pelo ecossistema

Sob vários aspectos, essa é a adaptação mais difícil de ser mensurada. Nessa categoria entram diferentes mudanças graduais na nossa capacidade de extrair alimento da terra. Já descrevemos várias dessas modificações — tal como em relação à disponibilidade da água, mudanças na temperatura ou uma alteração no padrão de pestes ou doenças. O que se precisa é de uma grande melhora nos modelos para que se possam identificar as regiões mais vulneráveis a essas mudanças e conceber estratégias de adaptação. Essas estratégias podem incluir o cultivo de variedades mais resistentes à estiagem e talvez o uso de biotecnologia para ajudar a desenvolver variedades mais resistentes; alteração do calendário de plantio e dos métodos de irrigação; recolhimento e estoque de água da chuva de modo mais eficaz; uso controlado de queima para reduzir riscos de incêndio; plantação de mangues para fornecer paredões naturais contra ondas em elevação e reduzir a perda de solo nas zonas costeiras.

Abordagens como essas precisarão ser integradas a estratégias nacionais específicas. Não basta construir paredões marítimos e esperar pelo melhor. Cada governo precisará saber exatamente o que as mudanças climáticas significarão para o seu país, e como será necessário responder.

Algumas mudanças climáticas podem estar além da nossa capacidade de adaptação. Se a sua terra de cultivo está num lugar, e se a sua experiência é com o tipo de cultivo que você sempre plantou ali, talvez não seja fácil trocar para algo diferente. Barreiras sociais, econômicas, políticas e culturais interpõem-se entre o mundo que temos agora e o mundo que teremos em breve, quando o clima cobrar o seu preço. E em alguns casos, por exemplo nos atóis mais baixos, ameaçados pela elevação do nível do mar, o último recurso pode ser mudar-se de lá.

Já é tarde demais para frear as mudanças que descrevemos neste capítulo. Essas adaptações — e muitas mais — serão necessárias, não importando o que fizermos agora para reduzir o impacto do aquecimento futuro. A terceira parte do livro se concentrará mais detidamente em como as adaptações serão pagas e de que forma podem ser politicamente incentivadas. Mas, por enquanto, vale notar que nenhuma parte do mundo pode ser tratada de modo isolado. A mudança climática que já está em preparação atingirá mais severamente os países menos equipados para lidar com ela — e que são os menos responsáveis pelas emissões que criaram o problema. Por causa disso, acreditamos que os países desenvolvidos têm responsabilidade moral de ajudar aqueles em desenvolvimento a lidar com os danos que estão a caminho. Mas há uma razão ainda mais forte pela qual precisamos dar à adaptação uma atenção séria, coesa e internacional. Da segurança do nosso fornecimento de alimento e água às implicações econômicas de migrações massivas de um meio ambiente para outro, quando os efeitos do aquecimento global afetarem alguém, esses efeitos podem rapidamente causar problemas em outros lugares.

5

AS CARTADAS IMPREVISÍVEIS DO AQUECIMENTO

Se o mundo precisará se adaptar à mudança não importa o que façamos, não podemos simplesmente continuar queimando combustíveis fósseis e nos preparar para as conseqüências? Isso só funcionaria se estivéssemos completamente confiantes de poder suportar qualquer fardo que o clima da Terra possa jogar sobre nós. O problema é que, sob vários aspectos, o clima pode nos pegar desprevenidos.

A cena de abertura de *O Dia Depois de Amanhã*, filme catástrofe sobre mudanças climáticas, mostra o herói trabalhando na Antártida. Ele está acampando na superfície de um enorme pedaço flutuante de gelo, chamado Larsen B, extraindo testemunhos de gelo. O primeiro sinal de desastre iminente vem quando o gelo racha, bem no local de pesquisa. Ao tentar salvar seus preciosos testemunhos, o herói sobrevive miraculosamente.

A cena é livremente inspirada em uma história verdadeira. Larsen B é um rochedo de gelo — ou pelo menos era. Tinha mais de 3 mil quilômetros quadrados de área e 220 metros de espessura. Em fevereiro de 2002, ao longo de apenas algumas semanas, Larsen B inesperadamente rachou em pedaços. No início de março, 500 milhões de toneladas de gelo — o equivalente a uma área maior do que o estado americano de Rhode Island — desapareceu.

Apesar de cientistas já terem observado que essa parte da Antártida estava ficando cada vez mais quente, a quebra de Larsen B aconteceu mais rápido do que qualquer um esperava. Na verdade, aconteceu mais rápido do que na imaginação dos roteiristas de Hollywood. Um cientista observou, após ver o filme, que na vida real as rachaduras estariam acontecendo por toda parte, e o herói teria de correr para salvar a própria vida. Esse talvez seja o único exemplo de um filme catástrofe que ficou aquém da realidade.

Entretanto, muitos dos outros acontecimentos do filme conseguiram ser, ao mesmo tempo, impressionantes e cientificamente absurdos. Por exemplo, poderosos furacões se formavam sobre o chão, ao passo que na verdade eles só podem se formar sobre a água. E um tsunami supostamente causado pela mudança climática alagava as ruas de Nova York, apesar de tais ondas não poderem ser causadas pela elevação da temperatura.

À medida que a consciência do aquecimento global se estabeleceu, cenários de desastres como esse se tornaram cada vez mais populares. Há muitos livros, artigos e filmes sobre iminentes desastres relacionados ao clima, alguns dos quais são tão lúgubres quanto *O Dia Depois de Amanhã*. A pergunta é: são verossímeis?

O clima, com certeza, é capaz de cartadas imprevisíveis, e, portanto, se não frearmos as emissões, há grandes chances de o resultado ser ainda pior do que uma mera multiplicação dos efeitos descritos no capítulo 3. Neste capítulo separaremos os mitos da realidade — começando com os efeitos mais improváveis.

Interrupção da circulação do oceano

Esse talvez seja o cenário preferido dos vendedores de desastres, e também o cenário que está no coração de *O Dia Depois de Amanhã*. Apesar da aparência, os oceanos do mundo não são apenas massas caóticas de água isoladas entre si. Abaixo da sua superfície se encontra uma correia extremamente organizada, transportadora de correntes que carrega inimagináveis quantidades de água ao redor de todo o mundo. Há pelo menos uma região onde esta correia transportadora pode ser ligada e desligada, como um interruptor de luz: algumas faixas d'água relativamente pequenas localizadas entre a Groenlândia, a Islândia e a costa norte da Noruega.

Nessa parte do mundo, a água superficial do mar que vai na direção norte experimenta duas mudanças importantes. Primeiro, ela fica muito fria. Em segundo lugar, se torna muito mais salgada, porque a camada superior do oceano começa a virar gelo, deixando muito do seu sal na água logo abaixo.

Quanto mais fria e salgada, mais pesada fica essa água, de forma que começa a afundar. À medida que afunda, puxa água da superfície para substituí-la, da mesma forma que, quando você tira a tampa do ralo de uma banheira cheia, a água da superfície corre para o fundo da banheira para substituir a que desapareceu pelo ralo. Nesse caso, o braço descendente da correia transportadora arrasta cálidas águas tropicais — a famosa Corrente do Golfo — em direção ao norte, onde elas desaguam nas costas de várias cidades européias e ajudam a explicar por que estas são muito mais quentes do que partes da América do Norte na mesma latitude.[1]

No cenário descrito em *O Dia Depois de Amanhã*, a interrupção da correia transportadora impede que a Corrente do Golfo se dirija ao norte e traga uma espetacular Era do Gelo ao norte da Europa e da América do Norte. Entretanto, apesar de no início haver temores de que isso pudesse de fato ocorrer, agora os cientistas acreditam que desligar a correia transportadora apenas baixaria as temperaturas européias em alguns graus, e provavelmente apenas anularia o aquecimento global ali.

Isso soa como algo bom. Mas o afundamento e movimentação em direção ao norte da água da superfície colocam em movimento toda uma rede de correntes de extensões oceânicas, que se estendem até o Atlântico, ao redor da costa sul da África, através dos oceanos Índico e Antártico e ao redor do Pacífico. Essa gigante correia transportadora carrega não apenas água, mas sal e calor por todo o globo. Desligue-a e você poderá alterar o clima no mundo inteiro.

Por exemplo: no passado, mudanças similares na circulação do oceano parecem ter alterado de modo significativo o padrão das chuvas tropicais, incluindo as monções, que, em última análise, são responsáveis por fornecer à Ásia grande parte da sua comida.[2] A Europa e a América do Norte tampouco escapariam ilesas. Alterar as correntes do oceano dessa forma também ocasionaria a redistribuição da água do mar, fazendo com que o Atlântico Norte sofresse até um metro de elevação além da proveniente do degelo.[3] Também é possível que a mudança na movimentação das correntes alterasse a localização da disponibilidade de alimentos para cardumes de peixes, de modo que os lucrativos pesqueiros do Atlântico entrariam em colapso.

A maneira mais eficaz de desligar a correia transportadora seria derreter grandes quantidades de gelo exatamente acima do principal ponto de afundamento das correntes. Isso criaria uma "lente" de água fresca que poderia funcionar como uma tampa, impedindo, antes de qualquer coisa, que a água se adensasse a ponto de afundar. É isso o que já está acontecendo no Ártico. Tanto o gelo do mar flutuante quanto o manto de gelo que cobre o chão da Groenlândia já estão distribuindo água fresca exatamente onde ela poderia trazer danos.

A boa notícia é que, por enquanto, isso não está acontecendo em quantidade suficiente para produzir esses efeitos. Pesquisadores que trabalham com modelos de oceano compararam o resultado de 11 simulações diferentes e concluíram que o volume de água fresca necessário para interromper a correia transportadora do Atlântico Norte seria mais ou menos igual ao que hoje é despejado no oceano pelo rio Amazonas.[4] No momento, o Ártico mal chegou a um quarto do limite inferior do modelo. E devemos lembrar que o gelo do mar não estará aí por muito tempo para contribuir para o fenômeno.

O relatório IPCC declara que é muito improvável que a correia transportadora seja anulada no século XXI, independente do que façamos quanto à mudança climática. Entretanto, se a Groenlândia passar a derreter mais rapidamente (ver adiante), ainda há uma chance de que a longo prazo a correia transportadora fique vulnerável. Enquanto isso, já há sinais de que o sistema pode estar enfraquecendo, e os modelos prevêem que, se não fizermos nada para cessar as emissões de dióxido de carbono, a correia transportadora pode ficar 50% mais fraca por volta do final do século. O perigo é que isso pode trazer um padrão de efeitos similar ao de uma interrupção total, ainda que de uma magnitude um pouco menor.[5]

Os indícios apontam: o colapso da correia transportadora do oceano é muito pouco provável no próximo século, e improvável até mesmo nos cem anos seguintes. Da mesma forma, virtualmente não há chance alguma de que a interrupção possa causar uma Era de Gelo na Europa. Entretanto, se não detivermos a mudança climática, o enfraquecimento da circulação ainda poderia reduzir as chuvas tropicais, incluindo as monções asiáticas, e provocar elevação do nível do mar no Atlântico Norte por volta do final deste século.

Elevação massiva e abrupta do nível do mar

O nível do mar já está em elevação, conforme geleiras em derretimento acrescentam sua carga aos oceanos, que por sua vez se expandem à medida que se aquecem. Mas o que aconteceria se os mantos de gelo do mundo atingissem um ponto crítico e, repentina e irreversivelmente, caíssem no mar? Há três principais mantos de gelo com os quais se preocupar: dois na Antártida e um na Groenlândia. Até hoje, esses três mantos contribuem para apenas cerca de um décimo da atual elevação do mar, que é de 3mm por ano. Mas os sinais são de que o degelo poderia estar em aceleração, e há uma assustadora grande quantidade de gelo em risco.[6]

Antártida

Os dois maiores mantos de gelo da Antártida são ligados ao centro como duas asas de borboleta ligeiramente deformadas. O maior deles, o manto de gelo da Antártida oriental, contém água fresca em quantidade suficiente para elevar o nível do mar em mais de 40 metros. Porém, ninguém acha que ele degelará no futuro próximo. O manto oriental é velho, gelado e bem assentado, e recentes dados de satélite mostraram que está ganhando peso, em vez de perder.[7] (Não se trata de uma contradição à história do aquecimento global. Os modelos prevêem que — em uma das muitas conseqüências do aquecimento que desafiam a nossa intuição — à medida que o mar esquenta e o gelo do mar derrete ao redor da Antártida, mais água será absorvida pelo ar, que então cairá em forma de neve extra no interior congelado. Infelizmente, o volume de neve extra capturado por enquanto só é suficiente para desacelerar a elevação do nível do mar em menos de 0,1mm por ano.)

Entretanto, o manto ocidental, o menor, é mais vulnerável, uma vez que suas geleiras estão localizadas sobre uma fina lâmina de água — em vez de repousarem congeladas sobre a pedra como acontece com a metade oriental. Se o manto de gelo da Antártida ocidental deslizasse para dentro do oceano, elevaria o nível do mar em aterrorizantes 5 metros.

Pistas sobre como isso pode acontecer podem ser tiradas da finada plataforma de gelo Larsen B. O colapso de Larsen B não é necessariamente um sinal de que o aquecimento global já chegou para toda Antártida. Ele estava na península Antártica, um dedo de terra que se estende ao norte na direção da América do Sul e tem clima relativamente ameno quando comparado ao do restante do continente.

Ainda que a península esteja cada vez mais quente, com temperaturas se elevando cerca de 0,5ºC por década desde os anos 1950, a temperatura no restante do continente permaneceu muito mais estável. E, apesar de indícios recentes sugerirem que a Larsen B se manteve intacta por pelo menos 10 mil anos,[8] ainda assim é possível (apesar de cada vez mais improvável) que o aquecimento lá seja apenas parte de uma variação natural. Além disso, o colapso da Larsen B não fez diferença alguma quanto ao nível do mar. O gelo flutuante não eleva nem diminui o nível do mar enquanto derrete. Você pode comprovar isso colocando um cubo de gelo em um copo de água. Conforme o cubo de gelo derrete, o nível da água permanece o mesmo.

Mas, perturbadoramente, atrás de Larsen B estava uma série de geleiras soltas que a plataforma de gelo antes segurava. Uma vez sem a plataforma, o derretimento dessas geleiras se acelerou.[9] Quando a massa de geleiras desliza da terra para o mar, acrescenta água que não estava lá antes. Em outras palavras, eleva o nível do mar.

Essas geleiras são relativamente pequenas para os padrões antárticos. Mas há outras, muito, muito maiores que levam gelo do manto de gelo da Antártida ocidental em direção ao mar. E todas essas geleiras são mantidas no lugar por dois paredões de gelo flutuante que fazem a plataforma Larsen B parecer uma anã. Se esses paredões se despedaçassem, é possível que a maior parte da porção oeste da Antártida deslizasse para dentro do mar.

Felizmente, esses gigantescos paredões de gelo são bem menos vulneráveis do que a plataforma Larsen B, já que são pelo menos cinco vezes mais espessos. Poucos pesquisadores acham que entrarão em colapso em breve, mesmo se o aquecimento global continuar sem qualquer controle. Ainda assim, estão sendo monitorados de perto, por via das dúvidas.

Esses sistemas de geleiras/paredões de gelo perfazem cerca de dois terços do manto de gelo da Antártida ocidental. Até muito recentemente, o outro terço remanescente era muito pouco estudado, em grande parte porque o clima lá é terrível até mesmo para padrões antárticos. Entretanto, essa região, chamada Pine Island/Thwaites, contém três das maiores geleiras do continente, que drenam gelo do interior profundo para o mar. Como as extremidades frontais dessas geleiras estão diretamente expostas ao mar, sem a proteção de paredões de gelo que lhes sirvam de pára-choques, foram chamadas de "a parte mais vulnerável" da Antártida. E há sinais preocupantes de que o derretimento dessas geleiras está se acelerando e de que elas estão drenando mais gelo.[10]

Probabilidade: o enorme manto de gelo da Antártida oriental ficará, com quase toda certeza, intacto e poderá continuar absorvendo, por meio de uma precipitação extra de neve, parte do que se tornaria elevação do nível do mar. A maior parte do manto de gelo da Antártida ocidental dificilmente entrará em colapso a ponto de causar uma elevação abrupta no nível do mar neste nosso século, apesar dessa conclusão depender de aspectos de sua dinâmica interna que ainda não estão claros para a ciência. As geleiras de Pine Island/Thwaites poderiam estar mais vulneráveis. Continuamos sem saber quanto de risco elas correm de entrar em colapso, e esse é um tema urgente para estudos. Se entrarem em colapso, e levarem com elas o gelo que drenam do interior, poderiam elevar o nível do mar, em termos globais, cerca de 1,5 metro, submergindo grande parte das linhas costeiras do mundo.

Groenlândia

O derretimento de toda capa de gelo da Groenlândia elevaria os níveis do mar em 7 metros no mundo inteiro. Como o Ártico está esquentando muito mais rápido, ele é — provavelmente — mais vulnerável do que seus primos antárticos.

Mas será que ele está de fato derretendo? Nas últimas décadas, teve-se de tudo, menos uma idéia clara disso, com medidas diferentes fornecendo respostas diferentes. Em alguns lugares, uma geleira estava recuando, em outros, estava se tornando mais espessa. Mas ultimamente esses sinais começaram a apontar para a mesma direção. A Groenlândia está, de fato, começando a derreter.

Apesar de medições realizadas via satélite do interior da Groenlândia sugerirem que recentemente a neve tem se acumulado lá, as beiradas da capa de gelo estão ficando cada vez mais finas.[11] O escoamento dos poderosos glaciares da Groenlândia também parece estar se acelerando — mais do que dobrando sua perda anual de gelo, ao longo da última década.[12]

A boa notícia é que esse processo ainda não condenou a capa de gelo da Groenlândia à extinção. Em 2007, pesquisadores calcularam a partir de modelos que seria necessário um aquecimento médio global de 3ºC para empurrar a Groenlândia ladeira abaixo[13] — uma queda que provavelmente ainda temos tempo de evitar.

Mas há outro fator importante que os modelos não consideraram. Em 2002, vários pesquisadores perceberam que algo alarmante parecia estar acontecendo em uma determinada região durante o verão. Exatamente quando o sol do verão começou a derreter partes da superfície do centro-oeste da Groenlândia, a geleira ali começou a deslizar mais rapidamente.[14] Embora as geleiras da Groenlândia tenham centenas de metros de espessura. E, como deslizam sobre as próprias bases, algo que acontece na superfície não deveria fazer diferença alguma. Acabou se revelando que o degelo estava produzindo lagos gigantes na superfície das geleiras cuja água vazava por rachaduras e fendas, criando quedas d'água internas que fluem para a terra abaixo e lubrificam as margens deslizantes do gelo. Isso é preocupante porque significa, em princípio, que todo o manto de gelo da Groenlândia poderia na verdade ser mais vulnerável ao ar do que imaginávamos — ar este que vem se aquecendo de maneira contínua.

Os modelos não incorporam esse mecanismo porque não conseguem. Ninguém ainda sabe quão amplo o efeito poderia ser, ou até mesmo onde estão as rachaduras. E mais: mesmo antes de atingir um ponto irreversível, a Groenlândia pode elevar o nível do mar em proporções que nós, humanos, acharíamos catastróficas. A capa de gelo não desapareceu durante o último período quente, cerca de 130 mil anos atrás, quando as temperaturas no norte estavam alguns graus mais quentes do que hoje. E ainda assim as últimas análises sugerem que o degelo da Groenlândia elevou o nível do mar, naquela época, em 2 ou 3 metros. Nos dias de hoje isso poderia ser mais do que suficiente para causar sérios problemas.

Probabilidade: a capa de gelo da Groenlândia já está derretendo. Aquecimento global não-controlado, com uma elevação média de 3°C, poderia, nos próximos séculos, condenar o manto de gelo ao desaparecimento — o que, por sua vez, condenaria as gerações futuras a uma elevação do nível do mar de 7 metros (ainda que, mesmo se passássemos desse limiar, toda a capa de gelo demoraria muitos séculos para derreter inteiramente). Entretanto, assim como o manto de gelo da Antártida ocidental, a determinação exata da vulnerabilidade da Groenlândia depende de aspectos da sua dinâmica interna que ainda são incertos — por exemplo, se as geleiras vão ou não começar a deslizar mais rápido à medida que a água derretida escorrer pelas rachaduras. Se esses mecanismos fizerem com que a Groenlândia derreta mais rapidamente do que esperamos, o nível do mar poderá se elevar em vários metros no próximo século, o que significaria um enorme perigo para a nossa civilização. A Groenlândia é uma das razões mais convincentes que temos para a necessidade urgente de controlar o aquecimento global.

Derretimento do *permafrost*

Nos gélidos confins do Ártico, se encontra um fator imprevisível que faz até mesmo o mais comedido cientista ter medo. Do Alasca e do norte do Canadá até as regiões mais ao norte da Europa e da Sibéria, existem milhões de quilômetros quadrados de terra congelada. Em alguns lugares, a terra é coberta por abetos negros; em outros, há ciperáceas, turfeiras, lagos congelados e charcos. Mas, perto de suas áreas limítrofes, e às vezes no coração dessa terra gélida, o degelo já começou.

Os abetos do norte do Canadá começaram a pender a esmo, conforme o chão abaixo deles se desfaz. Buracos gigantes abriram-se no Alasca à medida que o gelo que antes segurava o solo transforma-se em água e escorre. Os lagos da Sibéria começaram a acordar de seu sono gelado. E todos estão, inexoravelmente, emitindo dióxido de carbono.

Trata-se do *permafrost* do Ártico, assim chamado porque contém uma camada de solo que permanece congelado no verão e no inverno. Esse solo age como um freezer, mantendo preso carbono na forma de folhas, raízes, musgo mortos — qualquer coisa que algum dia já esteve viva. Mas a energia do freezer foi desligada, e o carbono lá dentro começou a apodrecer.[15]

O perigo é que o aquecimento causado pelas emissões de dióxido de carbono humanas esteja desencadeando um degelo no norte, e que isso, por sua vez, emita ainda mais carbono por si só, em um ciclo vicioso que acelerará o aquecimento. Esse é outro exemplo de um feedback positivo — positivo não porque seja bom, mas porque exacerba o efeito original.

Nesse caso, o assustador é a escala em potencial do problema. Alguns pesquisadores estimaram que poderia haver 900 gigatoneladas de dióxido de carbono esperando para serem liberadas do chão em apodrecimento do Ártico — o que é mais do que temos hoje em toda a atmosfera. Mesmo que apenas uma pequena porcentagem desse dióxido de carbono conseguisse escapar, isso poderia dobrar ou triplicar o efeito das emissões humanas. E, então, seria o fim de qualquer possibilidade de se combater o aquecimento global.

Igualmente assustador é o fato de que, quando se trata do degelo do *permafrost*, temos muito poucos dados. Até pouco tempo atrás, esforços de pesquisa foram fragmentados e esporádicos demais para fornecer uma visão global do problema. Agora, cientistas que estudam o Ártico estão lutando para entender exatamente o que acontecerá.

Sabemos que o Ártico já está em aquecimento. Medições de temperatura mostram que não há uma só região que esteja registrando queda de temperatura e a maior parte está sofrendo um aquecimento — em alguns lugares, a uma taxa que é o dobro da média global.[16] Também sabemos que o *permafrost* já está em degelo nas regiões limítrofes — onde a sua camada é mais fina e fragmentada. Entretanto, também há sinais preocupantes de que parte do interior, muito mais frio, pode estar começando a liberar o seu dióxido de carbono, à medida que bolhas de metano emergem de lagos na Rússia ártica.[17]

Mais do que isso: a forma como o carbono é liberado pode fazer uma grande diferença. Nas lamacentas regiões pantanosas do norte da Suécia, o degelo na verdade reduziu a quantidade total de carbono sendo liberado, pois a água isolou solo e ar, o que, por sua vez, desacelera o processo de apodrecimento. Mas grande parte do carbono é liberado na forma de metano — gás do pântano —, que desfere um golpe muito mais forte no aquecimento global do que o dióxido de carbono. Resultado: apesar de o volume total de carbono liberado ter caído em 13%, o efeito de aquecimento aumentou quase 50%.[18]

Probabilidade: incerta, mas muito preocupante. Ninguém sabe o que acontecerá ao *permafrost* no futuro. A primeira tentativa de se estudar o efeito com auxílio de modelos sugeriu que, se as emissões continuarem da mesma forma, por volta do final do século, 90% do *permafrost* terá desaparecido. É provável que esse número seja pessimista, e modelos melhores estarão disponíveis nos próximos cinco anos, aproximadamente. Mas mesmo se apenas uma pequena parte do carbono deixar o solo, isso dobraria a taxa atual de emissões humanas de uma só tacada. E não daria nem para pensar no desastre climático resultante. Apesar de ter até hoje mais ou menos escapado à atenção dos roteiristas de filmes de desastres, o *permafrost* é a mais assustadora das cartadas imprevisíveis na mesa.

Algo que ainda não sabemos

Pode soar ridículo, mas os maiores perigos podem vir de um cenário de desastre do qual ninguém ainda se deu conta. Os registros climáticos do gelo e das pedras sugerem que a nossa atmosfera é extremamente temperamental, capaz de ultrapassar dramaticamente um limiar para um novo estado em uma porção muito pequena de tempo. Por exemplo, no final da última Era de Gelo, o repentino derretimento de vastas quantidades de gelo interrompeu a circulação do oceano, o que causou um recongelamento abrupto. Apesar de ainda não estar claro exatamente como o acontecimento se deu do ponto de vista global, a temperatura da Groenlândia caiu em 15ºC, e a do norte da Europa, em 5ºC. O congelamento aconteceu ao longo de vários séculos, e no início os cientistas que estudavam testemunhos de gelo pensaram que o derretimento havia sido igualmente longo. Mas à medida que novos testemunhos de gelo foram sendo extraídos, pesquisadores descobriram, para sua grande surpresa, que o retorno às temperaturas quentes após esse profundo congelamento provavelmente aconteceu em apenas uma década.

O que é mais importante: guinadas tão abruptas quanto essa, do frio para o quente e então de novo para o frio, parecem ter acontecido ao longo de toda a Era do Gelo, e apesar de intensas pesquisas ninguém tem certeza das razões que levaram a isso.

Houve um momento, cerca de 55 milhões de anos atrás, quando algum acontecimento desconhecido aparentemente disparou a liberação de massivas quantidades de carbono, o que, por sua vez, elevou de forma abrupta a temperatura global em 8ºC.

Nesse contexto, é alarmante pensar que, graças à queima humana de combustíveis fósseis, os níveis de dióxido de carbono estão mais altos hoje do que jamais estiveram — pelo menos nos últimos 650 mil anos, mas é provável que em muito mais tempo. O renomado cientista climático Wally Broecker, do Observatório Geológico Lamont Doherty, comparou o clima a uma fera furiosa que cutucamos com uma vara. Se continuarmos fazendo isso, não se sabe o que poderá acontecer. Mas sabemos que poderia acontecer de modo rápido o suficiente para nos tomar completamente de surpresa.

Mesmo sem esses cenários catastróficos, o relatório do IPCC mostra que temos amplas razões para temer emissões de carbono não-controladas. As mudanças que descrevemos no capítulo 4, e que agora são inevitáveis, são apenas uma amostra do que teremos pela frente se permitirmos que a mudança climática continue no mesmo nível no próximo século ou por mais tempo.

Só isso já deveria ser um forte incentivo para brecarmos as nossas emissões de gases do efeito estufa antes que as coisas piorem. Mas as cartadas imprevisíveis que descrevemos neste capítulo colocam os argumentos pró-mudança dos nossos hábitos de carbono em uma perspectiva ainda mais dura. Considere-se o nível do mar, por exemplo. O relatório do IPCC sugere que, se as emissões de dióxido de carbono continuarem conforme o previsto, no final do século o nível do mar terá subido entre 30 e 50 centímetros. Especialmente se a previsão mais pessimista se concretizar, isso trará o perigo de inundação a milhões de pessoas.

Entretanto, também vale lembrar que o IPCC é por natureza um grupo conservador. De lá para cá, alguns pesquisadores sugeriram que essa previsão provavelmente é otimista demais. Sobretudo porque não inclui nenhum dos mecanismos por meio dos quais os mantos de gelo poderiam desmoronar. Se todos os mecanismos possíveis se juntarem para conspirar contra nós — se, por exemplo, a água do degelo acumulada na superfície de fato escoar para a base; se isso fizer com que o gelo deslize ainda mais rápido na Groenlândia e no oeste da Antártida; se os paredões de gelo que servem como escoramento começarem de fato a rachar; e se a água do mar se bater contra as vulneráveis bocas das geleiras de Pine Island — então há uma chance séria de que por volta do final do século o mar tenha subido não centímetros, mas metros.[19] Não é um risco que se queira correr.

Outro perigo potencial está na capacidade de o meio ambiente absorver o dióxido de carbono que nós emitimos. Até hoje, os oceanos e os ecossistemas terrestres absorveram cerca de metade das emissões que nós, humanos, fizemos. Muito bem. Se não fosse por essa ajuda dos ecossistemas, estaríamos agora vivenciando efeitos muito mais severos da mudança climática.

Mas o problema é que em algum ponto do futuro a natureza poderá se saturar e perder a capacidade de absorver emissões. Quando e se isso vai acontecer nos oceanos é uma questão um tanto complicada. A habilidade que os oceanos têm de absorver dióxido de carbono depende de sua química (temperatura e acidez), de sua física (alteração nos padrões de circulação oceânica) e de sua biologia (o que acontece aos organismos que aprisionam carbono nos seus corpos e que então são enterrados no fundo do mar). Nenhum modelo conseguiu até hoje dar uma resposta convincente sobre como esses diferentes efeitos se combinarão.

Em terra, a imagem é um pouco mais clara, mas também mais soturna. Mesmo sem levar em consideração o efeito do *permafrost* em degelo, o relatório do IPCC sugere que a capacidade de ecossistemas terrestres absorverem o dióxido de carbono ficará saturada por volta de 2030. Se não restringirmos nossas emissões, por volta de 2070 plantas e solos podem até mesmo se tornar mais uma fonte de emissão de dióxido de carbono — o que se somaria a nossa contribuição de gases do efeito estufa, acelerando o aquecimento.[20]

Se continuarmos a queimar combustíveis fósseis livremente, o futuro distante será muito pior do que qualquer descrição feita até agora. Há bastante carbono fossilizado no petróleo, no gás e — sobretudo — no carvão para manter o mundo por séculos a fio. Muito antes do esgotamento desse carbono, teremos cruzado a fronteira de todas as conseqüências descritas neste capítulo, e muitas mais. No final, a atmosfera poderia conter milhares de ppm de dióxido de carbono, um nível nunca visto desde centenas de milhões de anos atrás, quando superfuracões lavaram a superfície da Terra com chuva ácida.

Há muitos livros excelentes, embasados em pesquisa confiável, que olharam para dentro dessa perturbadora bola de cristal.[21] Nós preferimos partir do pressuposto de que a humanidade não será tola o suficiente a ponto de deixar isso acontecer. Nossa geração é a última a ter a chance de evitar os piores desses cenários hipotéticos. Tudo de que precisamos é a combinação certa de novas tecnologias e vontade econômica, política e social. As duas próximas partes deste livro tratarão dessas questões.

PARTE II

SOLUÇÕES TECNOLÓGICAS

Agora que sabemos a dimensão do problema, a próxima pergunta é: o que fazer a respeito? Aplicar tecnologias existentes e desenvolver novas soluções será uma grande parte da resposta — embora não seja tudo de que precisamos. Nesta seção do livro, explicamos quais tecnologias e estratégias de baixo carbono já estão disponíveis e o que mais há no horizonte. As ferramentas que descrevemos precisarão ser utilizadas em todos os níveis: pessoal, municipal e nacional. Envolverão muitos setores diferentes da economia, todos os gases do efeito estufa e maneiras diversas de produzir e usar energia. Explicaremos como essas tecnologias afetarão a sua vida e, mais adiante, no final do livro, mostraremos de que forma farão diferença as suas escolhas individuais quanto ao uso dessas abordagens. Porém, primeiro precisamos estabelecer a meta para os níveis máximos de gases do efeito estufa que devemos ter em mente.

6

QUAL DEVE SER O NOSSO OBJETIVO?

Para dominar o aquecimento global, teremos de reduzir as nossas emissões de gases do efeito estufa. Não há outra maneira. Mas que números devemos ter em mente? Essa é a primeira e mais importante questão a ser respondida. A menos que especifiquemos nosso objetivo, não teremos idéia de quais soluções tecnológicas ou políticas nos permitirão atingi-lo.

Muitas tentativas anteriores de decidir sobre até onde permitir a mudança do nosso clima começaram com a idéia de que deveríamos brecar o aquecimento global antes que ele se torne "perigoso". Entretanto, é tarde demais para isso. Conforme foi explicado nos capítulos 3 e 4, a mudança climática preparou o palco para muitos acontecimentos perigosos que já aconteceram ou que estão, inevitavelmente, em vias de ocorrer.

Uma pergunta ainda mais apropriada é a de quanto aquecimento global podemos nos dar o luxo antes que as coisas fiquem verdadeiramente catastróficas. Apesar de a resposta estar cheia de incertezas científicas, um consenso está começando a surgir.

Quão quente é quente demais?

A temperatura média global já subiu cerca de 0,75°C desde o século XIX. Se desligássemos todas as usinas de energia movidas a combustíveis fósseis, aterrissássemos todos os aviões, parássemos todos os carros e trens e nos juntássemos ao redor de fogueiras abastecidas a lenha, ainda assim haveria mais 0,6°C de aquecimento a caminho, devido à entrada gradual na atmosfera dos gases do efeito estufa que nós já liberamos no ar. Assim, o mínimo de elevação de temperatura possível para o mundo, na comparação com os tempos pré-industriais, fica em torno de 1,4°C.

Não há nada que possamos fazer para evitar isso. Abaixo, elencamos algumas das mudanças previstas pelo relatório IPCC para faixas de aquecimento a partir de 2ºC.[1]

Vulnerabilidades no caso de aquecimento de até 2ºC

- A produção agrícola será mais alta do que hoje, mas isto vai mascarar uma desigualdade. Em alguns países de latitude média e alta, as colheitas deverão aumentar, mas nos trópicos as colheitas já estão em declínio. Isso significa de 10 a 30 milhões de pessoas a mais correndo o risco de passar fome.
- Crescimento de problemas de saúde em humanos devido a ondas de calor, má nutrição, enchentes, estiagens e epidemias de doenças contagiosas.
- Menor disponibilidade de água e mais estiagens nas latitudes médias e nos trópicos semi-áridos. De 0,4 a 1,7 bilhão de pessoas sofrendo cada vez mais com falta de água.
- Migração resultante das alterações no meio ambiente com o potencial de exacerbar conflitos por causa de recursos escassos e invasões culturais.
- Fenômenos mais intensos de precipitação pluvial, com potencial para enchentes até mesmo nas regiões que normalmente sofrem de séria estiagem.
- Aumento da intensidade dos furacões.
- Aumento de ondas de calor em áreas continentais, assim como mais estiagens e incêndios em áreas continentais de média latitude à medida que os trilhos das tempestades se moverem na direção dos pólos.

Vulnerabilidades adicionais para aquecimento de 2 a 3ºC

Todas as acima, mais:

- Até 3 milhões de pessoas em áreas sob risco de enchentes.
- Até outros 10 milhões correndo o risco de passar fome.

- ❑ Branqueamento da maior parte dos corais do mundo.
- ❑ Possibilidade de ampliação da área de degelo da Groenlândia e talvez do manto de gelo da Antártida ocidental, com potencial de elevação do nível do mar em vários metros.
- ❑ Considerável enfraquecimento da correia transportadora do oceano, com potencial para reduzir significativamente chuvas de monções.
- ❑ Intensificação ainda maior dos furacões — o suficiente para ir além dos critérios de planejamento infra-estrutural, causar perdas econômicas significativas e ameaçar um grande número de vidas.
- ❑ Mais enchentes na América do Norte e na Europa à medida que a precipitação pluvial aumentar e menos água for estocada na forma de neve.
- ❑ Rápido aumento na freqüência de ondas sérias de calor, causando muitas mortes assim como falências agrícolas, perdas de florestas e incêndios.
- ❑ Estiagem extrema em áreas cada vez maiores.
- ❑ Séria ameaça de inundação em áreas costeiras de baixa altitude e em pequenas ilhas.
- ❑ Aceleração da diminuição e finalmente perda total de geleiras tropicais.
- ❑ Aumento considerável na migração por razões ambientais.
- ❑ Alto risco de extinção para de 20 a 30% das espécies da Terra.

Vulnerabilidades adicionais para aquecimento de 3 a 4°C

Todas as acima, mais:

- ❑ Probabilidade crescente de degelo completo da Groenlândia e do manto de gelo da Antártida ocidental, levando a uma elevação do nível do mar de 12 metros ao longo dos próximos séculos.
- ❑ Em vez de absorverem carbono, como fazem hoje, os ecossistemas terrestres passam a ser uma inequívoca fonte de emissões de carbono, acelerando a taxa de aquecimento.
- ❑ Extinção das principais espécies em todo o mundo.

- ❑ Morte generalizada dos recifes de corais.
- ❑ Diminuição da produção de alimentos em algumas áreas de alta latitude. A produção global de comida começa a declinar.

Vulnerabilidades adicionais do aquecimento de 4 a 5ºC

Todas as acima, mais:

- ❑ Queda da produção de alimento nas melhores áreas para cultivo das altas latitudes. A produção global despenca.
- ❑ Riscos crescentes de mudanças sérias e abruptas no sistema climático, incluindo interrupção da circulação do oceano e grande volume de emissões de carbono devido ao degelo do *permafrost*.
- ❑ Até um quinto da população mundial afetada por enchentes.
- ❑ Até 120 milhões de pessoas a mais correndo risco de fome.
- ❑ De 1,1 a 3,2 bilhões de pessoas sofrendo de escassez de água.
- ❑ Perda de quase todas as florestas de alta latitude e de grandes porções da floresta amazônica.
- ❑ Riscos de grandes mudanças para ecossistemas que cobrem 40% da área terrestre do mundo.
- ❑ Aumento muito substancial de mortes humanas devido a má nutrição, doenças infecciosas, ondas de calor, enchentes e estiagens.

Vulnerabilidades adicionais do aquecimento de 5 a 6ºC

- ❑ O IPCC não teve coragem de chegar até aí, e nós também não.

A dois graus da liberdade

Vendo as listas acima, nenhum dos efeitos é desejável, e eles se tornam cada vez menos desejáveis à medida que a temperatura aumenta. Se tudo correr como o planejado, para manter o "perigo" tão baixo quanto possível, nós escolheríamos o menor índice de elevação da temperatura

— em outras palavras, estabeleceríamos um limite de aumento de temperatura de 2ºC. Isso, menos o 1,4ºC que já é inevitável, nos permitiria apenas 0,6ºC de margem de erro até acabarmos com os nossos hábitos emissores de carbono.

Até mesmo antes de as previsões de modelos avançados terem sido disponibilizadas no relatório IPCC, pesquisadores estavam tentando propor um número para quanto de temperatura os humanos conseguem suportar. Talvez surpreendentemente, e por meio de raciocínios bastante diferentes, muitos deles chegaram no mesmo número: 2ºC.

Uma das primeiras estratégias que apareceram era evitar qualquer mudança climática "perigosa" ao manter o nosso aquecimento dentro do limite da variação natural durante os relativamente estáveis 10 mil anos desde o final da última Era do Gelo. O economista pioneiro em mudança climática, William Nordhaus, da Universidade de Yale, sugeriu, lá em 1972, que esse limite pode ser da ordem de 2ºC, apesar de ter admitido o grande nível de incerteza nos dados.[2]

Em 1995, o Conselho Assessor Alemão sobre a Mudança Climática (WBGU), um conselho científico independente estabelecido pelo governo alemão nas vésperas da Eco 92, no Rio de Janeiro, publicou um relatório sugerindo que a pior temperatura média global nas últimas centenas de milhares de anos foi de 1,5ºC acima dos níveis pré-industriais. Eles acrescentaram 0,5ºC extra por conta de a Revolução Industrial pelo menos ter nos trazido uma capacidade maior de nos adaptarmos às mudanças ocorridas no mundo e propuseram o mesmo limite de aumento de temperatura de 2ºC.

Esse não é necessariamente o melhor jeito de chegar a conclusão sobre que elevação de temperatura é "segura". Primeiro, porque durante o extenso passado de calor entre as eras do gelo — o que ocorreu 130 mil anos atrás — a temperatura média global estava apenas ligeiramente mais alta do que hoje. Mas graças a pequenas oscilações na órbita da Terra, o calor foi distribuído de maneira diferente, o Ártico se tornou muito mais quente, o gelo derreteu e o nível do mar ficou vários metros acima do que está hoje. Olhar o passado pode ser um bom guia para o futuro, mas ainda não se trata de uma imagem refletida num espelho.

Além disso, as elevações de temperatura que ocorreram antes dos humanos existirem — e muito, muito antes de haver 6 bilhões de nós morando em regime sedentário em cidades e dependendo do nosso estilo de vida industrial — têm pouco a dizer sobre o que julgaríamos "perigoso" hoje.

Entretanto, quanto mais descobrimos sobre os perigos da nossa interferência no sistema climático, melhor parece aquele número quase acidental de 2ºC. As listas anteriores mostram que os efeitos mais sérios começam em algum lugar entre 2 e 3ºC e se tornam cada vez mais perigosos conforme os números sobem.

Em 2003, o WBGU produziu outro relatório[3] que estabeleceu os perigos específicos que provavelmente serão enfrentados, divididos por janelas de temperatura. Concluíram que, com base em perigos tais como enchentes, fome, ondas de calor, estiagem e extinções, não se deveria permitir que as temperaturas subissem mais do que 2ºC. O relatório acrescentou: "Deveria-se chegar a um acordo quanto a essa janela de temperatura como objetivo global... A União Européia deveria adotar um papel de liderança quanto a este problema."

E não apenas a ecológica Alemanha chegou a essa conclusão. Em 2005, a Força-Tarefa Internacional para a Mudança Climática, um grupo que reúne cientistas e políticos de todo o mundo, publicou um relatório.[4] A força-tarefa foi co-presidida por Stephen Byers, membro do Parlamento britânico, e Olympia Snowe, senadora republicana norte-americana, e, além dos rostos normalmente preocupados do mundo industrializado, também incluiu membros da China, Índia, Malásia e Austrália. A conclusão? A fim de evitar os piores efeitos das perdas na agricultura, a escassez de água, custos à saúde, dano aos recifes de corais e aos ecossistemas terrestres e o risco crescente de se ultrapassar num perigoso ponto irreversível do clima, propuseram como objetivo de longo prazo evitar que a temperatura média global da superfície terrestre suba mais do que 2ºC, em comparação com os níveis pré-industriais."

No mesmo ano, a União Européia confirmou a adoção deste número como política oficial. O continente agora está comprometido a tentar evitar que as temperaturas globais aumentem mais do que 2ºC com relação aos valores pré-industriais e a convencer o resto do mundo a seguir seu exemplo.[5]

E agora, as notícias realmente ruins

O problema mais sério, que poucas pessoas parecem ter percebido, é que agora já é quase certamente impossível restringir o aquecimento a 2°C. Se tivéssemos começado duas décadas atrás, teríamos uma boa chance. Mas no presente cenário climático, o alvo parece cada vez mais fora de alcance.

Para garantir que fiquemos abaixo de uma dada temperatura, precisamos saber exatamente quão sensível o clima é com relação à elevação de taxas de gases de efeito estufa. Nossas estimativas para essa sensibilidade estão ficando mais precisas a cada momento, mas ainda são incertas. Se a sensibilidade está em seu limite inferior, ainda temos uma pequena chance de nos manter abaixo dos 2°C. Mas se está no seu pico, podemos já ter passado em muito o limite de apenas 3°C de elevação.

Se o clima é resistente ou se é altamente influenciável é algo que depende de vários feedbacks que agem com o dióxido de carbono para impulsionar seu efeito. Por exemplo, conforme descrevemos no capítulo 1, um ar mais quente absorve mais vapor d'água — que é um potente gás do efeito estufa por si só — e assim causa ainda mais aquecimento. Além disso, o derretimento do gelo marítimo brilhante e branco e a substituição deste pela escura água do mar fazem o mundo absorver mais luz do Sol, causando mais aquecimento. A força de todos estes feedbacks acrescida ao poder do CO_2 e do resto da família dos gases do efeito estufa juntos determinam a sensibilidade do clima.

Como tratam os feedbacks de maneiras ligeiramente diferentes, os modelos climáticos inventam uma variedade de números para mensurar a sensibilidade do clima. Juntar esses números nos dá uma gama de temperaturas prováveis para qualquer dada quantidade de gases do efeito estufa no ar. Perdoem-nos por apresentar mais uma enxurrada de números, mas eles são essenciais para o nosso problema.[6]

- ❑ Para 450 ppm CO_2eq, a elevação da temperatura provavelmente será de 2 a 3,5°C, com um provável valor ao redor de 2,5°C.
- ❑ Para 550 ppm CO_2eq, a elevação será de 3 a 5°C, com o valor mais provável de 3,5°C.
- ❑ Para 650 ppm CO_2eq, a elevação será de 3,5 a 6°C, com o valor mais provável de 4°C.

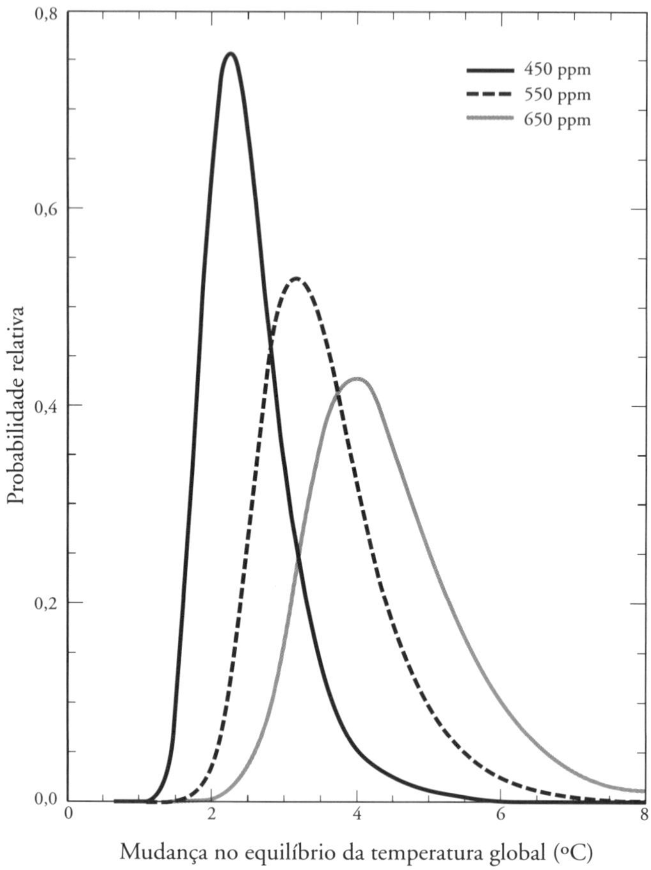

Estimativas de variação na temperatura global (ºC) para níveis de estabilização de gases do efeito estufa de 450, 550 e 650 partes por milhão. Observe que as curvas não são simétricas – em todos os casos, a cauda na temperatura mais alta é mais longa do que a cauda na temperatura mais baixa. Assim, o valor provável para a elevação da temperatura não coincide com o pico da curva, mas fica ligeiramente à direita. A elevação de temperatura mais provável para 450 ppm é em torno de 2,5ºC; para 550 ppm, 3,5ºC, e para 650 ppm, 4ºC. A assimetria das curvas também significa que o risco de as temperaturas ficarem consideravelmente acima dos valores "prováveis" é maior do que o risco de ficarem abaixo desses valores. No final das contas, essas curvas mostram quão grandes são os riscos que já estamos correndo em relação ao futuro do efeito estufa. (Fonte: The Hadley Centre, baseado em trabalho publicado em G.R. Harris *et al.* "Frequency distributions of transient regional climate change from perturbed physics ensembles of general circulation model simulations." In: *Climate Dynamics*, vol. 27. n. 4. p. 357-75, 2006)

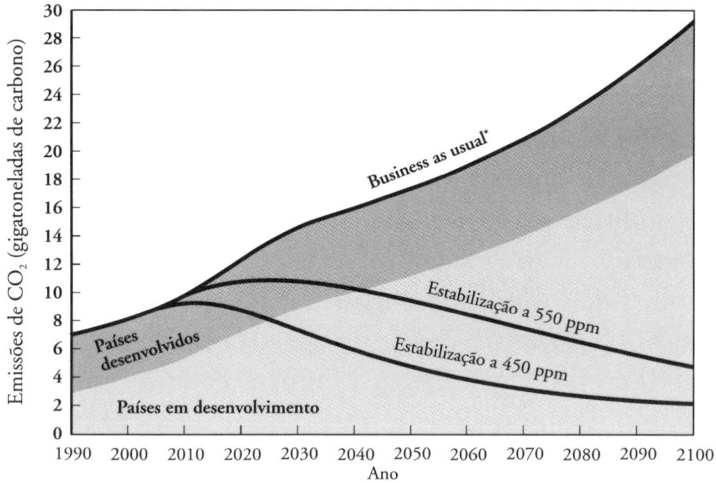

Estimativas de futuras emissões de gases do efeito estufa, de acordo com vários cenários. Para converter gigatoneladas de carbono para gigatoneladas de dióxido de carbono (unidade usada em todo esse livro), multiplique por 3,67. (Fonte: Departamento de Meio Ambiente, Alimentação e Agricultura do Reino Unido)

Esses números deveriam soar como alarmes estridentes. A concentração dos gases do efeito estufa na atmosfera hoje é de 430 ppm CO_2eq. Isso significa que 450 ppm é o mais baixo a que podemos nos ater. E, ainda assim, observe-se a amplitude da gama de temperatura. O *valor mais provável* de elevação de temperatura, se é que conseguiremos nos ater a esse valor, já é de 2,5ºC. Se tivermos muita sorte, e a sensibilidade estiver no ponto mais baixo da sua escala, podemos ficar abaixo disso. Mas se tivermos azar, mesmo com o mais baixo nível de gases do efeito estufa que podemos concebivelmente atingir, ainda assim estaríamos a caminho de perigosos 3,5ºC. Se permitirmos que os gases do efeito estufa se elevem acima de 450 ppm, a situação torna-se ainda pior. O valor de 550 ppm, que por muito tempo foi a meta que supostamente nos manteria abaixo da variação de 2ºC, tem virtualmente nenhuma chance de fazê-lo e pode inclusive nos levar a uma elevação de 5ºC. Isso se torna intolerável até mesmo no mundo da especulação.

* Ver termo no glossário ao fim do livro.

Por todas essas razões, acreditamos que a única chance que temos é a de manter os gases do efeito estufa no nível mais baixo possível. Em outras palavras, temos de tentar atingir a estabilização em 450 ppm CO_2eq. Esse é o número que se deve ter em mente em toda declaração de diretrizes e em todo acordo referente ao clima. Falaremos sobre as implicações políticas disso na parte III.

Por enquanto, a mensagem na qual devemos nos concentrar é a seguinte: apesar de a mudança climática já não poder ser evitada, ainda temos uma boa chance de conseguir suportá-la, se nos mantivermos abaixo de 450 ppm CO_2eq. Este é o número que precisamos ter como objetivo. Se ele for minimamente mais alto, o risco de uma mudança climática catastrófica torna-se alto demais.

Como fazer para conseguir isso?

Muito do que falamos até agora parecem notícias irreversivelmente ruins. Mas ainda há esperança. Apesar de hoje ser quase impossível nós nos mantermos abaixo de 2°C de elevação, esse não é um limiar crítico acima do qual algo ruim imediatamente aconteceria. Trata-se mais de um limite de velocidade segundo o qual, quanto mais acima de 2°C se vai, maior o risco de um sério desastre. Tudo o que dissemos até agora neste capítulo deveria ser um incentivo extra à ação, mais do que uma razão para desânimo. Pois a boa notícia é que ainda temos uma chance de manter os gases do efeito estufa no limite dos 450 ppm.

Entretanto, será necessário agir rápido. As emissões globais de gases do efeito estufa terão de chegar ao seu pico nos próximos 15 anos e, por volta de 2050, precisarão ter caído à metade dos níveis atuais. Isso parece pedir muito, sobretudo se considerarmos que boa parte dessa mudança terá de ocorrer em países em desenvolvimento que estão atualmente mais concentrados em melhorar as vidas miseráveis de seus cidadãos do que preocupados com o clima global.

O ritmo das emissões também está subindo de forma alarmante. Se não fizermos nada para alterar nossos hábitos, em 2035 o ar já conterá 550 ppm CO_2eq.[7] Por volta do final do século, as emissões podem estar 250% acima dos níveis atuais, com gases do efeito estufa dirigindo-se perigosamente em direção à marca dos 1.000 ppm. O relatório IPCC descreve o desafio de reverter essa tendência como "desanimador".[8]

Entretanto, outra boa notícia é que muitas das tecnologias de que precisaremos para frear os gases do efeito estufa já estão disponíveis ou em vias de. Nos próximos capítulos, descreveremos essas tecnologias em detalhe. Mas, primeiro, apenas para mostrar de que forma essas tecnologias, juntas, podem resolver o problema, gostaríamos de mencionar uma abordagem engenhosamente simples, proposta em 2004 por dois pesquisadores de Princeton, Steve Pacala e Robert Socolow.[9] Eles dividiram o problema em uma série de "cunhas", cada uma das quais reduziria as emissões dos gases do efeito estufa em 25 bilhões de toneladas de carbono (o que significa um pouco mais de 90 bilhões de toneladas de dióxido de carbono) nos próximos cinqüenta anos. Chamaram-nas de "cunhas" porque seus efeitos variam gradualmente de nada — no momento atual, no extremo mais fino da cunha — a uma redução de vários bilhões de toneladas de carbono (cerca de 3,7 bilhões de toneladas de dióxido de carbono) por ano em um período de cinqüenta anos.

Pacala e Socolow originalmente propuseram sete cunhas para mostrar como se poderia transformar um gráfico das emissões em elevação em outro gráfico, estável. Na verdade, conforme mostramos a seguir, só a estabilização não é o suficiente — o gráfico precisa entrar em uma curva descendente. Pela mesma analogia, para fazer isso você poderia acrescentar mais cunhas.

As cunhas prevêem o seguinte para os próximos cinqüenta anos (em cujo caso precisaríamos intensificar nossos esforços, começando hoje do zero):

- ❑ Dobrar a eficácia energética de 2 bilhões de automóveis.
- ❑ Cortar à metade a distância média percorrida por 2 bilhões de automóveis.
- ❑ Reduzir em um quarto as emissões de carbono de prédios e aparelhos.
- ❑ Capturar e estocar dióxido de carbono proveniente da geração de 800 gigawatts por usinas de energia movidas a carvão.

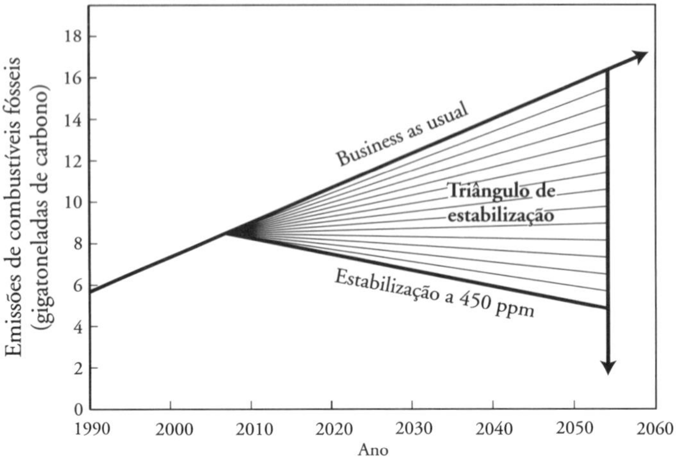

Estratégia de "cunhas" para a redução de futuras emissões de gases do efeito estufa do nível "business as usual" para uma estabilização em 450 ppm de dióxido de carbono. Para converter gigatoneladas de carbono para gigatoneladas de dióxido de carbono (unidade usada em todo este livro), multiplique por 3,67. (Fonte: adaptado de S. Pacala e R. Socolow. Stabilisation wedges: solving the climate problem for the next 50 years with current Technologies. In: *Science*. V. 205. p. 968-72. 13 de agosto de 2004)

- ❑ Capturar e estocar dióxido de carbono proveniente da geração de 1.600 gigawatts por usinas de energia movidas a gás natural.
- ❑ Construir 2 milhões de turbinas eólicas de um megawatt cada (cerca de cinqüenta vezes do que dispomos hoje).
- ❑ Cessar todo desmatamento de florestas tropicais e plantar 300 milhões de hectares de novas árvores nos trópicos.
- ❑ Duplicar o volume atual de energia nuclear.
- ❑ Quadruplicar o volume de gás natural usado para gerar energia, convertendo usinas de energia alimentadas a carvão (o gás produz menos emissões de gases do efeito estufa do que o carvão).
- ❑ Elevar o uso de biocombustíveis em veículos a cinqüenta vezes o nível de hoje.
- ❑ Usar métodos de baixo cultivo em todas as lavouras do mundo.
- ❑ Elevar a área global de painéis solares em 700 vezes.

É fácil imaginar outras cunhas reunidas a partir das soluções tecnológicas que descrevemos aqui. Observe que nenhuma delas requer grandes inovações técnicas.[10] Se acrescentássemos alguns novos métodos ao longo do caminho, a tarefa se tornaria ainda mais exeqüível.

Em fevereiro de 2007, Richard Branson, fundador do grupo Virgin, anunciou um prêmio de US$ 25 milhões para quem identificar uma maneira eficaz de remover um bilhão de toneladas de dióxido de carbono ou mais da atmosfera por ano, por durante no mínimo uma década. (Branson disse que se inspirou no prêmio de £ 20 mil oferecido no século XVIII para medição de longitudes, que coube a John Harrison, e também pelo prêmio Ansari X, de US$ 10 milhões, para o primeiro vôo espacial particular com tripulação humana, que foi entregue em 2004.) A data-limite para o prêmio Virgin é 8 de fevereiro de 2010.

Se você quiser tentar a sorte, esteja avisado de que o problema é mais difícil do que parece, porque o dióxido de carbono está muito espalhado. Há apenas quatro moléculas de CO_2 para 10 mil moléculas que compõem o ar, de forma que antes de capturá-lo será necessário encontrar uma maneira de concentrá-lo.

Uma tentativa promissora foi anunciada em abril de 2007 por Klaus Lackner, da Universidade de Columbia, que trabalhava com a empresa de pesquisa e desenvolvimento Global Research Technologies. A idéia de Lackner é fazer o oposto do que as chaminés normalmente fazem. Em vez de jogar ar carregado de CO_2 na atmosfera, chaminés gigantes jogariam para dentro o ar poluído dos arredores, depois do quê um minério absorveria o dióxido de carbono e então o liberaria como um simples jato de gás, pronto para estoque subterrâneo. Uma vantagem dessa idéia é que as chaminés não precisariam estar próximas dos lugares onde o CO_2 foi emitido. Em vez de estarem agrilhoadas a usinas de energia ou seguir cada carro, chaminés como essa poderiam tirar CO_2 do ar a uma distância de meio mundo — por exemplo, bem ao lado de um potencial ponto de estocagem de dióxido de carbono.

A companhia estima que um milhão de tais máquinas, cada uma com uma enorme abertura de 100 metros quadrados, poderia absorver um bilhão de toneladas de CO_2 por ano. Se déssemos logo início a projetos-piloto, gradualmente elevássemos nossos esforços e, por fim, ao cabo de cinqüenta anos conseguíssemos quadruplicar essa capacidade, essa poderia muito bem ser uma das cunhas de Socolow e Pacala.[11]

Outra maneira de retirar dióxido de carbono e mandá-lo direto para fora da atmosfera seria deixar a biologia fazer para nós a parte da concentração. As plantas usam o dióxido de carbono do ar para construir seus organismos. Normalmente, ele retorna para o ar quando o organismo da planta é partido, ao ser digerido nas entranhas de um animal ou queimado. Mas e se protegêssemos esse organismo, de modo que o carbono nele contido permanecesse estocado em segurança?

Por exemplo, plantar novas árvores nos trópicos e então evitar que fossem cortadas ou queimadas seria uma excelente maneira de absorver dióxido de carbono do ar — razão pela qual isso aparece em uma das cunhas de Socolow e Pacala.

Outra abordagem intrigante que surgiu recentemente é a tecnologia do "biochar", também chamada de "terra preta". A idéia é que você pegue algum tipo de sobra da agricultura — como as hastes e os sabugos do milho — e queime-o a uma temperatura alta, na ausência de oxigênio. Parte desse carbono se transformará em um óleo que você então poderá queimar para gerar energia. O resto se transformará em uma forma dura e negra de carvão e assim permanecerá, os proponentes acreditam, por centenas de anos. O benefício econômico do óleo pode ajudar a financiar os custos de se seqüestrar o resto do carbono. Um benefício inquestionável dessa abordagem é que em princípio o carvão poderia ser espalhado nos campos. Não se fragmentaria e ajudaria o solo a preservar nutrientes e água, o que reduziria a necessidade de fertilizantes artificiais e irrigação. A idéia ainda precisa ser desenvolvida, mas pode muito bem valer a pena.[12]

Uma abordagem que não recomendamos é nos livrar do problema ao tentar, de alguma forma, equilibrar o aquecimento que já causamos com um volume correspondente de resfriamento. A idéia tem uma história acidentada, em parte porque muitos dos esquemas propostos ao longo dos anos se mostraram absurdamente pouco práticos. Sugestões variaram do excêntrico (pintar o máximo possível do mundo de branco, de forma a rebater mais luz do sol) ao caríssimo (colocar no espaço espelhos gigantes que bloqueariam a luz solar — e custariam trilhões de dólares para serem concretizados e instalados).

Além disso, essa abordagem, que envolve deixar o dióxido de carbono agir livremente e só então varrer o efeito do aquecimento, nada faz em relação às outras conseqüências de altas taxas de dióxido de carbono. Uma vantagem poderia ser o fato de que uma porção extra de dióxido de carbono poderia ajudar a fertilizar o crescimento de plantas sem as normalmente associadas estiagens que, em um mundo em aquecimento, fazem as colheitas despencarem. Mas uma desvantagem muito mais importante é que, conforme explicado no capítulo 3, mais dióxido de carbono no ar significa oceanos mais ácidos — e a instalação de um espelho gigante no céu nada faria quanto a isso.

Mas a principal razão para o fato de que a maioria dos cientistas que estuda o clima deu à idéia pouca atenção é: eles suspeitam de qualquer conserto rápido que deixe intactos nossos velhos hábitos. Como Meinrat Andreae do Instituto Max Planck de Química em Mainz, Alemanha, colocou: "É como um viciado em drogas que tenta bolar novas maneiras de roubar dos próprios filhos."[13]

Em 2006, o cientista atmosférico e prêmio Nobel Paul Crutzen sugeriu que deveríamos injetar nuvens de dióxido sulfúrico no ar para fazer um labirinto — uma espécie de espelho de nuvens no céu — que rebateria a luz solar de volta para o espaço e ajudaria a equilibrar o aquecimento causado pelos gases do efeito estufa.[14] Entretanto, mexer deliberadamente em algo tão complexo quanto a atmosfera poderia ser ainda mais perigoso do que o problema que tal iniciativa estaria tentando solucionar.

A história da nossa relação com a atmosfera está abarrotada de conseqüências não-desejadas (e muitas vezes infelizes). Por exemplo, os produtos químicos que quase destruíram a camada de ozônio — que nos protege dos cancerígenos raios ultravioletas — foram inventados por um químico bem-intencionado que estava tentando melhorar o ambiente. Tentar resolver o problema jogando ainda mais poluição no ar se parece, de uma forma muito perigosa, à canção infantil "I know an old lady who swallowed a fly...".*

---

* Na canção, a velha engole uma mosca, então deliberadamente engole uma aranha, para que essa dê cabo da mosca, e em seguida um passarinho, para que ele dê cabo da aranha, e então um gato, um cachorro, e assim sucessivamente, só piorando a própria situação. (N. da T.)

7

MENOS É MAIS

A primeira coisa e talvez a mais importante que precisamos fazer para conter o aquecimento global é usar energia de um modo mais racional. Os combustíveis fósseis nos proporcionaram uma fonte energética tão barata que nos tornamos tolamente perdulários com a utilização dessa energia. É incrível o tanto que desperdiçamos, sem sequer nos darmos conta de quanto isso nos custa. Na verdade, em vez de serem caras, muitas das estratégias que poderíamos usar para reduzir as emissões de dióxido de carbono por meio da melhoria de eficiências energéticas vão, na verdade, economizar dinheiro. No que diz respeito ao efeito estufa, esses são os frutos que estão caindo de maduros — espaços que já teriam sido preenchidos, se o mercado da energia estivesse fazendo direito o seu trabalho.

Construções

Em todo o mundo, aproximadamente 9 bilhões de toneladas de CO_2eq por ano em gases do efeito estufa são emitidos por prédios e outras construções civis,[1] o que representa 18% do total global. A maior parte disso provém do uso (ou abuso) da energia. Apesar de, no decorrer das últimas décadas, o isolamento térmico ter melhorado e eletrodomésticos terem se tornado mais eficientes, o modo como usamos a energia em nossos prédios ainda é incrivelmente perdulária; um misto de jogar gases do efeito estufa na atmosfera e dinheiro pelo ralo.

As tecnologias necessárias para resolver isso já existem. Por exemplo, simplesmente por meio do uso de novas formas de iluminação, pode-se reduzir em 75% a energia usada para se iluminar um típico lar norte-americano.[2]

Apesar de algumas dessas modificações implicarem custos, muitas poderiam ser feitas gratuitamente, ou até mesmo poupando dinheiro, graças aos cortes nos gastos com energia. Mesmo a curto prazo, durante os próximos 15 anos, poderíamos reduzir em pelo menos 30% a elevação prevista nas emissões de prédios e construções sem gastar um só centavo. Isso sem contar com uma possível alteração do nosso comportamento *dentro* dos prédios, o que nos permitiria reduzir ainda mais as emissões.

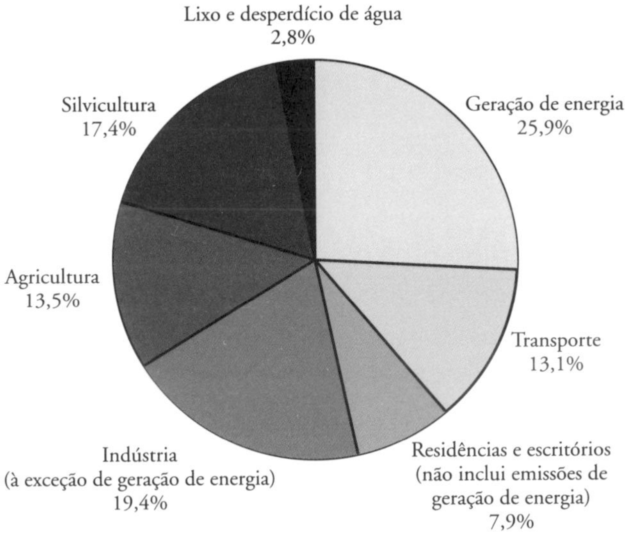

Emissões de gases do efeito estufa por setor da economia (Fonte: IPCC)

Esse é um dos aspectos da mudança climática em relação aos quais indivíduos podem fazer uma diferença dramática. Muitas das estratégias a seguir podem ser aplicadas no nosso próprio lar, local de trabalho, escola ou igreja. Se todos nós começarmos a implementar algumas delas, ou todas, isso terá um impacto enorme nas emissões globais de gases do efeito estufa.

Isolar

Em climas frios e nublados, precisamos fazer com que o ar frio não entre nos prédios durante o inverno, e com que deixe os prédios durante o verão. Tudo o que é necessário para isso é uma boa exposição ao sol nas paredes e no sótão e certificar-se de que janelas e portas fechem devidamente no inverno para minimizar as correntes de ar. É simples assim.

Em regiões mais quentes, muitos de nós aprenderam a depender de condicionadores de ar — que consomem grandes volumes de energia — para manter frescos os interiores dos prédios. Entretanto, outra possibilidade é simplesmente deixar que o próprio prédio aja como um filtro, regulando a entrada de luz do sol, calor e ar fresco, de acordo com as necessidades do momento. Se isso soa como alta tecnologia, então vale a pena mencionar que arquitetos já usavam essa técnica antigamente, antes de qualquer pessoa ter ouvido falar em petróleo ou eletricidade. Os arquitetos dos palácios mouriscos da Andaluzia, por exemplo, sabiam tudo sobre como projetar a inclinação dos telhados de forma a bloquear o inclemente sol alto do verão, mas deixando entrar os mais suaves e oblíquos raios de sol do inverno. Prédios modernos também podem ser projetados para fazer isso de forma hábil, mas, enquanto isso, cada um de nós pode fazer algo. Quando o sol está pegando em cheio nas janelas, feche as venezianas ou as cortinas. Quando você precisa se refrescar e há bastante vento lá fora, abra uma janela. E, conforme já mencionado, o verão é para ser mais quente do que o inverno. Não faz sentido ficar dentro de um prédio, no verão, usando agasalhos — simplesmente alterar o termostato em alguns graus para cima pode fazer uma grande diferença.

Substituir lâmpadas velhas por novas

Alteração da iluminação é uma das maneiras mais fáceis de reduzir as emissões de prédios e construções, que poderiam cair em 90% apenas com o uso de tecnologias já disponíveis. Por exemplo, substituir as velhas lâmpadas incandescentes por lâmpadas fluorescentes modernas de baixo consumo de energia pode reduzir o gasto de energia pela metade. Projetar prédios para que haja um uso mais apropriado da luz solar pode reduzir as emissões remanescentes também à metade, enquanto uma simples estratégia chamada iluminação *task/ambient* pode reduzi-las ainda mais. Significa ter uma iluminação de fundo relativamente fraca, com mais luz nas estações de trabalho individuais. Não apenas requer menos energia como também é mais relaxante para os olhos.

Finalmente, cerca de um terço da população mundial não tem qualquer acesso a formas modernas de energia e depende, para iluminação, da queima direta de combustível fóssil — tal como lamparinas a querosene ou a parafina. Essas fornecem apenas 1% da iluminação mundial, mas 20% das emissões relacionadas à iluminação. Uma lâmpada fluorescente e compacta é mil vezes mais eficaz, e também traz menos riscos à saúde causados por inalação do gás ou fumaça. Este é um exemplo de como, se os países em desenvolvimento conseguirem verbas e conhecimento a fim de dar um salto em direção às novas tecnologias, o mundo inteiro se beneficiará.[3]

Aplicação da ciência

Reduzir o número de máquinas dentro dos prédios é uma boa maneira de gastar menor energia. Faça inventários freqüentes para se certificar de que você não tem aparelhos demais, ou máquinas grandes demais. Quando se estão substituindo eletrodomésticos, sempre opte pelos que consomem menos energia. Em 1978, o governo dos Estados Unidos introduziu padrões federais bastante simples para a eficácia de utensílios domésticos. Em 2020, isso terá cortado as emissões residenciais de gases do efeito estufa em cerca de 10%.*

Acabar com o modo standby

Por mais incrível que pareça, aquelas luzinhas na tevê e nos aparelhos de vídeo bem como todos outros modos de espera de parafernálias afins

*No Brasil temos o selo do Procel, que é concedido anualmente aos equipamentos que apresentam os melhores índices de eficiência energética. (N. do E.)

contribuem, e bastante, para as emissões de gases do efeito estufa. É um atestado de nosso perdularismo quanto a energia o fato de que até carregadores de telefones celulares que não estão em uso continuam gastando energia se plugados na tomada. A Agência Internacional de Energia (AIE) estima que o modo standby pode ser responsável por 1% das emissões mundiais de gases do efeito estufa, o que equivale as emissões de toda a indústria da aviação.[4] Em 1999, a AIE lançou a chamada "iniciativa do watt único", a fim de incentivar fabricantes a limitar o modo standby a um watt ou menos.[5] Enquanto isso, apesar de soar absurdo, faz de fato uma diferença grande tirar da tomada tudo o que você não estiver usando.

Mudar de comportamento

Mesmo quando as casas são, em tudo o mais, idênticas, um estudo clássico mostrou que uma família pode usar o dobro de energia do que a família vizinha.[6] Mais recentemente, um levantamento de cinqüenta projetos em todo o mundo se dedicou a verificar se uma casa teria o seu consumo de energia alterado se os moradores soubessem quanto de eletricidade estavam usando, na comparação com o mesmo mês no ano anterior ou com um vizinho. O resultado foi uma economia de energia de 5%.[7] Isso mostra como, se estivermos devidamente informados sobre quanta energia usamos e se prestarmos atenção, é muito mais provável que usemos menos. É surpreendente como um "*smart meter*" (medidor de eletricidade) tiquetaqueando ao lado da geladeira pode nos incentivar a desligar as luzes quando saímos de um cômodo.

Faça você mesmo

A microgeração é o uso de recursos do seu prédio ou da sua casa para gerar a sua própria energia. No capítulo 9 descreveremos mais detalhadamente os métodos de geração de energia que produzem pouco carbono. É importante observar que muitos deles podem ser usados em pequena escala. Exemplo: por meio de painéis solares você pode usar o sol para aquecer água ou para gerar energia; bombas de aquecimento podem levar ar quente ou frio para dentro e para fora dos prédios; e turbinas de vento individuais podem fazer a sua parte. Unidades de "calor e energia combinados" (CHP na sigla em inglês), também conhecidos como unidades de co-geração, logo estarão disponíveis em versão doméstica para fazer uso tanto do calor quanto da eletricidade gerados por queima de gás natural.

Muitas dessas tecnologias atualmente são caras se comparadas aos equivalentes movidos a combustíveis fósseis, mas deixarão de ser à medida que a economia de escala começar a se impor. Redes nacionais de energia mais flexíveis possibilitariam que as casas exportassem para a rede a eletricidade que não for utilizada. Se é satisfatório ver quanto de energia um medidor mostra que você está economizando, quão mais satisfatório não seria se o medidor indicasse que você está vendendo eletricidade para as companhias elétricas?

Indústria

No total, a indústria é responsável por 12 bilhões de toneladas de gases do efeito estufa, quase um quarto das emissões globais. A maior parte dessas emissões provém do uso de combustíveis fósseis para gerar energia; para processamento químico e para fundição; ou da produção direta de dióxido de carbono como parte desse processamento (por exemplo, ao se fazer cimento a partir de calcário).

Quase todo o uso de energia está nas mãos de um punhado de indústrias que a consomem em grandes volumes: ferro e aço, produtos químicos e fertilizantes, cimento, vidro e cerâmica, polpa de celulose e papel. Já existem várias maneiras de reduzir a energia necessária para a produção industrial. Por exemplo, na chamada "cascata de energia", a perda de energia, na forma de calor, durante os processos mais dispendiosos é usada para alimentar uma série de etapas sucessivamente mais frias, até que o resultado final é usado para aquecer a própria fábrica.[8] Muitas fábricas poderiam usar esse método amanhã mesmo, sem a necessidade de nenhum avanço tecnológico nem legislação.

Outra tecnologia já disponível que pode melhorar a nossa eficácia energética são os motores de velocidade variável.[9] Soa prosaico, mas mais de metade de toda a que geramos é usada para movimentar motores, e faria uma grande diferença se esses motores fossem mais eficientes. Um motor que opera de modo contínuo e flexível em velocidades relativamente baixas usa muito menos energia do que um motor que liga e desliga em uma velocidade muito alta. De forma similar, motores flexíveis de ventiladores poderiam economizar até um terço de energia, e elevadores poderiam gerar energia quando estivessem descendo.

As fábricas também poderiam utilizar o calor gerado pelas usinas elétricas — que geralmente é apenas desperdiçado. Se a fábrica estivesse localizada próxima o suficiente de uma usina de energia, o calor que se dissipa no ar por meio das torres de refrigeração poderia, em vez disso, ser bombeado para alimentar os processos que necessitam de calor. (Essa abordagem também poderia fornecer calor a pequenas cidades por meio de redes de dutos.)

Para as indústrias que geram dióxido de carbono diretamente — como a indústria do cimento, que é hoje responsável por cerca de 3% das emissões globais de gases do efeito estufa —, a abordagem mais promissora seria capturar o carbono e estocá-lo antes que ele chegue à atmosfera.

Agricultura

A agricultura é responsável por cerca de 13% das emissões globais de gases do efeito estufa, quase o mesmo que o transporte. Quase nada desse montante é dióxido de carbono. Apesar de todos os anos enormes quantidades de CO_2 de fato passarem à atmosfera a partir dos campos de cultivo, a balança fica mais ou menos no zero. O metano (gás natural) e o óxido nitroso (gás do riso) é que mais importam.

Na agricultura, o metano provém de várias fontes, e quase sempre envolve micróbios que se alimentam de material orgânico em lugares onde há pouco ou nenhum oxigênio. Assim, as principais fontes são as entranhas de vacas, ovelhas e búfalos. Uma quantidade menor de metano provém de campos de arroz alagados e da queima de biomassa.

(A queima de biomassa, sobretudo de florestas, também contribui com significativas quantidades de dióxido de carbono, mas trataremos disso em separado.)

O óxido nitroso vem diretamente do solo, em especial quando este, por ter sido encharcado com fertilizantes à base de nitrito ou com estrume, está abarrotado com componentes que contêm nitrogênio.

Até hoje ninguém realizou um estudo detalhado sobre como exatamente essas emissões se elevarão no futuro se nada for feito para impedi-las. Entretanto, o relatório IPCC estima[10] que em 2030 a contribuição da agricultura para as emissões desses dois gases terá subido de 31 a 37%.

Há várias maneiras de controlar a emissão de gases da agricultura. Quase todas envolvem aumento de eficiência da maneira como usamos as nossas terras; e as tecnologias, afinal de contas, já existem. Por exemplo, melhores dietas para gado fazem com que os animais — falando claramente — arrotem menos. Na Nova Zelândia, cientistas estão estudando maneiras de mudar os micróbios que as vacas usam para digerir a comida, de modo a incentivar a produção de açúcar em vez de metano. Independentemente da mudança climática isso faz sentido do ponto de vista agrícola, já que qualquer perda de carbono na forma de metano significa menos carbono acrescentado ao corpo do animal. Também é possível controlar os nutrientes no solo por meio de maneiras mais naturais do que a utilização de fertilizantes à base de nitrato. Por exemplo, a prática de agroflorestamento envolve plantar, lado a lado, culturas que contribuam para as suas necessidades mútuas. Terras cultiváveis poderiam até mesmo ser incentivadas a se tornarem verdadeiros sorvedouros de carbono, por meio da redução da aragem — que perturba o solo e incentiva micróbios a processarem o carbono que ele contém.

Nenhuma dessas práticas viria necessariamente a um preço baixo, nem seria imediatamente funcional para os agricultores de subsistência em países em desenvolvimento — países que engrossarão o crescimento das emissões de gases do efeito estufa operando de forma "business as usual". Mas se, ao colocar um preço decente na testa de todos os gases de efeito estufa, conseguirmos fazer com que as emissões custem dinheiro, isso poderia ajudar a pagar pelas mudanças necessárias na agricultura. O relatório IPCC diz que, com um preço de US$ 50 por tonelada de CO_2eq, o total das emissões agrícolas em 2030 poderia ser reduzido em um terço, e, com um preço de US$ 100 por tonelada, poderia ser reduzido à metade — o que mais do que varreria todas as previsões de aumento de emissões.[11]

Florestas

A derrubada e a queima de árvores contribuem com cerca de 8 bilhões de toneladas de dióxido de carbono para a atmosfera a cada ano.[12] Trata-se de um volume enorme, mais do que 16% do total das emissões humanas de gases do efeito estufa — mais do que as emissões da agricultura ou do transporte. E, na sua maior parte, são emissões desnecessárias. Destruir florestas é uma das formas mais irracionais de perturbar o clima que já inventamos.

A maior parte do dióxido de carbono ocasionado pelo desmatamento provém da queima de florestas tropicais, sobretudo a floresta amazônica. Razões para tal desmatamento vão da procura por algumas árvores específicas de madeira dura ou o simples desmatamento e queima para agricultura de subsistência, às plantações de dendezeiros em grande escala. Até mesmo o corte de árvores específicas pode significar destruição em massa. Para chegar ao seu objetivo, tratores derrubam as árvores que estão no caminho; a queda de uma só árvore muitas vezes ocasiona a queda das árvores vizinhas, que estão a ela ligadas por meios de cipós; os buracos assim criados na cobertura de árvores deixa entrar a quente luz solar dos trópicos, que resseca a floresta e cria as condições necessárias para incêndios acidentais; e os madeireiros normalmente abrem estradas para si, que encorajam o influxo de fazendeiros que desmatam e queimam a floresta com fins de subsistência.[13]

Modelos sugerem que em 2030 uma combinação de prevenção contra desmatamento, melhor gerenciamento de florestas e reflorestamento de áreas apropriadas[14] poderia, de maneira fácil e barata, reduzir emissões anuais em até 14 bilhões de toneladas.[15] Poucos estudos previram como será o cenário "business as usual" para esse período de tempo, embora haja indícios de que a quantidade anual de emissões provenientes de desmatamento em 2030 seria mais ou menos a mesma que a de hoje — ou seja, 8 bilhões de toneladas por ano. Nesse caso, aplicar todas essas táticas significaria que não apenas reduziríamos emissões de desmatamento a zero, como também que as florestas estariam de fato absorvendo quantidades consideráveis das emissões de outras fontes, ajudando-nos a atingir os índices de redução de que precisamos.[16]

Além disso, haveria apenas uma perda muito pequena na produção de alimentos. O solo das florestas tropicais é relativamente pobre em nutrientes, a maioria dos quais está ligada a árvores e restos de folhas num interminável processo de reciclagem biológica. Assim, é inadequado para cultivo de lavoura por mais do que uns poucos anos, o que é uma das razões pelas quais fazendeiros que dependem do desmatamento e da queima de floresta precisam se manter em movimento. No centro do Brasil, avanços na ciência do solo permitiram a fazendeiros cultivar lavouras como de soja, na região antes infértil do cerrado, o que aliviou, de certa forma, a pressão sobre a Amazônia, ao passo que a produção agrícola total registrou uma elevação.[17]

Mais do que isso, qualquer redução nas emissões proveniente de florestas seria razoavelmente barata, se comparada a outras maneiras de se reduzir o dióxido de carbono. Pesquisas econômicas sugerem que o ganho direto de áreas de florestas que foram convertidas em terra cultivável — incluindo-se aí os ganhos da venda de madeira — equivale, em muitas áreas, a menos de US$ 1 por tonelada de CO_2 e normalmente a muito menos de US$ 5 por tonelada.[18] Qualquer sistema econômico que encareça a emissão de dióxido de carbono por meio da fixação de um preço para cada tonelada emitida de CO_2 faria muito mais do que zerar esses lucros. Análises sugerem que quase metade da redução custaria menos do que US$ 20 por tonelada de CO_2, e mais de dois terços custariam menos do que US$ 50 por tonelada.[19] Conforme mostraremos no capítulo 10, esses números parecem razoáveis sobretudo quando comparados com os prováveis preços que serão estabelecidos no futuro, nos mercados de carbono.

Como se certificar de que os países em que as taxas de desmatamento são altas tenham tanto a verba quanto a iniciativa para brecá-lo é uma questão política muito mais do que uma questão tecnológica; os capítulos 10 e 11 discutem algumas das estratégias que já estão sendo utilizadas, bem como idéias para fortalecê-las. O que está claro é que precisamos fazer isso acontecer. É verdade que muitas nações desenvolvidas, especialmente na Europa e na América do Norte, converteram as suas florestas em terras cultiváveis séculos atrás, o que lançou as fundações para o seu subseqüente desenvolvimento. Essa é uma das razões pelas quais o mundo desenvolvido deveria ajudar a pagar pela redução do desmatamento em áreas tropicais. Para aqueles que as exploram, as florestas tropicais podem parecer um recurso barato e quase inesgotável. Mas os gases do efeito estufa que elas emitem à medida que são queimadas custam, a todos nós, um preço muito alto: o planeta Terra.

Lixo

O lixo é um contribuinte razoavelmente pequeno à emissão dos gases do efeito estufa, com 1,2 bilhão de toneladas CO_2eq por ano, o que representa apenas alguns pontos percentuais do total mundial. Ainda assim, isso pode ser facilmente reduzido. A maioria das emissões é de metano proveniente de aterros de lixo — algo rápido e fácil de ser capturado e que pode muitas vezes ser usado para gerar eletricidade. Porém, as emissões indiretas do desperdício são até mesmo mais importantes— muito mais difíceis de quantificar mas, provavelmente, muito substanciais. Do ponto de vista climático, é uma tolice usar as coisas uma vez e então jogá-las fora. O arqueólogo E.W. Haury escreveu: "Seja lá o modo como uma pessoa encara os montes [de lixo], como pilhas de detritos a serem evitados ou como símbolos de um estilo de vida, eles... são aspectos mais eloqüentes do que qualquer outro."[20] Se arqueólogos alienígenas começassem a remexer nossas pilhas de sacos plásticos que foram utilizados apenas uma vez e então jogados fora, embalagens, papelões, latas e papéis que pouco nos serviram mas que muito nos custam em matéria de emissões de carbono, não é difícil imaginar que conclusões esses alienígenas poderiam tirar.

8

AVIÕES, TRENS E AUTOMÓVEIS

Na história do aquecimento global, os meios de transporte têm recebido tanta atenção que dedicamos a eles todo este capítulo. O setor atualmente é responsável por 13% das emissões globais de gases do efeito estufa, e, depois da geração de energia, é o setor cujas emissões mais crescem.[1] Também é de longe o responsável pelas emissões de gases do efeito estufa sobre os quais mais se fala, provavelmente porque se trata da única área na qual os indivíduos podem fazer uma diferença dramática. Quase toda a energia que move o transporte vem do petróleo, e, a menos que haja uma mudança expressiva no caminho que ora trilhamos, em 2030 as emissões dos transportes terão aumentado 80% em relação aos níveis de hoje.[2]

Parte do problema é que riqueza e meios de transporte sedentos por carbono há muito caminham de mãos dadas. Quanto mais rico fica o mundo, mais longe se quer viajar e menos eficientes, do ponto de vista de emissão de dióxido de carbono, são os meios de transporte escolhidos. Conforme a riqueza das nações se eleva, os seus cidadãos deixam de caminhar e andar de bicicleta, de utilizar ônibus e trens locais, para usar carros, trens de alta velocidade e transporte aéreo.[3]

A maior parte da elevação nas emissões prevista para as próximas décadas virá de países em desenvolvimento, mas é difícil argumentar que os cidadãos desses países deixem de aproveitar as vantagens de deslocamento já oferecidas em países industrializados. Para controlar essas emissões será necessária uma combinação de novas tecnologias de baixa emissão de dióxido de carbono, maior eficiência e o fornecimento de alternativas atrativas que encorajem todos nós a abrir mão dos meios de transporte mais poluentes.

Biocombustíveis

Primeiro, algumas palavras de aviso sobre uma das mais chamativas novas tecnologias em matéria de transporte — os combustíveis de baixa emissão de carbono, conhecidos popularmente como biocombustíveis. Apesar de a maioria das estratégias de geração de energia de baixo carbono produzir eletricidade, o transporte quase sempre precisa de um combustível líquido que possa facilmente ser distribuído para cada carro, ônibus, trem e avião. (Carros movidos a eletricidade são uma promissora exceção a essa constante, conforme discutiremos mais adiante.) Uma maneira de fornecer um combustível líquido sem causar dano à atmosfera seria fazer novos combustíveis ecológicos que usem como matéria-prima a biomassa, neutra em emissão de carbono. Desse modo, poderíamos continuar fazendo mais ou menos a mesma coisa que fazemos hoje, mas tendo como conseqüência menos emissões de carbono.

Trata-se de uma idéia tão atraente que dois desses chamados "biocombustíveis" já estão em uso — o etanol (álcool combustível), que é um substituto direto da gasolina, e o biodiesel, que é exatamente o que o nome sugere. O etanol pode ser obtido a partir de praticamente qualquer vegetal que contenha açúcar ou amido. Os vegetais ricos em amido, por exemplo trigo ou batata, precisariam passar por um processo químico adicional para converter esse amido em açúcar. Fermento biológico é então acrescentado ao açúcar, e a mistura é fermentada, do mesmo modo que obtido o álcool de bebidas. De modo similar, o biodiesel provém de vegetais dos quais pode ser extraído óleo, como por exemplo semente de canola, girassol ou dendê.

Em princípio, biocombustíveis como esses deveriam ser neutros em emissão de carbono porque as emissões provenientes da queima do combustível equilibram o dióxido de carbono que fora absorvido do ar justamente pelos vegetais cultivados. Mas, assim como acontece com várias outras tentativas de substituir combustíveis fósseis, a questão não é tão simples.

Primeiro, há o perigo de que a terra usada para agricultura seja desviada da produção de alimentos, ou que os grãos que seriam usados para alimentação sejam desviados para servir de matéria-prima para o combustível. Isso, por sua vez, elevaria os preços dos produtos alimentícios, o que atingiria justamente aqueles que mais dificuldade enfrentam para prover a própria alimentação.

Isso já está acontecendo. Em junho de 2007, a Organização das Nações Unidas para Agricultura e Alimentação publicou um relatório alertando que a demanda por óleos derivados de grãos e vegetais para conversão em biocombustíveis já estava elevando muito os preços. O relatório estimava que os preços de importação de alimentos para os países em desenvolvimento subiram alarmantes 90% desde 2000.[4] Considerando-se que muitos desses países em desenvolvimento já estão sofrendo os efeitos da mudança climática causada pelo uso que o Ocidente fez de combustíveis fósseis, essa tentativa de corrigir um erro mais parece um acúmulo de danos.

Cultivar as lavouras necessárias para a produção de biocombustíveis também significa usar fertilizantes ricos em nitrogênio, o que, por sua vez, faz com que o solo emita óxido nitroso — que é, por si só, um potente gás do efeito estufa. Arar, colher e processar a matéria-prima requer energia, normalmente fornecida pela queima de combustíveis fósseis. Cada passo extra — converter amido em açúcar, converter açúcar em álcool — consome ainda mais energia. É até mesmo possível que certos biocombustíveis possam produzir mais emissões de gases do efeito estufa do que os combustíveis fósseis convencionais que se está procurando substituir.

O presidente George W. Bush tem procurado melhorar a sua imagem no que diz respeito à mudança climática e buscado aprimorar as perspectivas quanto à segurança energética, lançando uma corrida para fazer etanol a partir de milho. Ainda assim, as evidências sugerem que isso traria tanto danos quanto benefícios. Muitos pesquisadores tentaram fazer uma "análise de ciclo de vida" do etanol feito a partir de várias matérias-primas, mas ainda é difícil saber exatamente quais os números a serem levados em consideração nos cálculos. Por exemplo, um grupo de cientistas de Berkeley, na Califórnia, revisou toda uma série de estudos e concluiu que o etanol feito a partir de milho produziu cerca de 18% a menos de emissões de gases do efeito estufa do que a gasolina normal. Embora esteja longe dos 100%, ainda parece promissor. Isto é, até que se perceba a incerteza dos cálculos. Apesar de 18% ser o número a que os pesquisadores chegaram, ainda assim eles admitem que na prática o número poderia ser qualquer um entre 36% a menos de emissões do que a gasolina (o que seria um resultado ainda melhor do que os 18%) e 29% a *mais* (o que, obviamente, seria um resultado muito pior).[5]

Um relatório da Agência Internacional de Energia publicado em 2007 concluiu que a redução de CO_2 para biocombustíveis feitos a partir do milho era de 15 a 25% na comparação com as emissões da gasolina. Usar cana-de-açúcar como matéria-prima, por outro lado, produziu uma redução de CO_2 de até 90% e deveria ser considerada uma alternativa muito mais viável.[6]

Também é importante calcular com precisão quanto dióxido de carbono o biocombustível em questão absorve ao ser produzido. E, assim como os custos de produção, há a questão sobre de que parte do mundo vem o óleo vegetal usado para a produção desses biocombustíveis. A União Européia obrigou todos os membros a utilizarem combustíveis com 5,75% de biocombustíveis na mistura até 2010, o que detonou uma nova corrida por esses óleos. Já que o continente em questão não tem área terrestre suficiente para suprir a demanda de óleos vegetais, terá de importar em grande escala. Isso é uma boa notícia para países como a Malásia e a Indonésia, que produzem a maior parte do óleo de dendê do mundo. Mas grupos ambientalistas alertam que esses países estão planejando derrubar grandes áreas de florestas tropicais virgens para transformar o terreno em plantações de dendezeiros.

Substituir um ecossistema rico e variado com fileiras arregimentadas de uma só espécie de palmeira não é apenas uma perda estética (podendo até mesmo ser o golpe fatal para aquele carismático primata, o orangotango): também é perigoso. A variedade de espécies em uma floresta tropical a protege de doenças, ao passo que uma doença que atingisse especificamente os dendezeiros poderia devastar uma plantação inteira quase que da noite para o dia.

E, é claro, há também o problema do dióxido de carbono. A queima de amplas áreas de floresta tropical virgem aliada ao potencial que esses fogos têm de se alastrar pelas terras turfosas da região, ricas em carbono, poderia liberar para a atmosfera emissões que anulariam por décadas o benefício do biodiesel. Os chamados combustíveis ecológicos, desse ponto de vista, seriam tudo, menos isso.[7] Um relatório das Nações Unidas publicado em 2007 teve o cuidado de declarar que, apesar de a maioria dos biocombustíveis produzirem menos emissões de carbono do que os rivais fósseis, isso acontece somente "na condição de que não haja desmatamento de florestas ou [...] drenagem de terras turfosas, que estocam séculos de carbono".[8]

Tudo isso não quer dizer que os biocombustíveis sejam ruins. Na verdade, eles podem funcionar muito bem. Nos últimos trinta anos eles têm sido um ótimo recurso para o Brasil — que respondeu à crise do petróleo da década de 1970 com a conversão de cana-de-açúcar em etanol e agora produz mais da metade do suprimento mundial. Lá o esquema funcionou bem em parte porque o país tem grandes áreas de terra agrícola bem irrigada, perfeitas para o cultivo de cana-de-açúcar. Agora o Brasil está partilhando o seu conhecimento técnico com países no sul da África, a fim de capacitá-los a ressuscitar a sua moribunda produção de cana-de-açúcar e usá-la para produção de biocombustível.

Mas o ponto importante é que nem todos os biocombustíveis têm o mesmo peso na luta contra a mudança climática. O relatório da ONU sugeriu modo de contornar o problema das emissões não contabilizadas durante o plantio e o processamento, na forma de um esquema de certificação internacional que estabeleça com exatidão quanta emissão de gases do efeito estufa a bioenergia poupou, ou melhor, gastou ao longo de todos seus estágios.[9] "Ainda que o desenvolvimento e a implementação de um esquema de certificação amplamente aceito sejam um desafio", acrescenta, "isso não deveria impedir governos, indústrias e outros agentes de tentar".

A melhor maneira de solucionar o problema da competição com a produção de alimentos seria encontrar uma maneira de usar a celulose — o componente que une as paredes celulares de vegetais e faz com que elas fiquem de pé. Diferentemente de cavalos e vacas, os humanos não conseguem digerir a celulose, uma substância é rica em açúcares. Se esses açúcares pudessem ser transformados em etanol, isso abriria a possibilidade de se usar caules, sobras de madeira e gramíneas rígidas e silvestres que jamais competiriam com a produção de alimento. Os cupins detêm a tecnologia necessária para isso. Eles secretam uma enzima que os ajuda a digerir a celulose, e faríamos bem em aprender com eles. Oito pequenas fábricas estão em construção nos Estados Unidos para transformar sobras de colheitas em etanol (em Iowa, Nova York, Tennessee, Michigan, Geórgia, Kansas, Colorado e Flórida). Entretanto, o aproveitamento da celulose nesse sentido ainda vai requerer muito mais pesquisa e desenvolvimento antes que possa ser atraente de verdade.

Aviões

Os aviões se tornaram os novos vilões do clima. Em termos de números totais, isso não é justo. A aviação é diretamente responsável por cerca de 700 milhões de toneladas de dióxido de carbono a cada ano, o que é apenas 1,6% das emissões mundiais de gases do efeito estufa.[10] Entretanto, em nível molecular essas emissões contribuem muito mais do que fariam em solo porque os aviões são muito eficientes em causar aquecimento via efeito estufa. Emissões de óxidos de nitrogênio (que formam o ozônio, outro gás do efeito estufa) assim como o rastro de vapor condensado que pode formar nuvens cirrus, chegam a triplicar o efeito direto do dióxido de carbono.[11]

Também há o argumento da desigualdade. Uma razão que faz com que os aviões contribuam tão pouco ao fardo total dos gases do efeito estufa é que apenas uma parte relativamente pequena da população humana pode se dar esse luxo. Um vôo de ida e volta de Los Angeles para Nova York, por exemplo, gera a grande quantidade de 1,5 tonelada de dióxido de carbono por passageiro. Sem sequer levarmos em consideração outras emissões indiretamente envolvidas com o ato de voar, isso é o que um cidadão indiano médio emite durante todo um ano. (Para sermos justos com a aviação, esse argumento também se aplica à geração de energia. Conforme já mencionamos, um terço da população do mundo não tem acesso a formas modernas de energia.)

A terceira razão por que a aviação atrai tanta atenção é que, diferentemente de outras formas de transporte também sedentas por carbono, não há no horizonte alternativas que possam substituir os combustíveis fósseis usados em aeronaves. Hidrogênio poderia funcionar, e seria especialmente pobre em carbono se fosse obtido a partir de fontes renováveis de energia em vez de combustíveis fósseis. Entretanto, tudo indica que teria de ser carregado no avião em estado líquido, o que significaria uma carga muito mais pesada do que o querosene que os aviões hoje usam, e além disso o hidrogênio precisaria ser refrigerado. Pior ainda, o subproduto da queima de hidrogênio é... água. Tudo bem se estivéssemos no solo, mas no ar essa água geraria mais nuvens cirrus, o que, por sua vez, ajudaria a aquecer ainda mais a Terra.

Outra possibilidade seria produzir querosene por meios artificiais. Este processo já está bem estabelecido, começando por carvão, ou em alguns casos, gás natural. Em princípio também poderia ser feito usando-se biomassa, tal como as sobras normalmente desperdiçadas de lavouras, o que seria uma alternativa de baixo carbono. A tecnologia apenas precisa ser adaptada, mas não está claro se se tornaria competitiva, dado o preço relativamente mais baixo de se extrair a matéria-prima para o querosene a partir de furos no solo.

Biocombustíveis são, talvez, mais promissores. Entretanto, o etanol produz menos energia, de modo que os tanques teriam de ser muito maiores para acomodar combustível suficiente para uma mesma distância viajada. E o biodiesel congela nas baixas temperaturas encontradas lá em cima, então os tanques de combustíveis e motores teriam de ser aquecidos.

Uma alternativa poderia ser o butanol, que é como o etanol mas com o dobro de átomos de carbono na sua estrutura molecular. Por causa disso, um mesmo peso de butanol é capaz de gerar mais energia e também congela a temperaturas muito mais baixas. (Além disso, é menos corrosivo do que o etanol, de forma que seria muito mais fácil de ser transportado por dutos.) Em 2007, a Virgin Atlantic e a Boeing anunciaram uma iniciativa conjunta de trabalhar com o fabricante de motores General Electric Aviation para desenvolver um avião movido a biocombustíveis. O plano é realizar um vôo teste com um dos Boeing 747 da Virgin ainda em 2008, com uma mistura de biocombustível em um dos quatro motores.

O presidente da Virgin, Richard Branson, suspeita que o butanol possa ser a solução, apesar de não estar descartando a possibilidade de se encontrar algo ainda melhor. Em 2006 a Virgin anunciou que os lucros provenientes de seus aviões e trens, nos próximos dez anos (mais de US$ 1 bilhão) serão destinados a uma nova iniciativa, a Virgin Fuels, dedicada a encontrar novos combustíveis de baixa emissão de carbono para o transporte. Isso mais parece um faro aguçado para negócios do que puramente filantropia bem-intencionada. Quem inventar um sistema de combustíveis eficiente e de baixo carbono para aviões ficará tão rico quanto Bill Gates.

O gigante do petróleo BP (que abandonou seu nome original, "British Petroleum", e mudou para o marketeiro "Beyond Petroleum") também está apostando no butanol, apesar de não necessariamente para aviões. Em 2006, a empresa anunciou que estava investindo US$ 1 bilhão no desenvolvimento de novos biocombustíveis, e outras grandes companhias — assim como o Departamento de Energia dos Estados Unidos — também estão começando a destinar verbas para esse fim.

Porém, mesmo se as experiências com biocombustíveis derem resultado, é difícil que eles substituam os combustíveis tradicionalmente usados pela aviação nas próximas décadas.[12] Então, por enquanto, a maior parte dos esforços para reduzir os efeitos ambientais da aviação dependem da melhora da eficiência dos combustíveis usados. Em parte porque o combustível usado por aviões já responde por uma grande fatia do custo de se voar, os fabricantes de aeronaves têm um bom histórico no que diz respeito à melhora de desempenho. Os aviões modernos são cerca de 70% mais eficientes no gasto de combustível que há 40 anos.[13] O novo Boeing 787 "Dreamliner" usa compósitos de baixo peso na sua estrutura e é 20% mais eficiente que as aeronaves tradicionais.

Pesquisas sobre outras tecnologias para economia de combustíveis, que foram abandonadas na década de 1990, quando os preços do petróleo desabaram, estão ganhando novo fôlego. Por exemplo, sistemas de sucção para reduzir a turbulência, novos designs de fuselagem e asas, e turboélices na parte posterior poderiam melhorar a eficiência no consumo de combustível em até 60%.[14]

Mudar a maneira dos aviões voarem também ajudaria. Grande parte do combustível é desperdiçada com taxiamento e em intermináveis esperas durante as quais o avião fica sobrevoando as pistas. Várias companhias aéreas estão estudando a possibilidade de rebocar aviões à pista de decolagem e de ligar os motores só no momento da decolagem. Um melhor controle de tráfego aéreo também poderia garantir que os aviões voassem a menor distância possível e aterrissassem imediatamente após a chegada.

Entretanto, mesmo se todas essas estratégias para melhora de eficiência se concretizarem, há grande chance de serem obliteradas por aumentos ainda maiores nos números de passageiros. De acordo com o relatório IPCC, um cenário "business as usual" para 2030, incorporando projeções de aprimoramento em eficiência, as emissões seriam 2,5 vezes maiores que as atuais. Até mesmo com uma eficiência drasticamente melhorada, ainda assim as emissões praticamente dobrariam.[15]

Assim sendo, até que surja um novo combustível para aeronaves inteiramente ecológico, a estratégia imediata terá de ser a de persuadir as pessoas a não voarem, sobretudo nos casos em que outras formas de locomoção menos sequiosas por carbono já estiverem disponíveis. Em especial, vôos de curta duração produzem emissões desproporcionais porque grande parte do vôo é tomada pelo taxiamento, espera, decolagem e descida. A mensagem aqui é: se você pode pegar um trem, faça-o.[16]

Enquanto isso, vale a pena falar na navegação internacional, que até agora escapou dos dedos acusadores voltados à aviação. A maior parte das cargas internacionais viaja pelo mar, e os navios são responsáveis por cerca de 800 milhões de toneladas de dióxido de carbono por ano[17] — número ligeiramente maior do que a aviação. Assim como as viagens aéreas, a utilização de navios para transporte está crescendo a uma velocidade impressionante. Também como no caso das viagens aéreas, as dúvidas sobre quais países são, em última análise, responsáveis pelas emissões são tão controversas que os valores referentes a essas emissões sequer são incluídos nos cálculos de emissões nacionais. Há mais informações sobre como resolver essa questão no capítulo 11.

Trem

O trem já é uma boa maneira de se locomover no que diz respeito a emissão de carbono, mesmo com a utilização de combustíveis fósseis. As emissões podem ser de apenas 10% das emissões de uma mesma viagem feita com automóvel, dependendo de quantos passageiros estiverem no carro e de qual combustível o trem está usando.[18] O trem também pode ser muito mais agradável do que as intermináveis filas para controle de segurança somadas às salas fechadas que fazem parte do modo moderno de voar — de forma que há um grande potencial para se convencer as pessoas a mudarem. Até mesmo para viagens mais curtas, o trem poderia se tornar atrativo, com o incentivo de preços proporcionais ao tamanho da viagem e da oferta de horários variados. Isso requererá investimentos consideráveis em algumas áreas.

Em lugares em que os serviços de trem já são abundantes, há maneiras de aperfeiçoá-los. Usar um combustível de baixo carbono como o biodiesel reduziria as emissões quase a zero, assim como o fariam a utilização de trens elétricos e a utilização de novas tecnologias de baixo carbono à medida que se tornem disponíveis. Alimentado pela eletricidade francesa, da qual 80% provêm de usinas elétricas, o famoso TGV a maneira de se viajar que menos gera emissão de carbono — à exceção da bicicleta e de caminhar. Se você quer viajar para praticamente qualquer lugar na França, esta é a sua melhor pedida no que diz respeito às emissões de carbono.

Coordenar a venda de passagens e o uso de trens de longas distâncias internacionais, bem como estender a cobertura de redes de alta-velocidade, será igualmente importante se a idéia do trem competir com vôos de curta distância. Em julho de 2007, foi lançada uma nova rede européia chamada Railteam; em breve ela permitirá que as pessoas reservem um único bilhete para viajar por vários países e coordenem conexões.[19] Ainda que no resto do mundo as redes de trem transnacionais não sejam tão avançadas, o desejo de reduzir emissões, em especial as provenientes de transporte de carga, pode dar uma nova vida a tão esperada ferrovia transasiática, coordenando bitolas de trilhos e preços, bem como conectando países europeus diretamente com uma ampla parte da Ásia.

Automóveis

Os veículos automotores respondem por três quartos das emissões provenientes de todos os transportes, e, se nada intervier, haverá mais de um bilhão deles nas ruas e estradas em 2030, e outro bilhão em 2050.

Para solucionar essa iminente crise de emissões de transporte, precisaremos encontrar alguma maneira de dirigir que não tenha, como subproduto, o dióxido de carbono. Uma alternativa já disponível são os veículos híbridos. Os híbridos atuais, dos quais o Prius da Toyota é o líder de mercado, combinam um motor normal de combustão interna movido a gasolina com um motor elétrico e bateria. A bateria é recarregada quando o motor está ligado, sobretudo durante a freagem. Tais híbridos usam o motor elétrico e bateria para impulsionar a energia durante a aceleração, fazer funcionar a direção eletricamente assistida (EPS na sigla em inglês) e outros acessórios eletrônicos e fazer o motor trabalhar em baixa carga quando os motores de combustão interna encontram-se no ponto menos eficiente.

Nas condições normais de tráfego dos Estados Unidos, isso melhora a eficiência combustível em até 50%, com uma queda proporcional nas emissões dos gases do efeito estufa. É possível conseguir um desempenho ainda melhor que esse em cenários urbanos muito congestionados, quando a bateria obtém um ganho proporcionalmente maior na freagem e quando o motor elétrico, que de outra forma é pouco eficiente, pode ser mais usado para a marcha lenta. Os híbridos também têm a vantagem geral de que podem ser usados com os sistemas atuais de distribuição de gasolina e serem indistinguíveis — em alcance, potência e tamanho — aos seus similares movidos a combustíveis fósseis. Em 2005, as vendas mundiais de veículos híbridos totalizaram mais de meio milhão de carros. (Ainda que isso pareça impressionante, é apenas uma pequeníssima fração dos 63 milhões de veículos motorizados vendidos naquele ano.[20])

Melhor ainda do ponto de vista do efeito estufa seriam veículos elétricos que pudessem ser postos em movimento ao serem alimentados diretamente pela rede elétrica. Dessa forma, quanto mais energia renovável e de baixo carbono entrasse para a rede elétrica, menor seria o volume de emissões de gases do efeito estufa provenientes do transporte. Na verdade, a eletricidade pôs em movimento alguns dos primeiros veículos motorizados, até que esses foram nocauteados pelos baratos e abundantes combustíveis fósseis que alimentam o motor de combustão interna. Existem alguns carros elétricos modernos, mas eles padecem do problema de serem meios de transporte de curto alcance e da vida demasiado limitada da bateria. Híbridos recarregáveis podem ser um bom passo intermediário. Em 2007 a General Motors e a Ford anunciaram que estavam começando o desenvolvimento de veículos híbridos que pudessem perfazer curtas distâncias sem usar gasolina e ser facilmente recarregáveis por meio de uma tomada elétrica comum. Isso seria especialmente útil se a energia proviesse de uma fonte de baixo carbono.

Outra estratégia importante é melhorar a eficiência combustível dos carros. Designs mais aerodinâmicos, com o uso de materiais mais leves e uma melhor eficiência dos motores, ajudará a reduzir as emissões — apesar de haver sempre o perigo de que tais inovações acabem fornecendo uma desculpa para se fazer carros maiores e mais potentes. Essa é outra área na qual a escolha do consumidor deverá ter um forte impacto no futuro dos carros. Se nós, como consumidores, insistirmos em veículos que sejam leves e mais econômicos em vez de carros inutilmente grandes e consumidores de muita energia, os fabricantes terão de atender as nossas demandas. Se, por outro lado, nos ativermos à velha e gasta idéia de que tamanho é documento, os fabricantes inevitavelmente farão o mesmo.

Outra coisa a ser observada é quanto de emissões o seu carro produziu ao ser criado. Agora há algumas pessoas projetando carros cujas emissões "do berço ao túmulo" são tão baixas quanto possível. Por exemplo, eles podem ser fabricados a partir de materiais leves, resistentes e biodegradáveis preparados a baixas temperaturas, diferentemente do aço inoxidável.

Também precisaremos mudar a maneira de usar os nossos carros. Uma abordagem promissora é a chamada condução ecológica, que incentiva os motoristas a usarem os seus carros da maneira mais eficiente possível. As técnicas incluem desaceleração gradual, manter baixa a rotação do motor, desligar o motor quando o carro não estiver em uso, reduzir velocidades máximas e certificar-se de que os pneus estão devidamente calibrados. Estudos nos Estados Unidos e na Europa sugerem que tais medidas podem melhorar a economia combustível em extraordinários 20%, e na Holanda a condução ecológica faz parte do currículo de qualquer auto-escola. Alguns carros também já são equipados com recursos tecnológicos que contribuem para que se tire o máximo de cada litro de combustível.

Ainda melhor seria tornar atraente para as pessoas a idéia de se depender menos de carros e de se reduzir o uso de formas de transporte com emissões intensas de carbono, sobretudo para deslocamentos curtos. Carros consomem mais energia e emitem mais gases do efeito estufa por quilômetro por passageiro do que qualquer outra forma de transporte sobre a superfície terrestre. Quase qualquer outra coisa seria melhor. Reduzir o número de carros nas estradas também nos traria vários benefícios colaterais: imagine viver em um mundo em que as estradas fossem mais seguras, em que houvesse menos engarrafamentos chatos, menos poluição no ar e uma menor vulnerabilidade a erráticos preços de petróleo.

Entretanto, a história mostra que a maioria de nós não muda os seus hábitos a menos que alternativas estejam disponíveis e sejam mais atraentes. Isso poderia ser especialmente importante para viagens curtas. Em Bogotá, em 1998, por exemplo, 70% das viagens de carros particulares cobriam menos de 3 quilômetros. A cidade agora tem um projeto, financiado pelo Mecanismo de Desenvolvimento Limpo, que usa ônibus que trafegam por pistas exclusivas, o que os torna tão rápidos quanto práticos de serem usados. Isso foi projetado para poupar a cidade de mais de 7 milhões de toneladas de dióxido de carbono nos próximos trinta anos, a um custo de menos de US$ 20 por tonelada.[21]

Outra possibilidade nas cidades nas quais o transporte público é bem-estruturado é usar a internet e até mesmo tecnologia sem fio para torná-lo mais confiável. O website "BusMonster", de Seattle, já começou a oferecer aos habitantes um mix de mapas e informações em tempo real sobre o paradeiro dos ônibus. Antes de sair de casa, você pode checar na internet quando exatamente o seu ônibus vai chegar à próxima parada e quanto tempo levará — considerando-se as condições de tráfego naquele momento — para você chegar ao seu destino. No futuro, esse tipo de informação poderá ser enviado diretamente ao seu telefone celular e estar disponível em todas as paradas de ônibus.

Em áreas rurais, ônibus "sob encomenda" logo poderiam ser tão atrativos quanto os carros. Em 1999 o chamado "Wigglybus" começou a operar em Wiltshire, no Reino Unido. Tem uma rota essencialmente circular, mas se você telefonar para fazer uma reserva ele fará um desvio para apanhá-lo. O ônibus é controlado por satélite, e a central de reservas envia ao motorista uma lista de lugares de onde foram feitas chamadas. No momento há três rotas em operação, nas quais os passageiros rurais podem fazer uma ligação e ser apanhados pouco tempo depois, muitas vezes na porta das suas casas.

Integrar o trânsito com um planejamento urbano eficiente será especialmente importante nas áreas do mundo que estão se desenvolvendo mais rápido. As populações às vezes são tão grandes que até mesmo a migração de apenas uma pequena porcentagem de usuários de carros para o transporte público pode fazer uma grande diferença. Um estudo sugere que estratégias como essa poderiam cortar, até 2020, quase 50% das emissões projetadas para o transporte de uma cidade de rápido desenvolvimento como Shanghai.

A longo prazo, o combustível de baixo carbono pode ser a solução. Uma abordagem que recebeu muita atenção é o hidrogênio. A idéia é que algumas fontes de energia de baixa emissão de carbono sejam usadas para realizar a fissão de moléculas de água e fazer gás hidrogênio. Também se poderia obter hidrogênio a partir de gás natural. Apesar de isso gerar emissões de dióxido de carbono, ainda assim é mais eficiente do que a queima de gasolina. E, se o carbono pode ser capturado e estocado, as emissões poderiam ser praticamente zeradas.

Na maior parte das versões desse cenário, o hidrogênio é estocado, transportado e entregue a um aparelho conhecido como célula-combustível, que gera energia quando necessário.[22] Células-combustíveis são altamente eficientes e operam em silêncio. Na verdade, carros movidos a células-combustíveis seriam tão silenciosos que talvez fosse necessária a produção artificial de ruído, a fim de alertar pedestres da presença de um carro. Mas a cereja do sundae dessa alternativa é que tudo que sai pelo cano de descarga do carro é água.

A tecnologia está bastante avançada, e um punhado de veículos de teste está agora nas estradas. Em abril de 2003, a Islândia abriu o primeiro posto de combustível de hidrogênio do mundo, e espera em 2030 ser uma economia inteiramente movida a hidrogênio, com a energia geotérmica do país, livre de carbono, garantindo o abastecimento. O primeiro posto de hidrogênio da Noruega foi aberto em agosto de 2006, e o governo de lá tem planos para um duto de hidrogênio de 580 quilômetros, entre Oslo e Stavanger. A União Européia está testando ônibus movidos a hidrogênio, e a China planeja usar alguns desses veículos nas Olimpíadas de Pequim, em 2008. Membros da Parceria da Célula-Combustível da Califórnia (California Fuel Cell Partnership) testaram quase 200 protótipos de veículos nas estradas, e o estado planeja introduzir hidrogênio em 21 postos de combustíveis em estradas interestaduais.[23]

No momento, porém, a tecnologia ainda não é inteiramente comercial. O principal problema é encontrar a maneira certa de estocar e distribuir o hidrogênio, bem como melhorar a eficiência das células-combustíveis e reduzir seus custos. Entretanto, muitos grandes fabricantes de carros, incluindo General Motors, Chrysler, Mercedes, BMW e Toyota, estão dando duro para resolver essas questões, e a Toyota forneceu protótipos movidos a células-combustíveis a todos os ministros do governo japonês. Quando a tecnologia se desenvolver e começar a ser produzida em massa, o que pode acontecer antes de 2020, as mudanças necessárias à infra-estrutura à base de gasolina se tornarão comercialmente viáveis.

Outra maneira de reduzir emissões de veículos automotores pode ser o uso de biocombustíveis. A maior parte dos carros a gasolina pode funcionar com até 10% de etanol na mistura sem que seja preciso fazer qualquer modificação, e alguns carros novos podem funcionar apenas com etanol.* A tecnologia foi introduzida no Brasil, na década de 1970, e a adaptação flexicombustível permite que os carros funcionem com gasolina, álcool ou qualquer mistura dos dois. O biodiesel também pode ser usado com relativamente pouca alteração tanto em carros quanto em trens. Muitos países agora têm metas para a proporção de biocombustíveis a ser usada nos automóveis, embora, conforme descrevemos antes, seja de importância vital saber exatamente de onde esses biocombustíveis provêm e quantas emissões ocorreram durante as etapas anteriores da sua existência.

---

*No Brasil, toda gasolina comercializada é misturada com 24% de etanol, por regulamentação do Governo Federal. (N. do E.)

9

PODER PARA MUDAR

Nosso entusiasmo em queimar combustíveis fósseis pouco diminuiu desde que pensamos nessa possibilidade pela primeira vez, durante a Revolução Industrial. Em particular as últimas três décadas do século XX viram um dramático crescimento de 70% em emissões humanas de gases do efeito estufa, de modo que em 2004 estávamos emitindo um total de 49 bilhões de toneladas de CO_2eq por ano.[1]

Projeções indicam que essas emissões devem continuar em elevação no futuro próximo. Entre elas, as provenientes de carvão, petróleo e gás respondem por quase todo o nosso uso de energia. Há petróleo e gás natural suficientes no mundo para durarem por décadas, e carvão que durará séculos.[2]

Aquela que foi de longe a maior elevação desde 1970 veio da geração de energia, que registrou um aumento de quase 150% e agora responde por cerca de um quarto das nossas emissões globais de gases do efeito estufa.[3] Uma maneira de reduzir essas emissões é tornar mais eficientes o uso já existente de combustíveis fósseis. Por exemplo, mudar do pior combustível fóssil, em termos de emissão de carbono (carvão) para o melhor deles (gás natural) reduz as emissões em 50%.[4] Entretanto, se queremos ter alguma chance de afastar os efeitos mais perigosos do aquecimento global, isso não será suficiente. Teremos de encontrar novas maneiras de gerar energia que não envolvam gases do efeito estufa.

Infelizmente, apesar de o nosso baú tecnológico não estar de todo vazio, ele tampouco está repleto de alternativas. A despeito do crescente interesse quanto à mudança climática nos últimos anos, muito pouca atenção foi dada por parte da indústria às fontes alternativas de energia. A relação entre o volume de dinheiro investido em pesquisa e desenvolvimento por um setor da indústria e sua receita nos conta uma triste história. Nos Estados Unidos, o valor investido em pesquisa de energia é de apenas 0,5% da receita, comparado aos 3,3% da indústria automobilística, 8% da indústria eletrônica e 15% da farmacêutica.[5] Em todo o mundo, o investimento na pesquisa e no desenvolvimento de energia tem permanecido constante nas últimas décadas e, em alguns países — incluindo o Reino Unido —, chegou até mesmo a cair, à medida que os preços do petróleo declinaram e a desregulamentação fez com que as companhias de energia passassem a se concentrar mais em ganhos a curto prazo do que na pesquisa a longo prazo.

Mas o mundo está finalmente começando a acordar para o desafio tecnológico, e estão sendo feitos esforços no âmbito da indústria de energia e até mesmo, na forma de colaboração entre companhias. No Reino Unido, por exemplo, um de nós (David King) planejou e montou o Energy Technologies Institute, que logo estará abrindo as suas portas para o mundo dos negócios. Essa parceria entre o governo e um consórcio de indústrias receberá £ 1 bilhão ao longo de dez anos para desenvolver novas formas de energia que emitam pouco dióxido de carbono.

A Agência Internacional de Energia (AIE) prevê que mais de US$ 20 trilhões precisarão ser investidos entre agora e 2030 para enfrentar a crescente demanda mundial por energia.[6] Governos e empresas em todo o mundo logo estarão tomando decisões sobre para onde exatamente devem ser destinados os investimentos. Eis a seguir as tecnologias de baixo carbono que precisarão estar na lista de compras do mundo, se o objetivo for atender essa demanda.[7] (Vale a pena mencionar que muitas delas apresentam benefícios colaterais, sobretudo o de reduzir a poluição do ar local e regionalmente.)

Hidroenergia

A energia hidrelétrica é hoje o maior fornecedor de todas as fontes renováveis de energia.[8] Em 2004, forneceu 5% de toda a energia global e 90% da eletricidade oriunda de fontes renováveis. Entretanto, o processo de alagamento de novos reservatórios para se obter a hidroenergia geralmente acarreta um custo ambiental. Por exemplo, há muitas vezes uma perda de serviços fornecidos pelo ecossistema. Muitos dos nutrientes que um dia fertilizaram a terra, seguindo a cheia anual do rio Nilo, agora acabam se instalando no fundo da gigantesca represa egípcia de Aswan, e, pela primeira vez na longuíssima história do país, fazendeiros egípcios precisam acrescentar fertilizantes artificiais aos campos. E o alagamento de qualquer região para criar uma represa normalmente também acarreta um custo social devido ao reassentamento compulsório da população.

Além disso, ainda há alguns pontos de interrogação sobre exatamente quanta emissão de carbono uma usina hidrelétrica pode poupar. Embora a geração de energia hidrelétrica em si não cause nenhuma emissão de gases do efeito estufa, reservatórios baixos podem emitir metano, um gás do efeito estufa muito mais potente do que o dióxido de carbono. Em compensação, a maioria das usinas hidrelétricas tem um desempenho muito melhor em matéria de emissão desses gases do que as suas equivalentes alimentadas por combustíveis fósseis.

Por causa dessa incerteza sobre os benefícios ambientais das grandes usinas hidrelétricas, a ONU as excluiu de seu Mecanismo de Desenvolvimento Limpo, através do qual países industrializados podem financiar tecnologias de baixo carbono nas nações em desenvolvimento. (O capítulo 10 traz mais detalhes sobre o Mecanismo de Desenvolvimento Limpo e seu funcionamento.) Essa condenação não parece a melhor atitude a ser adotada. Acreditamos que seria bem melhor analisar projetos individualmente, fazendo uma análise ambiental e de gases de efeito estufa completa, e apenas então decidir se vale a pena financiar o projeto, do ponto de vista ambiental e em específico do ponto de vista climático.

Geotermia

Usar pedras naturalmente quentes para criar vapor e gerar eletricidade é, claro, uma boa idéia. O único problema com a energia geotérmica é que é preciso sorte para, em primeiro lugar, ter as rochas quentes. A Islândia, que repousa sobre uma série de vulcões, precisa apenas furar o solo para encontrar o calor necessário. Mas no solo da maioria dos outros lugares, não há calor suficiente para gerar uma quantidade significativa de energia.

O calor geotérmico ainda pode ser usado para aquecer prédios diretamente, por meio do uso de bombas de calor. A eletricidade necessária para bombear o calor do solo para cima acaba sendo mais do que compensada pela economia de fontes de calor convencionais e alimentadas a combustíveis fósseis. Muitas áreas são apropriadas para isso, e tais bombas de calor devem se tornar uma característica padrão em residências do mundo inteiro. Novas áreas de desenvolvimento urbano são a melhor pedida, já que é mais fácil fazer as perfurações necessárias antes de se construir as casas.

Ainda assim, a energia geotérmica hoje é responsável por apenas 0,4% de todo o leque de geração de energia, e dificilmente crescerá muito no futuro.[9]

Bioenergia

A bioenergia envolve a geração de calor e/ou eletricidade por meio da queima de mais ou menos qualquer material orgânico (também chamado de biomassa). Isso poderia incluir toras e sobras de madeira, palha, dejetos biológicos (tal como caules e folhas), árvores de crescimento rápido, espécies cultivadas por suas propriedades energéticas e até mesmo resquícios sólidos de esgoto e metano de áreas de aterro de lixo. Globalmente, a bioenergia perfaz impressionantes 10% do suprimento energético, apesar de a maior parte ser em forma de simples (e ineficiente) queima de madeira nos países em desenvolvimento, cuja fumaça provoca sérios problemas de saúde. O relatório IPCC estima que todos os anos, só na Índia, a poluição do ar de lugares fechados mate meio milhão de mulheres e crianças.[10]

Para que haja um progresso significativo quanto ao problema do efeito estufa, precisaria ser usada biomassa em substituição a combustíveis fósseis para fins de geração de eletricidade e aquecimento em grande escala. Um problema disso é que a biomassa não é uma forma de energia muito concentrada, sobretudo se comparada aos combustíveis fósseis, cuja energia foi comprimida durante centenas de milhões de anos. Ainda assim, já está sendo usada como um aditivo ao carvão em mais de 150 usinas de energia em todo o mundo.

A longo prazo, pesquisa biotecnológica pode produzir espécies que serão cultivadas por causa de suas características altamente energéticas, embora por enquanto ainda não haja tais variedades no horizonte.

Conforme explicamos no capítulo 8, alguns vegetais poderiam ser uma boa fonte de combustível para transporte de baixo carbono.

Energia nuclear (fissão)

A energia de fissão nuclear consiste na energia que é jogada para fora quando você divide átomos pesados. Por muito tempo o maior pavor dos grupos ambientalistas, começou a gozar de um renascimento graças às suas relativamente poucas emissões de gases. Em tese, a energia nuclear não deveria gerar qualquer emissão de carbono pois não envolve a queima de nenhum combustível fóssil. Entretanto, o processamento de minério de urânio para fazer a matéria fissionável demanda energia, assim como a construção e eventual desmantelamento da própria usina nuclear, e, pelo menos por enquanto, essa energia é fornecida por fontes minerais.

Todas as pesquisas detalhadas concordam, entretanto, que a energia nuclear é uma fonte de baixo carbono e portanto um bom candidato para o novo mix energético. Em especial, trata-se de uma das poucas tecnologias que estão prontas para serem utilizadas. Não é renovável, já que o minério de urânio tem de ser escavado e um dia vai se esgotar. Mas as reservas atuais devem durar várias décadas, até mesmo se a indústria se expandir significativamente — e desenvolvimentos tecnológicos na área da reciclagem de combustível nuclear poderiam estender isso a vários milhares de anos.[11]

Mais problemáticas são as questões do lixo, da segurança e da proliferação nuclear, que fizeram com que a opção por energia nuclear causasse muita controvérsia em muitos países. Em parte, a hostilidade à energia nuclear é um resquício de projetos antigos que refletiam uma menor consciência quanto à necessidade de segurança e que geravam mais lixo radioativo do que os modelos agora disponíveis.

Entre 1980 e 2005, a eficiência de produção das usinas nucleares dos Estados Unidos (ou seja, a percentagem de energia produzida comparada ao máximo teórico) subiu de 60 a 90%, e a próxima geração de usinas nucleares gerará ainda menos lixo por unidade de energia produzida. Por causa disso, o lixo dessa nova geração de usinas significará apenas um pequeno acréscimo ao total já existente nos países que adotaram a energia nuclear no passado.

Há ainda a questão de como se livrar do resíduo de alto nível, que permanecerá radioativo por milhares de anos. Mas a Finlândia, a Suécia, a França, o Reino Unido e os Estados Unidos estão todos investindo em opções geológicas para enterrar o lixo nuclear em formações rochosas estáveis.

A segurança é, claro, uma preocupação crucial quando se trata de energia nuclear, embora devamos apontar que, historicamente, muitas outras formas de geração de energia também impuseram suas desvantagens. Até mesmo nos países desenvolvidos, mineradores de carvão ainda morrem em acidentes subterrâneos e de silicose — uma conseqüência amarga de se respirar tanto pó de carvão por muito tempo.

Entretanto, os perigos de um acidente nuclear mais amplo fizeram com que os responsáveis pelos projetos de usinas realizassem avanços no que diz respeito à segurança. Talvez a mais interessante seja a nova tendência do *walk-away safety*, segundo a qual a máquina é desenhada para se autodesligar imediatamente se algo der errado.

Na nova Westinghouse AP1000 (que está disponível, apesar de ainda não ter sido usada em escala comercial), grandes tanques de água são instalados no sistema de contenção do reator. Se há uma queda de pressão no principal circuito de resfriamento, uma válvula do tanque é aberta e a água é despejada para resfriar o reator. A válvula é à prova de erros, pois é necessária energia para que ela fique fechada. Se a energia é cortada, a válvula automaticamente abrirá. A vantagem é que, em caso de algum problema, os operadores podem simplesmente ir embora e o reator se autodesligará.

Outro projeto que usa o princípio da *walk-away safety* é o reator sul-africano Pebble Bed (algo como "leito de seixos"), assim chamado porque o combustível que o move é feito a partir de "seixos" esféricos de grafite que contêm milhares de pequenas partículas de combustível. Ao longo de vários meses, os seixos lentamente são levados para a base do reator, de onde são extraídos, inspecionados e então pneumaticamente impulsionados de volta para o topo. Isso faz com que seja impossível o derretimento do núcleo do reator. A primeira usina de demonstração está planejada para entrar em funcionamento na África do Sul, em 2011.

Outra objeção muitas vezes levantada é que o uso pacífico de energia nuclear poderia encorajar a perigosa proliferação de armas nucleares. Apesar de o material necessário para se confeccionar uma bomba nuclear não surgir automaticamente em uma usina nuclear, ele pode ser conseguido a partir dos resíduos, com a tecnologia e o tempo necessários. Os responsáveis por esse tipo de projeto estão trabalhando com afinco para tratar disso em futuras gerações de usinas nucleares, mas é pouco provável que consigam eliminar completamente esse risco.

Entretanto, o Tratado de Não-Proliferação de Armas Nucleares foi assinado por quase 190 países, e as rotinas de inspeção completa realizadas pelo comitê cão de guarda, a Agência Internacional de Energia Atômica (AIEA), até hoje foram extremamente eficazes em detectar de modo rápido qualquer atividade suspeita. Por exemplo, vetaram com sucesso países como a Coréia do Norte e Irã — que estavam usando as suas usinas nucleares na tentativa de produzir armamentos — e assim chamaram a atenção do mundo para o problema. Além disso, as motivações para qualquer país tentar desenvolver armas nucleares tem origens bem diversas da necessidade de energia gerada por usinas nucleares. A Coréia do Norte não buscou desenvolver armas porque a França tivesse energia nuclear.

A energia nuclear hoje é responsável por cerca de 5% do suprimento energético global, e em alguns círculos se prevê que isso possa dobrar até 2030. Por causa dos avanços realizados no tratamento das aparentes desvantagens da energia nuclear, e porque essa é uma das poucas tecnologias de baixo carbono já à disposição, acreditamos que mais uma geração de usinas nucleares será um passo intermediário muito necessário em países que já possuem a tecnologia, e talvez para outros também, enquanto esperamos até que outras fontes de energia de baixo carbono estejam disponíveis.

Se o seu instinto é reagir contra a energia nuclear, considere com muito cuidado os argumentos aqui explicados. Apoio por parte dos indivíduos e das comunidades será vital para o desenvolvimento de novas usinas nucleares, e o problema da mudança climática exigirá de todos nós escolhas bastante difíceis. Como já dissemos, a energia nuclear é uma das pouquíssimas tecnologias de baixo carbono já disponíveis e, mesmo que não seja uma maneira ideal de gerar energia, os perigos da mudança climática são, com certeza, muito piores.

Energia eólica

Os ventos soam como a perfeita solução para a crise energética. O ar está sempre em movimento mesmo, então, por que não utilizar a sua energia gratuitamente, sem envolver qualquer emissão de carbono? Em parte por causa disso, turbinas eólicas estão pipocando em todo o mundo. As instalações têm crescido 28% ao ano desde 2000, com um salto recorde de 40% em 2005.

Porém, o vento ainda é responsável por apenas 0,2% do fornecimento global de energia. Uma das razões é que a energia eólica traz os seus próprios problemas junto à opinião pública. Há reclamações de que as turbinas são barulhentas e de que causam problemas para radares e rotas de companhias aéreas, assim como para passarinhos e morcegos desavisados que vão de encontro às suas pás. Mas, sobretudo, muitos dos melhores lugares onde colocá-las são áreas grandes, abertas e ventosas — normalmente também muito bonitas. Mesmo os defensores da energia renovável dificilmente gostariam de ver turbinas gigantes invadindo a sua preciosa natureza. Uma das mais visíveis fazendas de vento nos Estados Unidos também é a única localizada na costa. As suas cinco turbinas gigantes espalham-se próximas à estrada que leva para Atlantic City, no estado de Nova Jersey, e a cada ano passam por elas 35 milhões de visitantes que se dirigem à cidade.[12] A maior parte do penoso trabalho de instalação da fazenda de vento de Atlantic City foi persuadir a comunidade local a apoiar o projeto. E no Reino Unido, enquanto apenas 2 gigawatts da energia eólica em potencial entraram para a rede de distribuição de eletricidade, outros 9 GW estão atualmente paralisados devido a debates quanto às permissões de planejamento.

Assim como a energia nuclear, a energia eólica é outra área em que a nossa atitude individual pode fazer uma grande diferença coletiva. Se houver propostas para a instalação de fazendas de vento perto de onde você vive, vale a pena pensar com muito cuidado antes de se posicionar. Pode não ser uma boa idéia pôr turbinas em lugares que são extraordinariamente bonitos e selvagens. Mas esses não são os únicos lugares em que a energia eólica pode ser gerada. No final das contas, se a idéia é combater a mudança climática, o vento terá de responder por uma grande parte do fornecimento mundial de energia, e nenhum de nós pode se dar o luxo de inadvertidamente varrer essa alternativa dos nossos próprios jardins.

Os esquemas mais bem-sucedidos de fazendas de vento litorâneas começaram com instalações em pequena escala e cresceram a partir daí. Acaba que as turbinas não são nem barulhentas nem especialmente feias (sobretudo se comparadas a torres de usinas elétricas), e, depois que uma ou duas são instaladas, é mais fácil ver com bons olhos um aumento no número de turbinas. Algumas pequenas cidades ventosas descobriram que uma grande turbina eólica pode fornecer energia para toda a cidade com muito pouco custo. Nesses casos, longe de ser um atentado aos olhos, a turbina pode se tornar um testemunho da ação inteligente — e responsável — dos habitantes da cidade. Se você vive numa dessas cidades, vale muito a pena falar com os seus representantes locais sobre isso.

Outra possibilidade é instalar fazendas em alto-mar, onde haveria poucas preocupações quanto à poluição visual. Entretanto, os lugares de mais vento também tendem a ser os que têm as condições mais severas. Novos materiais terão de ser desenvolvidos para suportar os golpes que as turbinas receberiam, e o transporte da energia gerada também poderia se mostrar um problema. Assim, essa possibilidade está ainda em seus primórdios, até mesmo em países que têm costas com bastante vento.

Um último problema em potencial com o vento é que, assim como muitas outras fontes renováveis, ele é, por natureza, volúvel. A Dinamarca, que tem 5GW de potência eólica instalada, resolveu esse impasse exportando energia para os seus vizinhos — Noruega, Suécia e

Alemanha — quando o vento sopra, e importando — por exemplo das hidrelétricas da Noruega — durante períodos de pouco ou nenhum vento. Ainda assim, para países que não têm fornecedores alternativos de eletricidade tão ao alcance da mão, a esporádica natureza do vento sempre será um problema, pelo menos até que consigamos bolar maneiras de armazenar eletricidade eólica, além de novos métodos de prever quando haverá vento.

Entretanto, nenhum desses problemas é incontornável, e o vento com toda certeza terá de ser um componente vital no futuro mix energético de baixo carbono, sendo que os lugares mais promissores para isso são o norte da Europa, o extremo sul da América do Sul, a Tasmânia e, na América do Norte, os grandes lagos e as costas nordeste e oeste. Um estudo previu que, pelo menos em tese, o vento poderia gerar 126.000 terawatt-horas de eletricidade por ano até 2030. O que, aliás, representa cinco vezes a demanda global por eletricidade.

Aquecimento solar

Atingem a terra raios de sol em quantidade suficiente para dar conta de 10 mil vezes as nossas necessidades de energia. Já existem várias tecnologias para concentrar a luz do sol usando espelhos parabólicos e também para direcioná-la em tanques de líquido — geralmente água ou óleo. Se você tem a sorte de viver em um país ensolarado, painéis de aquecimento solar como esses são uma excelente maneira de esquentar água para residências. Eles são instalados no telhado, mais ou menos como um satélite, e fornecem banhos satisfatoriamente quentes e livres de culpa.

O aquecimento solar também pode ser usado em uma escala muito maior, ao fazer o líquido aquecido mover um motor para gerar energia. As nuvens podem atrapalhar, de forma que a geração de eletricidade a partir do aquecimento solar teria de ser complementada, de tempos em tempos, por alguma outra fonte (provavelmente carvão, gás natural ou bioenergia). Os melhores lugares para a instalação de estações de aquecimento solar seriam os desertos de baixas altitudes, que recebem intensa insolação e pouco padecem de dias nublados. O sudoeste americano, particularmente o deserto de Mojave, tem uma excelente combinação de altos índices de insolação e poucas nuvens. Usinas de aquecimento solar foram instaladas ali desde os últimos anos da década de 1980, e novos projetos estão em construção e planejamento.

Novos projetos também estão sendo construídos ou planejados em outros países, incluindo a Austrália, a Espanha, Israel e Marrocos. Analistas estimam que por volta de 2040 o aquecimento solar poderia contribuir com 5% das necessidades elétricas do mundo. Entretanto, o potencial é muito, muito maior. Se apenas 1% das áreas desérticas do planeta pudesse ser ligado ao resto do mundo por meio de cabos de alta-voltagem, isso seria o suficiente para cobrir todas as demandas de eletricidade mundiais estimadas para 2030.

Painéis fotovoltaicos (painéis solares)

Diferentemente do aquecimento solar, essa tecnologia usa raios individuais de luz do Sol para desalojar elétrons em um painel eletrônico. Assim, gera uma corrente elétrica de forma direta, em vez de ter de passar pelo passo intermediário de usar líquido aquecido e um motor.

As estimativas variam, mas há painéis fotovoltaicos como esse em quantidade suficiente em todo o mundo para gerar pelo menos 5 GW (que responde por apenas 0,004% da energia total mundial). Painéis solares têm a grande vantagem de poderem ser instalados diretamente onde se precisa da energia, o que evita a necessidade de cabos elétricos. Assim, são sobretudo populares em áreas rurais de países em desenvolvimento, onde uma rede normal de eletricidade ou não está disponível, ou não é totalmente confiável. Entretanto, os painéis continuam sendo pouco eficientes ao converter luz solar em eletricidade, e sua fabricação é muito cara, por isso não conseguem competir com outras formas de eletricidade nos países desenvolvidos.

Uma razão para o seu alto preço é que painéis fotovoltaicos costumam ser feitos de silicone, pois a indústria já tem bastante experiência em fazer chips para computadores a partir desse material. Uma alternativa mais barata seria usar plástico, cerâmica ou outra coisa, talvez algo que surja com o desenvolvimento da nanotecnologia. Isso requererá avanços tecnológicos e provavelmente demorará várias décadas até estar disponível. Mas tem um potencial fantástico para fornecer uma energia que seja barata e livre de emissões e dejetos — e ainda por cima conta com um suprimento ilimitado de combustível (o Sol). Painéis fotovoltaicos também poderiam ser usados em conjunção com o aquecimento solar direto, de modo que se pudesse explorar o calor gerado pelos próprios chips eletrônicos.

Captura e armazenamento de carbono (CAC)

Essa poderia ser a mais importante tecnologia de transição entre o uso de combustíveis fósseis e novas alternativas de baixo carbono. É tão importante, na verdade, que muitas pessoas estão falando sobre a CAC (ou CCS, de Carbon Capture and Storage) como se fosse algo já estabelecido, embora hoje só esteja no estágio de testes.

A idéia é queimar combustíveis fósseis da maneira usual para gerar energia, mas em seguida pegar o dióxido de carbono e enterrá-lo antes que ele escape para a atmosfera. Isso tem a grande vantagem de eliminar as emissões das tradicionais usinas de geração de energia movidas a combustíveis fósseis, dando ao mundo um certo tempo para desenvolver novas alternativas de baixo carbono. O CAC provavelmente será muito importante para países como a Índia e a China, que estão atualmente explorando seus vastos reservatórios de carvão a uma velocidade crescente a fim de sustentar um crescimento econômico muito rápido.

Críticos do CAC dizem que ele permitiria que continuássemos com os nossos velhos e péssimos hábitos poluidores e desencorajaria companhias de combustíveis fósseis a trocar para formas alternativas de energia. Mas agora é tarde demais para levantar esse tipo de objeção. A vida útil típica de uma usina movida a queima de carvão é de quarenta anos. E países em desenvolvimento com grandes reservas de carvão inevitavelmente fazem uso delas. Mesmo prevendo uma forte ação para encorajar o uso de energias renováveis e de baixo carbono, a Agência Internacional de Energia estima que em 2050 os combustíveis fósseis ainda poderão responder por metade do suprimento de energia.[13] Se quisermos ter alguma chance de dominar a mudança climática, algum tipo de CAC será uma parte vital do mix de energia.

Essa tecnologia deverá funcionar melhor quando aplicada a uma grande e única fonte de dióxido de carbono, por exemplo uma usina de energia ou chaminés de uma grande indústria que consuma grandes volumes de energia. Estudos sugerem que o CAC poderia reduzir emissões de usinas movidas a queima de combustíveis fósseis entre 80 a 90%, embora isso tenha um preço. As atuais tecnologias para captura de carbono ainda são caras; e a eletricidade gerada de uma usina movida a combustível fóssil que use captura de carbono sempre custará mais do que a de uma que simplesmente libere o CO_2 na atmosfera. Para que o CAC seja economicamente viável, será necessário haver algum tipo de esquema de fixação de preços que recompense reduções em emissões de carbono.

Em tese o CAC pode ser aplicado para qualquer tipo de usina de energia, embora na prática seja muito mais barato e mais eficiente quando usado em usinas modernas, mais "limpas" que já escoam correntes relativamente concentradas de CO_2. (Esses modelos também produzem muito menos poluição local, embora costumem ser mais caros e raramente sejam usados nas novas usinas de energia que estão surgindo nos países em desenvolvimento.) Também, e mais importante, estudos sugerem que, independente do desenho das usinas de energia, o CAC sempre será mais eficiente e barato de ser implementado se previsto já no projeto em vez de adicionado depois de a usina estar pronta. Considerando-se a velocidade em que novas usinas estão sendo construídas, sobretudo na Índia e na China, é imperativo que sistemas de CAC sejam instalados o quanto antes como esquemas-piloto em uma série de plantas de diferentes desenhos. Estudos indicam que, pelo menos do ponto de vista tecnológico, projetos-piloto de CACs poderiam estar prontos e em funcionamento em de cinco a dez anos, mas isso vai requerer uma combinação de vontade política e incentivo econômico.

Uma vez capturado, o dióxido de carbono pode ser comprimido na forma líquida para ser transportado por meio de dutos ou navios, ou então "fixado" em algum composto químico sólido e estável. Quanto ao armazenamento, a melhor opção seria injetar o gás em alguma rede geológica profunda de túneis e rachaduras, tal como um campo vazio de petróleo ou gás, ou um aqüífero salgado. (Aqüíferos de água fresca normalmente já estão em uso para fornecimento de água para consumo humano e irrigação.) Campos vazios de petróleo e gás seriam a opção mais fácil, já que existem em grandes números e comprovadamente foram capazes de conter os seus conteúdos durante centenas de milhões de anos. Entretanto, países ricos em carvão como a China e a Índia não têm acesso a campos de petróleo próprios. Assim, o desafio será encontrar uma maneira segura de explorar mananciais aqüíferos. Mesmo assim, provavelmente haverá bastante espaço disponível. O IPCC estima que campos de gás e petróleo já conhecidos poderiam estocar entre 675 e 900 gigatoneladas, enquanto formações salinas poderiam estocar outras 1.000 gigatoneladas,[14] ao passo que outros relatórios sugerem que essas estimativas seriam muito conservadoras.

Nos Estados Unidos, sete parcerias regionais de captura de carbono foram estabelecidas para investigar as possibilidades do CAC. Trata-se de parcerias de escala regional entre iniciativa pública e privada, que incluem agências do Estado, universidades e companhias privadas e cobrem 41 estados, duas nações indígenas e quatro províncias do Canadá. Elas estão atualmente no processo de conduzir testes de campo de pequena escala para armazenamento de carbono, mas a próxima fase do projeto deve envolver tentativas mais amplas de integrar a captura e armazenagem.[15] Os resultados devem fornecer subsídios ao FutureGen, um projeto de US$ 1,5 bilhão que envolve parceiros públicos e privados com o fim de projetar, construir e operar uma usina de energia movida a carvão cujas emissões de carbono sejam próximas do zero. Entretanto, por enquanto se está apenas na fase de seleção do local.[16]

Em 2007, o governo do Reino Unido anunciou uma licitação para desenvolver uma usina de CAC para fins de demonstração. A União Européia também está financiando uma usina de demonstração similar que deverá ser instalada na China, no âmbito da chamada "Near-Zero-Emissions Coal Initiative".[17] O Reino Unido e a China assinaram um acordo em 2005 especificando em detalhes as ações do projeto a serem financiadas pelo Reino Unido, e um acordo similar foi assinado entre a União Européia e a China no ano seguinte, com o objetivo de se ter uma usina de demonstração pronta e em funcionamento em 2014. Projetos como esses devem ajudar a identificar e superar dificuldades técnicas associadas à captura e ao armazenamento de carbono.

As opiniões diferem sobre a possibilidade de abrangência e escopo do CAC no futuro. Alguns cenários sugerem que o CAC será apenas uma tecnologia de transição a ser utilizada mas logo superada, em meados do século, por outras tecnologias de baixo carbono. Outros imaginam que será amplamente utilizada até, pelo menos, o final do século.[18] Um relatório especial do IPCC sobre o CAC, publicado em 2005, calcula que entre 30 e 60% das emissões globais de CO_2 provenientes da geração de energia poderiam ser capturados e estocados até 2050, e que outros de 30 a 40% de emissões de indústrias como a de cimento também poderiam ser tratados para captura até essa data.[19]

Uma perspectiva atraente é a de que o CAC possa ser usado para capturar e estocar o dióxido de carbono proveniente da queima de biomassa. Nesse caso, o resultado seria uma diminuição de dióxido de carbono no ar, o que poderia ajudar a se atingir a meta de estabilização de 450 ppm CO_2eq.

Fusão nuclear

Conforme mencionamos acima, a energia nuclear "normal" é gerada ao se dividir um átomo. Por contraste, o método de fusão funciona ao "fundir" o núcleo de dois átomos. Esse é o processo que alimenta o Sol, e tem várias vantagens. Primeiro, praticamente não produz lixo radioativo.[20] Além disso, a matéria-prima é abundante. A fusão nuclear usa uma forma pesada de hidrogênio, muito presente na água do mar, e lítio, material abundante na Terra. (Esse lítio é usado, por exemplo, em baterias de laptops.) O dejeto do processo — gás hélio não-radioativo — simplesmente se dissipa no ar.

O problema, porém, é persuadir esses dois núcleos atômicos a superar a natural e mútua rejeição durante tempo suficiente para que haja a fusão e para que seja liberado um grande volume de energia. Imitar a estratégia do Sol significa aquecer o gás a temperaturas extraordinariamente altas. Isso demanda muita energia, em primeiro lugar, e também requer materiais que possam resistir ao calor.

O Joint European Torus (JET), no Reino Unido, produziu 16 megawatts de energia de fusão, por meio do confinamento do gás em uma garrafa magnética e aquecimento do mesmo a mais de 100 milhões de graus; e o reator japonês em Naka, que foi feito à imagem do JET, conseguiu resultados similares. Esses dois projetos são os maiores equipamentos de fusão no mundo. Entretanto, uma usina de energia de fusão nuclear precisará ter dez vezes o tamanho desses projetos e operar em tempo integral.

Atuando em nome da União Européia, David King ajudou a intermediar um consórcio internacional realizado para abordar esse problema. Compreendendo União Européia, Rússia, Japão, China, Coréia do Sul, Índia e Estados Unidos, trata-se do maior empreendimento tecnológico internacional jamais visto. De modo único, abarca países desenvolvidos e em desenvolvimento, tanto do Oriente quanto do Ocidente. Cada país está contribuindo pesado com € 500 milhões, e a União Européia e a França, com ainda mais.

Esse consórcio está prestes a iniciar a construção de um equipamento experimental, chamado Reator Termonuclear Experimental Internacional, na França. O equipamento custará cerca de US$ 10 bilhões, terá o tamanho de uma usina de energia e operará durante vinte anos com o objetivo de resolver os desafios científicos e de engenharia relacionados à fusão. Se tudo der certo, a primeira energia proveniente de fusão a ser oferecida comercialmente poderá estar disponível nos próximos quarenta anos — ou antes, se os governos envolvidos aumentarem os investimentos no projeto.

Comentário final

A maior parte das tecnologias e abordagens que descrevemos aqui estão prontas, ou logo estarão. As demais estão maduras para receber investimentos. Como mencionamos no começo do capítulo, cerca de US$ 20 trilhões serão investidos em energia ao longo dos próximos 25 anos. Se uma parte significativa disso for destinada a combustíveis fósseis, em vez de para as alternativas de baixo carbono, será muito difícil voltar atrás. Até mesmo tecnologias como captura e armazenamento de carbono, que podem funcionar junto a usinas de energia tradicionais, movidas a combustível fósseis, seriam muito mais caras no caso de uma adaptação retroativa do que se forem previstas desde o começo do planejamento de novas usinas de energia. Em outras palavras, as atuais circunstâncias tecnológicas indicam o mesmo que a ciência: a necessidade de mudar nossos hábitos de carbono é urgente, e a hora de começar é agora.

PARTE III

SOLUÇÕES POLÍTICAS

Agora já deve estar claro que o mundo precisa reduzir as emissões de gases do efeito estufa e tem à sua disposição tanto os recursos financeiros quanto a engenhosidade necessários para fazê-lo. Mas a ciência e a tecnologia são a parte fácil. Elas fornecem os meios. O que precisamos, a seguir, é vontade de mudar. Essa seção do livro cobre os aspectos econômicos e políticos do aquecimento global. Muito do que se tratará faz parte, necessariamente, da preocupação de grandes indústrias e nações, mas os indivíduos também são importantes, como fonte de pressão exercida de baixo para cima. Esses capítulos explicarão o que se deve buscar em acordos políticos. São como um manual que mostra se os políticos do seu país estão fazendo o que deveriam. No final dessa seção, elencamos todas essas soluções — tanto tecnológicas quanto políticas — para mostrar de que forma as nossas escolhas pessoais podem fazer diferença.

10

É A ECONOMIA, ORA!

Pague agora ou pague mais tarde

Já faz algum tempo que a economia tem estado em discordância com a ciência quando se trata de mudança climática. Quase desde o início a ciência disse: aja agora, antes que seja tarde demais. Mas até muito recentemente, alguns cientistas diziam: espere até que todos nós estejamos mais ricos, ou até que novas tecnologias surjam.

Isso acontece porque muitos teóricos econômicos argumentaram, de modo consistente, que nos livrarmos dos nossos hábitos de carbono prejudicará a economia do mundo, produzindo um sério sofrimento econômico em troca de relativamente pouco ganho climático. Até mesmo alguns que aceitaram que a mudança climática era algo mais do que uma teoria piegas de ecologistas costumavam argumentar que seria melhor esperar até que as economias se desenvolvessem e o mundo estivesse mais rico. Dessa forma, poderíamos usar nossa futura riqueza para controlar aquilo que no geral era percebido como um problema futuro.

Essa linha de raciocínio parece ter sido abalada em 2007, quando o economista do Reino Unido Sir Nicholas Stern liderou uma equipe que publicou uma das análises retrospectivas mais extensas já realizadas sobre o tema, *The Economics of Climate Change*, encomendada pelo governo britânico. As 600 páginas da edição especial da *Stern Review* continham muitas análises detalhadas sobre as bênçãos e maldições econômicas da mudança climática. Mas a análise que virou manchete de jornal em todo o mundo foi a seguinte: de acordo com Stern, controlar a mudança climática imediatamente em um valor máximo de 500-550 ppm CO_2eq custaria apenas um por cento do produto interno bruto (PIB) per capita global por ano; deixar o problema para mais tarde inexoravelmente elevaria a conta final; e permitir que a mudança climática continuasse de forma livre poderia custar o mundo até 20% de seu PIB anual.[1]

Pagar 1% hoje para poupar 20% mais tarde parece um bom negócio, segundo os cálculos de qualquer um. Mas outros economistas imediatamente se manifestaram sobre as declarações de Stern, alegando que ele havia construído resultados para os seus modelos. Modelos mais convencionais, eles disseram, resultariam em um benefício futuro muito mais baixo, e provavelmente um custo imediato mais alto. Stern defendeu com vigor suas escolhas, e a batalha continua.

Por que, exatamente, esses economistas discordam? A razão disso ilustra a maneira como modelos econômicos diferem fundamentalmente dos modelos científicos e também — argumentaríamos nós — por que, no final das contas, não é possível afirmar com alguma certeza razoável quanto nos custará, no futuro, se ignorarmos a mudança climática hoje.

A argumentação é um pouco técnica, mas vale a pena. Pois, quando você entender a origem da questão levantada por Stern, também entenderá quão pouca fé se deve ter em qualquer afirmação econômica direta e específica sobre o futuro da mudança climática.

Falando genericamente, os modelos econômicos que estão de olho no efeito de qualquer mudança tentam descobrir se essa mudança, no futuro, será benéfica ou maléfica para as pessoas. Para falar da forma mais simples possível, suponhamos que aconteça algo que me deixe £5 mais rico mas custe £5 a cada uma de outras quatro pessoas. Na balança, nós cinco saímos perdendo.

Os modelos que visam a conseqüência da mudança climática fazem algo similar. Apesar de serem mais complexos e incluírem muitos outros fatores, ainda assim trata-se mais ou menos de se somar as conseqüências para todos no mundo a fim de se chegar a um número para o bem-estar global, que pode ser positivo (no geral o mundo estará melhor) ou negativo (na balança, as coisas pioram).

Há, entretanto, uma complexidade extra, que os economistas chamam de "descontar". Descontar o futuro é jargão economista para o princípio de "um pássaro na mão". A idéia é que um pão vale mais para você hoje do que na semana que vem porque o futuro é incerto. Vendo pelo lado otimista, na próxima semana você pode ter ganho na loteria, estar rico e portanto não dar mais bola para o preço do pão. Vendo pelo lado pessimista, pode ser que você não mais precise do pão porque você foi atropelado por um ônibus. De qualquer maneira, o pão vale mais agora do que valerá depois, e a diferença é a chamada "taxa de desconto".

A taxa de desconto que Stern escolheu para os seus cálculos sobre a mudança climática foi especialmente baixa. Em outras palavras, um pão valeria quase o mesmo em uma semana do que valeria na sua mão, hoje. Isso faz com que os problemas dos custos futuros de Stern sejam muito mais numerosos, o que deixa muitos economistas desconfortáveis. Ao escolher um valor baixo para a taxa de desconto, alegaram os seus críticos, Stern estava distorcendo os custos de uma mudança climática futura de modo a fazê-los parecer mais altos do que deveriam.

Além de tudo, Stern usou um valor especialmente baixo para a diferença de desconto entre ricos e pobres.[2] Outros economistas ficaram furiosos por Stern não ter sido mais igualitário em suas escolhas, dizendo que isso também contribui com um peso excessivo para as futuras gerações. Já que as economias tendem a crescer, as pessoas no futuro provavelmente serão mais ricas do que nós somos hoje. Dar menos peso aos pobres (no caso, nós) e mais peso aos ricos (isto é, nossos netos) também faz com que os danos futuros pareçam mais caros.[3]

Stern defendeu sua opinião. Ele diz que dar um grande desconto em função do futuro funciona bem quando se trata de algo que acontece no espaço de uma vida. Mas já que a perspectiva de tempo para o aquecimento global é algo que se espalha ao longo dos séculos, optar por uma taxa de desconto alta equivaleria a dizer que as pessoas que nascem no futuro importam menos do que nós, hoje. No caso do exemplo acima, seria como afirmar que um pão vale mais para você do que para o seu neto, que ainda não nasceu. Fazer esse tipo de suposição sobre as gerações futuras, que não estão aqui para se defender, é algo que Stern considera antiético.

Ele também afirma, de modo inegável, que, se podemos dizer "vamos deixar o problema para as futuras gerações", o mesmo argumento valeria para elas, também. Ao tomarmos esse caminho, nós estaríamos passando a elas o desafio de lidar com a mudança climática — sucessivamente, até chegar aos nossos mais remotos descendentes, enquanto, ao redor, o mundo é destruído e queimado.

Quanto às taxas de desconto entre ricos/pobres, Stern aponta que o crítico que advoga por um valor muito mais alto deveria, em prol da coerência lógica, apoiar uma redistribuição massiva de riquezas entre ricos e pobres no mundo de hoje.[4] (O relatório IPCC também observou, secamente: "Em outras áreas, os ricos não demonstram tanta preocupação com os pobres quanto é sugerida pelos pesos de equivalência usados em muitos modelos."[5])

Ainda assim, ao escolher sua taxa de desconto, Stern parece de fato ter encorajado o custo futuro a ser tão alto quanto possível. O economista Sir Partha Dasgupta (que não tem problema algum com o baixo valor de Stern para descontos futuros, mas acha a relativa desigualdade de tratamento entre ricos e pobres mais difícil de engolir[6]), da Universidade de Cambridge, argumenta que na verdade não sabemos exatamente que diferença essas escolhas causam às descobertas de Stern.

O problema, ele diz, é que o custo futuro do carbono em excesso é extraordinariamente sensível a qualquer valor de desconto que se proponha. O relatório IPCC concorda. Afirma que descontar o futuro em 3% significa que uma tonelada de carbono traz em si um "custo social" de cerca de US$ 62. Ao usarmos um valor mais baixo, de 2%, o custo é elevado a US$ 165 por tonelada. Use-se a taxa de desconto de 0% e o resultado subirá para extraordinários US$ 1.610 por tonelada.[7] Trata-se de uma grande diferença de custo para algo — o quão importante consideramos os nossos netos — que é uma questão ética, e não financeira.

Em resumo, os desagradáveis números do custo econômico futuro da mudança climática dependem sensivelmente de escolhas que são muito delicadas. Vendo por esse lado, qualquer tentativa de estipular um custo para danos futuros parece vã.

O problema é exacerbado quando se acrescenta o risco do clima na Terra passar dos limites que descrevemos no capítulo 5. O nível de incerteza que isso traz aos modelos econômicos faz com que predições concretas sejam impossíveis. Conforme Dasgupta declara, a "mudança climática e perdas na biodiversidade são dois fenômenos que provavelmente não são passíveis de análises econômicas quantitativas e formais. Nós, economistas, não deveríamos ter feito pressão por algo que, acredito, é uma idéia deslocada de concretude. Certamente não devemos fazê-lo agora."[8]

Entretanto, mesmo se não podemos propor um custo econômico para o futuro, ainda assim sabemos que a mudança climática trará sofrimento — enchentes, estiagem e fome — para um número muito grande de pessoas, além de todos os perigos indiretos associados à migração massiva e às guerras por recursos naturais. Na verdade, já está trazendo. Poderíamos argumentar que há pouca necessidade de se preocupar com quanto a mudança climática poderá nos custar no futuro, já que os seus efeitos já estão sendo sentidos hoje. E muitas das variáveis futuras são, de qualquer forma, incalculáveis. Que valor atribuiríamos à possibilidade de deixar Veneza intacta para as futuras gerações? Ou Londres? Ou o Cairo?

Tendo em mente todos esses problemas, de que forma, exatamente, podemos decidir se é uma boa idéia agir agora ou deixar o problema para mais tarde? Uma maneira é ouvir o que a ciência diz. Como explicamos no capítulo 6, se quisermos evitar de deixar para as futuras gerações mudanças climáticas muito sérias — até mesmo perigosas —, precisamos estabilizar o nível dos gases do efeito estufa em 450 ppm CO_2eq. E para tanto é preciso agir agora. Para baixar a concentração dos gases do efeito estufa a esse nível, precisamos que o pico das emissões globais ocorra nos próximos 15 anos. Se demorarmos a agir, logo ultrapassaremos os 450 ppm. (Na verdade, até mesmo níveis de estabilização mais altos requereriam uma ação humana efetiva nos próximos vinte anos.) A próxima década é a única oportunidade que nós, ou qualquer outra geração, jamais teremos.

Vendo desse modo, a questão econômica parece não ser tanto "Quanto custará se não pagarmos para refrear o aquecimento global agora?", mas "Se quisermos fazê-lo agora, temos como pagar por isso?". E a resposta é que o custo de se reduzir as emissões pode ser surpreendentemente baixo.

Quanto custará?

O relatório de Stern considerou uma ampla gama de custos em potencial que poderiam ocorrer no processo de se controlar a mudança climática, bem como ganhos econômicos que derivariam da melhora da eficiência energética. Tudo considerado, concluiu-se que o custo anual de nos colocarmos em um caminho de estabilização dos níveis atmosféricos de gases do efeito estufa em no máximo 550 ppm até 2050 seria de -1 a +3,5% do PIB, com uma média de 1%.

O relatório IPCC concorda, em geral, com esses valores, embora a faixa de números seja ligeiramente mais alta. Ele sugere que o custo da estabilização em 550 ppm até 2050 seria entre 1 e 5% do PIB mundial; que da estabilização a 650 ppm seria de "menos de 2% do PIB" e que, no caso de uma estabilização a 450 ppm, há muito poucos estudos para que se possa calcular uma estimativa confiável.[9]

Um relatório publicado pelo periódico de economia *McKinsey Quaterly* tem um modo intrigante de considerar o problema.[10] Os autores fizeram uma lista de todas as maneiras possíveis de se reduzir as emissões de gases do efeito estufa com um custo de até €40 por tonelada. (Isso quer dizer que muitos dos métodos sugeridos economizam dinheiro; muitos têm um pequeno custo, mas ainda assim muito menor do que €40 por tonelada; mas nenhum método custa mais do que isso.) Então eles elencam essas diferentes maneiras de redução de gases do efeito estufa em um gráfico.

O gráfico mostra todos os suspeitos de sempre. Começa lá na esquerda com os métodos que trarão a maior economia: instalações de prédios (grande economia, de mais de €150 por tonelada); melhora da eficácia energética da iluminação (economia de €100 por tonelada); aquecimento (economia de €50 por tonelada) e assim por diante. Por volta do custo zero, encontra-se a redução de emissões industriais de gases do efeito estufa que não o dióxido de carbono. Os valores começam a se tornar positivos quando se trata de energia nuclear (cerca de €1 por tonelada) e assim vai até a Captura e Armazenagem de Carbono em usinas de energia movidas a carvão (custo líquido de €30 por tonelada) e os métodos mais caros, tais como captura de emissões do lixo e biodiesel (quase €40 por tonelada).

A utilização efetiva de todas essas possibilidades de se reduzir emissões, dizem os autores, acarretaria, entre o momento atual e 2030, ganhos financeiros suficientes para se colocar o mundo no caminho da estabilização de emissões de gases do efeito estufa a 450 ppm CO_2eq. De modo bastante encorajador, a abordagem por eles proposta usa apenas métodos que já existem ou que estão prestes a se tornar disponíveis

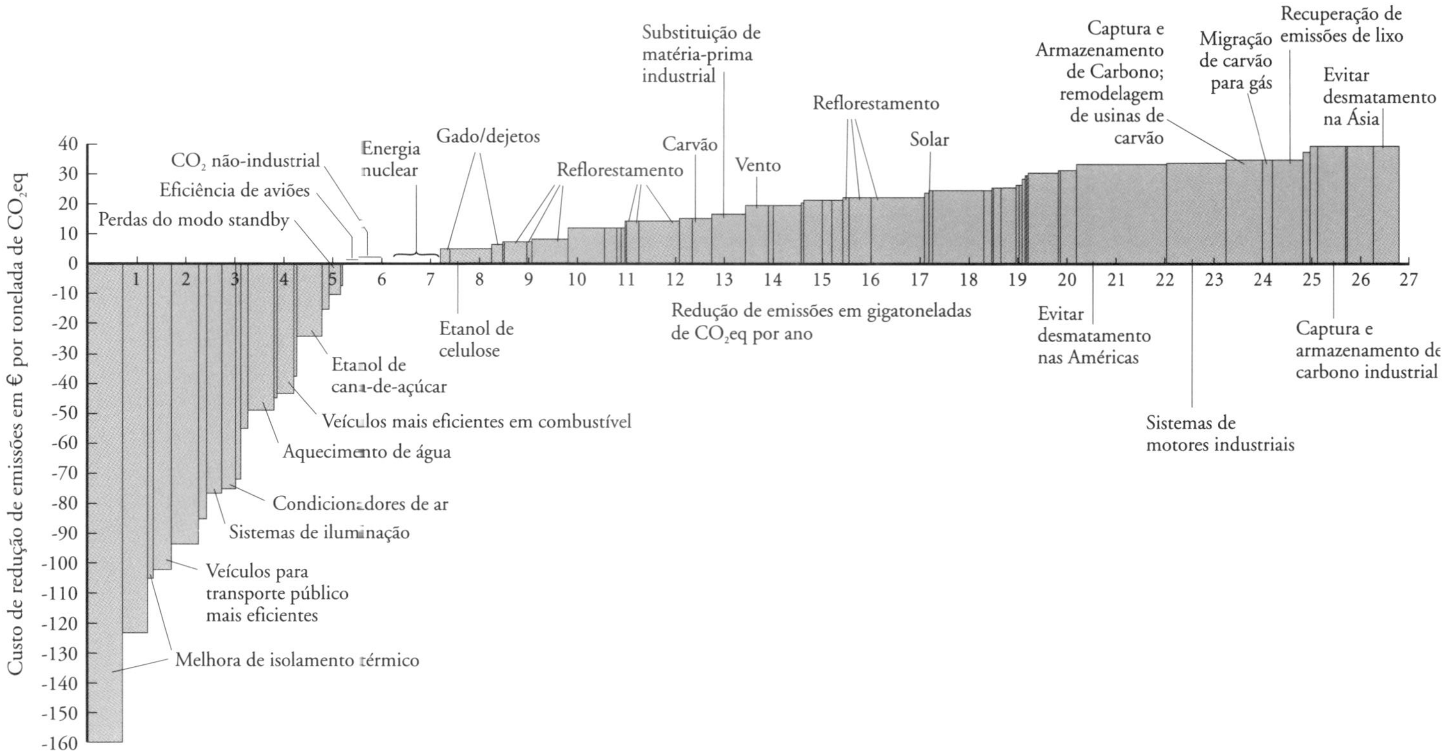

O custo de se reduzir gases do efeito estufa usando diferentes abordagens tecnológicas até 2013. Tudo abaixo do eixo economiza dinheiro, enquanto que tudo acima do eixo tem um custo. Todas as estratégias aqui mostradas, quando consideradas juntas, seriam suficientes para manter os gases do efeito estufa abaixo de 450 ppm. A comparação dos gastos e das economias também mostra que o custo total seria relativamente baixo. (Fonte: P. Enkvist *et al.* "A cost Curve for Greenhouse Reduction." *The McKinsey Quarterly*, n.1. p. 35-45, 2007)

(por exemplo, a Captura e Armazenagem de Carbono). Não requerem nenhum avanço tecnológico imediato.

A fim de se chegar a um preço total para a escolha de se tomar esse caminho, os autores levam em conta todas as economias e todos os custos. Dizem que o uso, em seu potencial máximo, de cada um dos métodos descritos significaria que em 2030 estaríamos pagando apenas 0,6% do PIB mundial. Mesmo se alguns dos métodos não atenderem às expectativas, ainda assim a estabilização custaria apenas 1,4% do PIB em 2030.

Podemos pagar todos esses valores? Eis uma questão mais política do que econômica. Dasgupta mostra que 1% do PIB mundial significaria, globalmente, um custo de 1,8% do PIB para os países ricos — que precisariam arcar com a maior parte dos custos —; uma soma que corresponde a mais de sete vezes o orçamento anual do mundo todo para assistência humanitária. Posta dessa forma, a tarefa de persuadir nossos governos a pagar parece de fato algo difícil. Torna-se tentador pensar no dinheiro necessário para pagar pela mudança climática como algum tipo de custo de oportunidade. Por que simplesmente não gastar o dinheiro com causas humanitárias e poupar vidas agora mesmo, em vez de esperar até mais tarde?

Entretanto, esse argumento é falso. Não temos um só saco de dinheiro para o qual o mundo todo tenha contribuído e sobre o qual agora tenhamos que decidir como será gasto. Se o dinheiro não for destinado a tratar da mudança climática, é muito pouco provável que seja destinado como auxílio aos países necessitados. Além disso, em muitos casos o dinheiro a ser investido na prevenção contra o aquecimento global já está lá, noutro saco chamado "energia". Conforme mencionamos no capítulo 9, a Agência Internacional de Energia prevê que será necessário investir mais de US$ 20 trilhões, de agora até 2030, a fim de dar conta da crescente demanda energética mundial. A questão com que nos deparamos no que diz respeito a esse saco de dinheiro é: deve ser investido em combustíveis fósseis ou em fontes de energia de baixo carbono?

Além disso, acreditamos que é errado pensar no custo da prevenção contra a mudança climática como uma forma de auxílio humanitário. Não se trata de entregar dinheiro aos povos pobres para melhorar as suas vidas. Trata-se de mudar a cultura de todo o planeta, de modo que possamos deixar aos netos de todos nós um clima que eles possam suportar. Como já dissemos, as próximas duas décadas são a nossa única janela de oportunidade possível para frear os gases do efeito estufa em um nível que nos permita atingir esse objetivo. Depois, por mais ricas que se tornem algumas partes do mundo, será tarde demais.

Por causa disso, acreditamos que é melhor pensar nos custos da mudança climática não tanto como um gasto, mas como uma política de seguros contra um futuro perigoso. Os autores do artigo do *McKinsey Quaterly* afirmam que, mesmo se excluirmos os seguros de vida, em 2005 a receita da indústria mundial de seguros foi de 3,3% do PIB do planeta, o que faz o custo de se combater a mudança climática parecer muito mais razoável. Na verdade, investir em novas formas de energia e gozar todos os ganhos financeiros decorrentes da melhora da nossa eficiência energética poderia até mesmo incentivar nosso crescimento econômico.

Como pagamos?

Normalmente, nos baseamos em sinais do mercado — por exemplo, preços — para tomar decisões sobre como gastar nosso dinheiro. Mas o preço que hoje pagamos pela energia não leva em conta o efeito que essa energia tem no clima; isso não nos encoraja nem um pouco a fazer as coisas emitindo pouco carbono, tampouco fornece sanções econômicas por tomarmos o caminho das altas emissões de carbono. Por causa disso, o relatório Stern descreve a mudança climática como "o maior fracasso de mercado que o mundo jamais viu".[11]

Para consertar isso, muitos economistas preconizam que devemos ajustar o mercado. A maneira mais simples seria estabelecer um imposto para cada tonelada de gases do efeito estufa emitida. Desse modo, o preço de qualquer atividade que criasse gases do efeito estufa refletiria o verdadeiro custo imposto ao ambiente, e o mercado puniria os maiores transgressores transformando em uma questão de custo eles aderirem ou não a soluções de baixo carbono.

Há alguns indícios de que isso poderia funcionar, pelo menos em escala nacional. No início dos anos 1990, a Noruega introduziu um imposto de carbono para as emissões de energia, e isso pareceu encorajar a inovação tecnológica.[12] Entretanto, o problema surge quando você tenta aplicar essa solução em escala global. Haver concordância em relação a impostos internacionais é algo notoriamente difícil — a União Européia teve dificuldades terríveis em regular as complexas e numerosas diferenças nos impostos de venda de seus membros. E apesar de a Suécia, a Finlândia e a Dinamarca também terem estabelecido impostos de carbono durante os anos 1990, não harmonizaram as suas propostas com a da Noruega, nem entre si. Se tais países, tão similares, não conseguem chegar a um acordo, há pouca esperança de que seja possível fazê-lo com o resto do mundo, vastamente mais díspares entre si. Além disso, é difícil imaginar qualquer país dando as boas-vindas, ou sequer tolerando, uma conta anual de impostos devidos controlada pelo Banco Mundial.

Uma iniciativa que tem mais chance de funcionar politicamente é o chamado esquema de "cap and trade" (ou seja, limite e comércio) de carbono. Foi bolado com base em uma bem-sucedida iniciativa usada nos Estados Unidos, em meados da década de 1990, para reduzir as emissões de dióxido de enxofre e portanto diminuir a chuva ácida. A parte do "cap" significa que todo participante do esquema tem um limite de quanto pode emitir em um dado ano. E cada participante recebe então uma série de autorizações correspondente ao limite. A parte "trade" dá conta de que qualquer um que passar do seu limite pode comprar autorizações de outro participante do esquema que tenha crédito em emissões. A cada ano esse limite é um pouco menor, e assim, inexoravelmente, as emissões caem — auxiliadas pela invisível mão do capitalismo.

Uma coisa inteligente quanto ao "cap and trade" é que ele assegura que a queda nas emissões ocorra da forma mais economicamente funcional possível, já que, se é mais barato eu pagar para que você corte emissões em lugar de eu mesmo cortá-las, então posso comprar as suas autorizações. Isso funcionou muitíssimo bem nos Estados Unidos no caso da redução de enxofre, pois as emissões caíram mais rápido do que a maioria sequer imaginou que aconteceria, e com apenas uma fração do custo que os pessimistas haviam previsto. Em 1999, a companhia BP estabeleceu entre suas várias subsidiárias um mercado interno para o comércio de créditos de emissões de dióxido de carbono. Custou US$ 20 bilhões para ser implementado e, por meio do incentivo à eficácia energética, nos três anos seguintes poupou à empresa a impressionante cifra de US$ 650 milhões.

O Reino Unido foi o primeiro país no mundo a implementar um esquema de compra e venda de créditos de emissões de carbono nacional, em 2004. Seguiu-se um esquema europeu, de grande extensão, no mês de janeiro seguinte, e o esquema britânico a ele se aliou. Esse foi o primeiro esquema internacional de comércio de carbono.[13] É aberto apenas para membros da União Européia, mas os países que a compõem são agora tão variados e tão diferentes entre si no quesito desenvolvimento econômico — sobretudo após a inclusão de dez países do Leste Europeu em 2004 e outros dois em 2007 — que formam um microcosmo eficiente que mostra como poderia ser um esquema mundial de comércio de créditos de carbono.

A participação no esquema europeu é obrigatória para várias indústrias de cada país-membro. Setores de geração de energia, metalurgia, produção de cimento, tijolos, polpa de celulose e papel são obrigados a aderir a uma quota de emissões. (Juntas essas indústrias respondem por quase 40% de todas as emissões da União Européia.) Cada governo decide como distribuir créditos de emissões entre essas indústrias, e o grosso da redução normalmente fica com as empresas geradoras de eletricidade, já que são menos suscetíveis a sofrer com a competição internacional.

O processo fixa um preço natural nas emissões por tonelada de carbono, e esse preço provém do modelo econômico padrão de demanda e oferta. No esquema europeu, o preço por tonelada estava se mantendo bem entre €10 e €20 por tonelada no primeiro ano — um valor que certamente faria valer a pena economizar emissões. Entretanto, em abril de 2006, sobreveio o desastre. O preço de créditos de emissões para a indústria em 2005 estava muito mais baixo do que o previsto. O esquema de "cap and trade" só funciona se as autorizações disponíveis no mercado são relativamente escassas — e, portanto, desejáveis. Os limites têm de ser consideravelmente mais baixos do que as emissões de fato, ou perdem o sentido. Mas o que aconteceu foi que, em muitas regiões dos países envolvidos, as previsões de emissões haviam sido absurdamente superestimadas. O preço do crédito de carbono desabou, e as autorizações, nessa primeira fase, ficaram quase sem valor.[14]

Foi uma dura lição no que diz respeito ao estabelecimento de um mercado inteiramente novo. Agora está mais claro do que nunca que, para um mercado desse tipo funcionar, é preciso que ele crie uma real escassez em autorizações, fazendo com que o direito de emitir gases do efeito estufa sejam uma commodity rara e valorizada. A União Européia já está considerando a questão. A próxima fase do projeto, que abarca de 2008 a 2012, estabeleceu limites muito mais restritivos, e as autorizações concedidas antecipadamente para essa fase estão segurando bem os preços, entre €15 e €20 por tonelada.[15] Então, apesar desses problemas, o mercado de créditos de carbono agora está bem estabelecido e com certeza será um instrumento poderoso para se reduzir emissões em uma região que contribui para a maior economia combinada do mundo.[16]

Esquemas similares têm surgido nos Estados Unidos. A Califórnia agora tem o seu próprio esquema para comércio de créditos de carbono, assim como um consórcio dos estados do nordeste americano, e a Bolsa do Clima de Chicago tem operado com sucesso (lidando com limites de emissão voluntários) desde 2003. Quanto a outros lugares do mundo, em New South Wales, na Austrália, o comércio de emissões é obrigatório para companhias de energia desde 2003, e o primeiro-ministro recentemente anunciou, para 2012, a implementação de um esquema nacional de comércio de créditos de carbono. Quando o tratado internacional sobre o clima, o Protocolo de Kyoto, passou a valer, em fevereiro de 2005, também envolvia um esquema de comércio de emissões para os países signatários.

Em maio de 2007, o Banco Mundial relatou que o mercado mundial de carbono havia triplicado em relação ao ano anterior, crescendo de US$ 10 bilhões em 2005 a US$ 30 bilhões em 2006, sendo que a maior parte dessas cifras adveio da venda e revenda das Permissões da União Européia (European Union Allowances),[17] o que é certamente animador. Enquanto isso, além de diminuir as suas emissões, a União Européia está investigando maneiras de trazer outros setores para baixo do guarda-chuva do comércio de créditos de carbono, sobretudo as indústrias do transporte, da aviação e da navegação internacionais — sendo a situação das últimas duas particularmente vexatória, já que hoje sequer são incluídas na contagem do volume de emissões de gases do efeito estufa per capita.

Mas o comércio de carbono não será suficiente por si só. O relatório de 2007 do Banco Mundial sobre a situação do comércio de carbono apontou que "a enormidade do desafio climático... requererá uma transformação profunda, incluindo os setores que o esquema de 'cap and trade' não atinge facilmente".

Por exemplo, no caso dos setores da agricultura, do transporte privado e de moradia seria necessário que muitos de nós fôssemos passíveis ao tipo de monitoramento e fiscalização que um esquema do tipo "cap and trade" pressupõe. Em casos como esse, os governos também precisarão obrigar as companhias de energia a usar mais energia renovável, utilizar padrões de eficiência energética; e, sobretudo, precisarão nos colocar no caminho certo, por meio do fornecimento de informações confiáveis sobre o volume exato de gás de efeito estufa pelo qual um produto específico é responsável ao longo de sua vida útil.

O relatório do Banco Mundial também destacou a necessidade de que os governos, individualmente, e consórcios internacionais encorajem investimentos para desenvolver novas tecnologias de baixo carbono. Uma maneira importante de se fazer isso será estabelecer parcerias entre o setor público e o privado com o objetivo de encorajar investimentos em pesquisa e desenvolvimento, tal como o Energy Technologies Institute do Reino Unido.[18]

O efeito Robin Hood

A maior parte dos analistas concorda que é justo que o fardo do pagamento recaia de forma mais pesada sobre os países mais ricos do mundo, que não apenas estão em melhores condições de pagar, mas que também foram, historicamente, os principais causadores do problema do efeito estufa. Mas os custos não incidirão de forma homogênea. Em outra das terríveis ironias associadas à questão do efeito estufa, as soluções que de fato economizam dinheiro (tal como um melhor isolamento térmico das residências) tendem a ficar restritas aos países ricos, ao passo que soluções que custam dinheiro (tal como a captura de carbono pelas usinas de energia indianas ou a prevenção contra o desmatamento no Brasil) recaem sobre as nações mais pobres, que são as que menos contribuíram para o surgimento do problema. Qualquer acordo sobre quem pagará — e como — terá de garantir que o dinheiro oriundo das nações mais ricas de fato passe aos países mais pobres, sobretudo no que diz respeito a cortes de emissões realizados da melhor maneira econômica possível.

Em princípio, o esquema de "cap and trade" permite que fundos sejam transferidos entre nações. Mas na prática precisamos ir além disso para garantir que o dinheiro passe dos países ricos aos mais pobres. Não se trata apenas de um princípio de generosidade à la Robin Hood em sua versão século XX. Na verdade, é a única maneira de encorajar países em desenvolvimento a dar o pulo do gato, abandonar os velhos e péssimos hábitos causadores da poluição no mundo industrializado e, em vez disso, investir diretamente em hábitos de baixo carbono — que é algo que o mundo inteiro precisa que eles façam.

O Protocolo de Kyoto trouxe outros dois mecanismos para canalizar dinheiro dos países mais industrializados àqueles que são menos desenvolvidos. No jargão dos tratados, eles são conhecidos como "Implementação Conjunta" (Joint Implementation) e o "Mecanismo de Desenvolvimento Limpo" (Clean Development Mechanism).

Implementação Conjunta significa que um país desenvolvido pode ganhar créditos em emissões de carbono ao implementar um programa para reduzir emissões em um país relativamente desenvolvido. Por exemplo, a França poderia pagar a implementação de melhorias em eficiência energética na Romênia. (A Implementação Conjunta funciona bem sobretudo para países do Leste Europeu e da ex-União Soviética, que são relativamente desenvolvidos, mas onde um pequeno investimento pode fazer uma grande diferença no que diz respeito à eficiência energética.)

O Mecanismo de Desenvolvimento Limpo é similar, mas se aplica sobretudo entre países desenvolvidos e países em desenvolvimento, muito mais pobres. Assim, os Estados Unidos poderiam ganhar crédito ao implementar um programa para reduzir emissões na Índia. Isso traria um duplo benefício: a redução de emissões se torna relativamente mais barata para o país desenvolvido, enquanto que os países em desenvolvimento recebem fundos que lhes permitem adotar novas tecnologias de baixo carbono.

Há vários problemas em potencial nessas duas iniciativas. Primeiro, críticos alegaram que elas permitem que países desenvolvidos continuem agindo livremente. Em tese, esses mecanismos permitiriam que você atingisse as suas metas, enquanto se ignoram todas as novas tecnologias e iniciativas que nós já descrevemos. Seria possível comprar a saída para problemas de curto prazo, sem fazer nenhum dos investimentos de longo prazo que possibilitariam que você se livrasse dos velhos hábitos de carbono. Isso também teria a desvantagem de que as nações ricas estariam menos inclinadas a desenvolver novas tecnologias que pudessem então ser passadas para as nações em desenvolvimento.

O outro problema é a dificuldade de se certificar que os projetos por ela contemplados de fato registrem uma redução no total de emissões e de se ter a certeza de que tais reduções não teriam acontecido de qualquer forma. E se uma floresta plantada especificamente com a finalidade de absorver emissões de dióxido de carbono fosse então derrubada para a obtenção de lenha? Ou se uma companhia fabricasse painéis solares antes de haver clientes para eles? E se o projeto, em vez disso, encontrasse financiamento em outras fontes? Questões como essas atormentaram especificamente o Mecanismo de Desenvolvimento Limpo.

Os europeus já estão aprendendo lições importantes a partir do uso do MDL no European Emissions Trading Scheme. Em junho de 2007, o Worldwide Fund for Nature (WWF) publicou um relatório chamado "Emissão Impossível", no qual salientaram aquilo que viam como uma multidão de problemas com o uso que o esquema europeu faz do MDL.[19] Primeiro, a WWF se preocupou com o fato de que o esquema aparentemente permite que os países da União Européia descarreguem todos os seus cortes em emissões sobre os países em desenvolvimento sem, assim, precisar fazer qualquer alteração doméstica. As regras estabelecem uma percentagem máxima do limite de emissões proposto que pode ser deslocada para outros continentes. Por exemplo, no caso da França, esse número é 13,5% do seu "cap", e, no caso do Reino Unido, 8%. O problema é que essa percentagem é aplicada ao *total de emissões permitidas*, não apenas à diferença entre as emissões limitadas e o cenário "business as usual". De acordo com praticamente todas as previsões, a diferença entre o "cap" e "business as usual" para a França, digamos, é de menos de 13,5% do total de emissões. Em outras palavras, o WWF mostrou que essas percentagens cobriam a maior parte, se não o total, da quantidade que cada país teria que cortar.

Enquanto as autoridades percebem esse problema, ele pode facilmente ser resolvido por meio da redução das percentagens permitidas. Mais perturbadora, talvez, é uma série de investigações sobre a qualidade dos projetos escolhidos para o MDL. Países em desenvolvimento que ratificaram o Protocolo de Kyoto podem levar adiante propostas de projetos que, dizem, reduzirá emissões de carbono. Esses projetos são então avaliados por um comitê executivo do MDL com sede na Suíça. A idéia é verificar sobretudo se os projetos de fato causarão a redução de emissões prometida e se a economia em emissões é "suplementar", no sentido de que não teria ocorrido sem o financiamento extra fornecido pelo MDL. Além disso, o comitê deve verificar se os projetos são condizentes com as metas gerais de desenvolvimento sustentável dos países envolvidos.

O WWF fez uma lista de projetos aprovados que, afirma, não contemplam um ou mais desses critérios. Por exemplo, alega que um projeto hidrelétrico na China foi aceito em 2006 apesar de o comitê do MDL ter recebido um requerimento afirmando que "o financiamento dos créditos do MDL era irrelevante para a decisão de se levar adiante o projeto", acrescentando que "a construção começou em outubro de 2003". Um artigo publicado na *Nature* também criticou o MDL,[20] e na Grã-Bretanha o jornal *The Guardian* afirmou que até 20% de todos os créditos de carbono até então emitidos sob a égide do MDL poderiam ser colocados em dúvida.[21]

Mais uma vez, a solução para esse impasse é simples, desde que seja eficientemente implementada. O WWF recomenda que, no futuro, projetos do MDL devem ser certificados pelo chamado Gold Standard.[22] Trata-se de um padrão independente estabelecido para avalizar esquemas de redução de emissões em países em desenvolvimento — ele vale tanto para investidores estrangeiros quanto domésticos. Por exemplo, o Gold Standard admite apenas energia renovável e projetos de eficiência, e é altamente conservador em suas estimativas sobre se um projeto é verdadeiramente "suplementar". Seria um excelente ponto de partida para qualquer uso do MDL em um novo tratado.

Essa abordagem fornece uma garantia muito mais confiável de que a redução prometida seja atingida. Por outro lado, ao excluir projetos tais como de reflorestamento, é, também, um pouco limitador. Melhor ainda seria um novo padrão, acordado pelos governos, que levasse em conta toda a gama de possibilidades de redução de emissões nos países em desenvolvimento e fornecesse um método confiável de contabilidade de emissões até mesmo para projetos que são de difícil medição e quantificação.

Mesmo com todos esses problemas, o MDL está claramente empenhado em atrair investimento estrangeiro para países em desenvolvimento a fim de possibilitar reduções nas emissões. O relatório do Banco Mundial sobre o mercado de créditos de carbono em 2007 diz que os mecanismos do Protocolo de Kyoto geraram US$ 8 bilhões em novos recursos para países em desenvolvimento, que atraíram outros US$ 16 bilhões em investimentos para geração de energia limpa. Quando esses problemas iniciais com o MDL forem solucionados, ele será um componente vital da caixa de ferramentas climática.

Uma última observação sobre esse tema diz respeito ao desmatamento. O *Stern Review* identificou a estabilização da taxa de desmatamento como um dos meios de melhor relação custo-benefício para se reduzir emissões de carbono. Em tese, é óbvio que diminuir a velocidade com a qual florestas são derrubadas e queimadas também reduzirá as emissões de carbono. Entretanto, o Protocolo de Kyoto, e portanto o MDL, achou difícil demais transformar isso numa equação e por isso ativeram-se a projetos de reflorestamento e criação de novas áreas de floresta.

O *Stern Review* observa que um hectare de floresta gera um rendimento de apenas US$ 2 por ano se convertido em pastagem, US$ 1 mil por ano se for usado para produção de soja ou dendezeiros, ou de US$ 240 a US$ 1.035 como retorno pela venda de madeira (que só pode ser realizada uma vez). Então calcula que, mesmo se admitirmos um preço modesto para o carbono, de US$ 30 por tonelada, o mesmo hectare de floresta valeria US$ 17,5 mil, se mantido intacto.[23]

Atualmente, porém, não há previsões para ganhos de crédito para proteção de florestas. Isso leva a alguns absurdos óbvios. Por exemplo, grupos ambientalistas alegam que as florestas da Malásia e da Indonésia estão sendo derrubadas e queimadas para liberar solo que então é usado no plantio de cana-de-açúcar a fim de se obter biocombustível de baixo carbono.

Após pressão por parte dos cientistas, em 2007, a Convenção-Quadro das Nações Unidas sobre as Mudanças Climáticas iniciou uma conferência de dois anos para criar um mecanismo que encorajasse a redução dos níveis de desmatamento, provisoriamente chamada de "Reducing Emissions from Deforestation" (Reduzindo Emissões de Desmatamento, ou RED).[24] Uma iniciativa, proposta por Papua Nova Guiné e pela Costa Rica, em prol da Coalizão das Nações com Florestas Tropicais, consiste em imitar os esquemas de "cap and trade" com um programa próprio organizado em torno de créditos de desmatamento. A idéia é que cada nação estabeleça uma taxa básica de desmatamento, convertida em toneladas de dióxido de carbono. Qualquer redução de desmatamento abaixo dessa linha poderia então ser vendida no mercado de créditos de carbono. Emissões acima da linha automaticamente desqualificariam o país em questão e eliminariam a possibilidade de ele participar do comércio de carbono.[25] Isso também requereria algum tipo de solução para os problemas que os negociadores do Protocolo de Kyoto encontraram: como estimar uma linha-base confiável para a taxa de desmatamento antes da intervenção?; como se certificar de que as florestas permaneçam realmente intactas e não apenas por alguns anos, até que o foco de atenção se direcione para outro lugar?; e como evitar o "vazamento" de pessoas que, deslocadas do trabalho de derrubar árvores em uma parte da floresta, simplesmente se mudem para outro lugar?

Adaptação

Conforme explicamos no capítulo 4, todos os países precisarão se adaptar à mudança climática que já está ocorrendo e que é inevitável. Os países mais duramente atingidos serão aqueles que menos têm condições financeiras (e que historicamente menos contribuíram para gerar o problema do clima).

Já há três fundos mundiais com o objetivo de ajudar os países menos desenvolvidos a se adaptarem. O Fundo para os Países Menos Desenvolvidos (Least Developed Country Fund) aceita contribuições de nações desenvolvidas e então as usa para ajudar os países mais pobres a idealizar planos de adaptação. Em abril de 2006, já havia recebido um total de US$ 89 milhões em sinalizações de compromisso e fundos propriamente ditos. O Fundo Especial da Mudança do Clima (Special Climate Change Fund) apóia atividades de adaptação direta e recebeu cerca de US$ 45 milhões até hoje. Por último, o Adaptation Fund provém diretamente do Mecanismo de Desenvolvimento Limpo. Cada transação MDL paga 2% de contribuição a esse fundo, também usado para apoiar projetos de adaptação nos países mais pobres. O Banco Mundial estima que até 2012 a arrecadação será de até US$ 500 milhões.[26]

Entretanto, os primeiros dois fundos dependem de doações, o que alguns países em desenvolvimento consideram um modelo inapropriado. Uma contribuição compulsória é de fato uma ferramenta mais adequada do que depender da generosidade de um país — e de recursos que podem ser tirados de outros projetos humanitários. O terceiro fundo é baseado em uma contribuição compulsória, mas tem o problema econômico de que, já que é, na verdade, uma taxa sobre o dinheiro investido, gera uma perversa falta de incentivo financeiro quanto a investimentos no MDL. (Uma maneira de solucionar isso seria aplicar a mesma contribuição compulsória para todos os esquemas de comércio de crédito de carbono, de forma a suprimir a diferença.)

Várias propostas alternativas foram apresentadas.[27] Uma possibilidade atraente seria uma contribuição compulsória que pudesse ser aplicada a algumas indústrias poluidoras, tal como aviação civil. (Isso ajudaria a compensar as longas isenções que a aviação civil teve quanto aos impostos de combustíveis, bem como ajudaria a controlar o crescimento astronômico previsto para o setor.) Outra possibilidade seria a criação de um fundo exclusivo, financiado por contribuições compulsórias das nações industrializadas em função do seu PIB, ou, mais apropriadamente ainda, em função do seu histórico em emissões de gases do efeito estufa.

A cor do dinheiro

No final das contas, o problema da mudança climática está deixando de ser apenas uma questão científica ou tecnológica para se tornar uma questão econômica. Em todo o mundo, negociantes e homens de negócio têm percebido a quantidade de dinheiro que está trocando de mãos em função da mudança climática e estão ansiosos por tomar parte no baile. Também o mundo dos negócios percebeu que a mudança climática traz oportunidades, bem como riscos.

Em alguns casos, as companhias buscam atrair apoio do consumidor ao assumirem uma atitude de preocupação com o clima. Por exemplo, companhias tão diferentes entre si como a liberal Google e a rede de tevê direitista e normalmente antiambientalista Fox News anunciaram há pouco a intenção de se tornarem neutras em emissão de carbono. Outras buscam ir mais além, ao melhorarem sua eficiência energética, enquanto outras procuram desenvolver produtos ambientais para venda. A BP gastará US$ 8 bilhões no desenvolvimento de energias alternativas na próxima década. E a Wal-Mart, a maior rede varejista do mundo, está intensificando pesadamente o uso de lâmpadas de baixo consumo energético (bem como prometendo implementar em toda companhia diretrizes de economia de emissões).[28]

Outras estão esperando para agir somente quando se tratar de estabelecer as inevitáveis proibições relacionadas à emissão de gases do efeito estufa. Para um relatório intitulado "Getting Ahead of the Curve", o Pew Center on Climate Change, baseado em Michigan, fez um questionário com 31 grandes corporações americanas.[29] Quase todas afirmaram acreditar que a regulação por parte do governo quanto à emissão dos gases do efeito estufa era iminente, e 84% achavam que isso aconteceria antes de 2015. A General Motors, a Ford e a Chrysler são as últimas adesões à Parceria Americana pela Ação Climática (US Climate Action Partnership), que está fazendo lobby com o governo americano para o estabelecimento de limites obrigatórios para as emissões.

O relatório do Pew Center cita Linda Fischer, a vice-presidente da DuPont: "Precisamos entender, medir e considerar oportunidades de mercado. Como você distingue e comunica quais produtos serão bem-sucedidos em um mundo com limites para emissão dos gases do efeito estufa? Como devemos direcionar nossas pesquisas? É possível encontrar maneiras criativas de usar energias renováveis? Podemos mudar o comportamento da sociedade por meio de produtos e de tecnologia? A companhia que souber responder a essas questões com êxito será a vencedora."

A cor do dinheiro, agora, é oficialmente verde.

11

A ESTRADA QUE VEIO DE KYOTO

O famoso Protocolo de Kyoto nasceu em 1992, na Conferência da Terra, no Rio (apelidada de Eco 92), sendo que a parteira foi a Convenção-Quadro das Nações Unidas sobre as Mudanças Climáticas (UNFCCC). Esse foi o primeiro tratado do mundo sobre o clima. Entrou em vigor em 1994 e desde então foi assinado por 189 países — incluindo os Estados Unidos e a Austrália —, que é o mais próximo que jamais se chegou de uma unanimidade global, em qualquer tratado.[1] O seu objetivo declarado é a "... estabilização das concentrações dos gases do efeito estufa na atmosfera em um nível que evitaria perigosas interferências [humanas] no sistema climático".

Tecnicamente, o Protocolo de Kyoto era uma emenda ao tratado da UNFCCC, estipulando reduções específicas e obrigatórias para cada um dos signatários. Qualquer país signatário que ratificasse o protocolo concordava com os seus termos. No total, o protocolo projetava cortar, até 2012, as emissões globais em 5% dos níveis de 1990. Apesar de isso ser baixo demais para fazer uma diferença significativa ao problema, sempre foi pensado como um primeiro passo, depois do qual se elevaria esse valor percentual.

Qualquer membro do UNFCCC podia assinar e ratificar o acordo, mas apenas os países do chamado Anexo 1 — as nações mais industrializadas — tinham obrigação de cortar emissões. Um país em desenvolvimento que ratificasse o acordo teria autorização de levar adiante projetos para o Mecanismo de Desenvolvimento Limpo, que descrevemos no capítulo 10, por meio do qual as nações mais ricas poderiam cumprir com algumas das suas obrigações, ao investirem em tecnologias limpas para os países mais pobres.

O Protocolo de Kyoto podia ter lá as suas falhas, mas ainda assim foi um importante primeiro passo no tortuoso processo de se chegar a um consenso internacional quanto ao controle da mudança climática. Tanto foi assim que quase todos os países o assinaram. Até maio de 2008, 178 dos 180 membros em potencial ratificaram o Protocolo. Dos dois remanescentes, o Cazaquistão pretende assiná-lo mas ainda não o fez por razões técnicas relacionadas à sua mudança de status de país em desenvolvimento a país desenvolvido.

O único país que não ratificou o acordo e que declarara que nunca o fará são os Estados Unidos. Seu governo está isolado em sua opinião sobre o Protocolo de Kyoto e outros acordos para regulamentação das emissões de gases do efeito estufa em geral.* Entretanto, o país começa a mudar de discurso quanto à mudança climática, e falaremos bem mais sobre isso no capítulo 13.

Na condição de a mais rica economia do mundo e um dos maiores emissores de gases do efeito estufa, os Estados Unidos são especialmente importantes; o resto do mundo sabe muito bem que a participação do país em um acordo futuro será essencial.

A primeira fase do Protocolo de Kyoto terminará em 2012, e o mundo precisa urgentemente fechar um novo acordo que tenha metas muito mais ambiciosas. Ao passo que a ciência nos diz que devemos reduzir as emissões de forma drástica, estamos, hoje, no caminho errado. As emissões globais estão se acelerando. Na década durante a qual o Protocolo de Kyoto foi planejado e assinado — os anos 1990 — as emissões de gases do efeito estufa provenientes de queima de combustível fóssil e da indústria cresceram na taxa de 1,1% ao ano. Nos primeiros anos do século XXI, essa taxa havia subido para 3% ao ano — e ainda está crescendo.[3]

A ausência de metas para as emissões no caso dos países em desenvolvimento se tornou um grande ponto de discordância para os Estados Unidos. É verdade que a maior fatia do crescimento em emissões provém de países que não fazem parte do Anexo 1. Mas essa não é toda a história. Em 2004, as emissões combinadas das economias em desenvolvimento e das economias mais pobres (o que compreende cerca

---

*Até dezembro de 2007, a Austrália compartilhava a mesma opinião dos EUA com relação ao Protocolo. Entretanto, mudou de posição quando o primeiro-ministro trabalhista Kevin Rudd assumiu o cargo. Sua primeira medida após a posse foi ratificar o Protocolo. (N. do E.)

de 80% da população do mundo) respondiam por 73% do *crescimento* das emissões, mas ainda por somente 41% do total global das emissões, e apenas por 23% das emissões cumulativas desde meados do século XVIII.[4] Além disso, quase todos os países em desenvolvimento apresentam um volume muito menor de emissões per capita do que seus primos industrializados, mais ricos e mais perdulários. O novo acordo terá que incluir países em desenvolvimento, mas também precisará levar em consideração a relativa contribuição e os relativos meios desses.

Onde eu assino?

O novo acordo internacional terá de cobrir quatro pontos principais:

Meta global

Todos os envolvidos no acordo (o que equivale a dizer todas as nações da Terra) terão de concordar quanto ao objetivo total e global. O quanto estamos dispostos a deixar as temperaturas subirem antes de frearmos o avanço da mudança climática?

Seja qual for a meta acordada pela comunidade internacional, terá de ser flexível o suficiente para responder aos últimos desenvolvimentos da ciência climática. Isso, junto com a gravidade das catástrofes climáticas em potencial, sugeriria que devemos optar pela meta mais baixa possível — baseado no princípio de que é mais fácil afrouxar restrições, à medida que novas informações surgirem, do que intensificá-las. Entretanto, quanto mais baixa a meta, mais imediata é a ação necessária e mais difícil se torna atingir essa meta, do ponto de vista técnico, econômico e político.

De todas as decisões do novo acordo internacional, essa será, ao mesmo tempo, a mais difícil e a mais importante. Será a que fará mais diferença quanto às ações de cada país, independente de como as reduções forem divididas entre eles. Também será aquela a fazer a maior diferença nas nossas chances de evitar a catástrofe global.

A ciência das metas, apesar de ser cheia de incertezas, está progredindo rapidamente e precisará continuar assim. Mas já é tarde demais para esperar e ver. Uma severa mudança climática já se impõe a nós. O novo tratado internacional terá de apresentar os melhores números disponíveis para tentar evitar conseqüências ainda piores, sobretudo os resultados catastróficos descritos no capítulo 5.

A atmosfera já contém cerca de 430 ppm de gases do efeito estufa. Conforme explicamos no capítulo 6, a fim de evitar as piores conseqüências da mudança climática precisaremos ficar em 450 ppm CO_2eq.

Falando de modo geral, para chegar a esse número, os países industrializados precisarão cortar suas emissões em 80% dos níveis de 1990 até a metade do século.[5] Também precisaremos estabelecer metas intermediárias para, digamos, 2025 ou 2030, de forma a ter a certeza de que estamos no caminho certo. Para países em desenvolvimento, os números variam muito mais, dependendo da maneira com que o fardo das reduções for distribuído.

Metas nacionais

Uma vez que a meta total global for estabelecida, a próxima tarefa será decidir exatamente como as reduções deveriam ser divididas entre as nações do mundo. Isso será um grande desafio, pois é difícil conciliar necessidades econômicas e expectativas políticas de países com *backgrounds* tão diferentes. O critério para a distribuição de responsabilidades pode incluir um valor para emissão per capita em um dado país; emissões totais; a responsabilidade histórica desse país quanto à atual concentração dos gases do efeito estufa na atmosfera; sua riqueza e capacidade econômica de mudar; e sua vulnerabilidade quanto a ameaças de curto e longo prazo derivadas da mudança climática.

Uma das questões mais difíceis será exatamente por onde começar. Isto é: qual deve ser o nível de emissões tomado como padrão quando for a hora de decidir quanto cada país precisa cortar? O Protocolo de Kyoto usou o ano de 1990 como base, o que foi uma das razões por que os Estados Unidos se recusaram a ratificar o tratado. Em 1997, quando o presidente Bill Clinton assinou o protocolo, as emissões nos Estados Unidos já haviam se elevado alarmantemente em relação aos níveis de 1990. Muitos políticos americanos sentiram que as metas daí resultantes seriam draconianas demais para o bem da América, e tanto os democratas quando os republicanos votaram contra a ratificação. Enquanto isso, graças ao desaceleramento econômico que se seguiu à perestróica, as emissões do antigo bloco soviético despencaram em relação a 1990. Assim, os países da ex-União Soviética podiam com facilidade dar conta das metas para eles estabelecidas pelo Protocolo de Kyoto sem sequer ter de fazer esforço, e qualquer tratado subseqüente que tivesse por base o ano de 1990 os deixaria com bilhões de dólares em crédito de permissões de emissão para torrar. Assim, apesar de 1990 continuar sendo um ponto de referência para a maior parte do mundo, o antigo bloco soviético seria beneficiado demais com essa base, e os Estados Unidos, nem um pouco. (Quando os participantes da conferência do G8 na Alemanha em junho de 2007 fizeram uma declaração conjunta sobre a necessidade de cortar pela metade as emissões globais até 2050, nada foi dito sobre qual deveria ser o ano tomado como base, pois a questão 1990 estava então em plena controvérsia.)

Uma maneira de contornar isso, que muitos analistas estão agora adotando como idéia para um tratado pós-Kyoto, é estabelecer as metas de Kyoto para 2010, que são uma percentagem das emissões de 1990, como ponto de partida para a maior parte dos signatários, mas fazer das emissões efetivas de 2010 o ponto de partida para os Estados Unidos e a Rússia. A desvantagem disso é que todo o resto do mundo poderia ver a solução como uma recompensa ao perdularismo americano; a vantagem é que aumenta as chances de qualquer futuro presidente norte-americano assinar o tratado. A solução impossibilitaria a Rússia de vender aqueles bilhões de dólares válidos em permissões de emissão provenientes do seu *crash* econômico ocorrido nos anos 1990. Mas até agora, a Rússia não fez esforço algum em vendê-los — provavelmente porque ninguém além dos Estados Unidos poderia se dar ao luxo de comprar nessa escala, e os Estados Unidos são um não-membro declarado do esquema de comércio de créditos de carbono de Kyoto. Já que os Estados Unidos não parecem inclinados a ratificar qualquer acordo futuro que tenha 1990 como data-base, é duvidoso que tais permissões acabem valendo algo para a Rússia, no final das contas.

Uma vez que a data da meta for estabelecida, o problema seguinte é distribuir a carga de redução. Primeiro será o caso da importante — e debatida — questão de como incorporar a aviação e a navegação nessa previsão. Ambos os setores devem se expandir de modo dramático nas próximas décadas, ainda que a partir de uma base que é relativamente baixa. Mas é difícil decidir com exatidão como alocar emissões de vôos e viagens de navio internacionais: pertencem ao país de origem, ao país de destino ou ao país de onde provêm a maior parte dos passageiros ou da carga a bordo? Há também o perigo, se nem todos os países assinarem, de que os operadores possam fugir das regulamentações, abastecendo os navios ou aviões em um país que não as obedece. Por razões como essa, tanto a aviação quanto a navegação ficaram de fora no tratado de Kyoto e não fazem parte da contagem de nenhuma nação. Porém, como a ONG Amigos da Terra memoravelmente colocou, "um sistema de gerência de carbono que deixe de fora essas emissões é como uma dieta de controle de calorias que opte por excluir da contagem as calorias derivadas de chocolate".[6]

A seguir, e ainda mais importante, o novo tratado terá de encontrar uma maneira de distribuir a carga entre países industrializados e em desenvolvimento. O presidente Bush disse repetidas vezes que os Estados Unidos não assinarão qualquer acordo que não envolva os países em desenvolvimento. O argumento dele é fortalecido pelo fato de que o crescimento da taxa de emissões é mais alto nos países em desenvolvimento, e que, pelo menos de acordo com uma fonte, a China tomou o lugar dos Estados Unidos como o maior gerador individual de emissões.[7] Por outro lado, a China pode muito razoavelmente rebater que as suas emissões são altas por causa da sua vasta população. Se você recalcula as emissões per capita, os Estados Unidos continuam muito acima do resto do mundo industrializado, e muitíssimo acima da China. (Por exemplo, em 2004 as emissões per capita dos Estados Unidos foram de 24 toneladas de CO_2eq, comparado com as 5 toneladas de CO_2eq chinesas.)[8] E todos os países em desenvolvimento também podem argumentar que querem para os seus cidadãos o padrão de vida que os americanos já têm.

Também será importante reconhecer que os países ricos chegaram onde estão hoje explorando energia barata e portanto enchendo a atmosfera com a maior parte da atual concentração de gases do efeito estufa. O dióxido de carbono em particular permanece tanto tempo na atmosfera que uma significativa proporção das moléculas geradas pelos motores a vapor e a carvão dos primórdios da Revolução Industrial ainda hoje está no ar.

Em 1997, durante as negociações em Kyoto, o Brasil fez uma sugestão que ficou conhecida como a Proposta Brasileira. A idéia era que os países deveriam dividir agora o fardo de redução de emissões de acordo com sua responsabilidade histórica junto ao problema. Em outras palavras, deveríamos calcular qual concentração de gases do efeito estufa cada país colocou na atmosfera ao longo do tempo e usar esses números para alocar a redução nas emissões. Isso significaria, por exemplo, que países como a Alemanha e o Reino Unido, que têm emitido gases há mais tempo, teriam de suportar uma fatia maior do que seria sugerido por suas emissões atuais. Também significaria que países com grandes emissões atuais mas que apenas recentemente desenvolveram a sua indústria, por exemplo, a Austrália, ficariam responsáveis por fatias menores da redução.

Parece uma idéia brilhante, simples e justa — o princípio de "o poluidor paga" com um dado de acerto de contas histórico. Entretanto, há alguns problemas em se calcular quanto cada país contribuiu ao efeito estufa. O metano, por exemplo, tem uma vida atmosférica muito mais curta do que o dióxido de carbono, de modo que emissões antigas desse gás têm hoje menos peso. Além disso, países que tiveram um desenvolvimento precoce (e historicamente têm uma conta maior de emissões) se beneficiaram do ponto de vista econômico, mas desde então passaram muito desses benefícios a outros países que se desenvolveram (ou estão se desenvolvendo) mais recentemente.

Até hoje, a Proposta Brasileira ainda não foi adotada, mas mostra como será necessário pensar de forma criativa para se encontrar uma maneira de distribuir o fardo dos cortes das emissões que seja justa, que nos possibilite atingir a meta estabelecida e — mais importante de tudo — que todos estejam dispostos a ratificar. Um futuro tratado terá de encontrar alguma maneira de dar conta dos diferentes estágios de desenvolvimento e das diferentes responsabilidades históricas dos signatários. Terá de ser flexível, eficiente do ponto de vista de custos e solucionar o problema climático. A seguir são explicadas algumas das idéias já em negociação, junto com algumas possibilidades que estão sendo faladas e nas quais devemos prestar atenção. Observe-se que todas elas são maneiras de distribuir metas nacionais e nada dizem sobre como os países, individualmente, farão para atingi-las ou o que acontecerá se eles não o fizeram.

CONTRAÇÃO E CONVERGÊNCIA (OU "A GENTE SE VÊ EM 2050")

Esse é o bordão nos lábios de muitos negociadores. A parte da "convergência" se refere a uma meta baixa de emissões per capita de gases do efeito estufa, com a qual todos os países concordariam em convergir até, digamos, 2050. Essa meta dependeria de quão baixas estaríamos dispostos que fossem as metas totais, conforme o estabelecido na primeira parte do acordo. Por exemplo, uma meta global de 450 ppm de gases do efeito estufa significaria uma convergência de cerca de 2 toneladas de CO_2eq per capita em 2050, enquanto uma estabilização a 550 ppm estaria mais próxima de 3 toneladas per capita.[9] Esse número seria necessariamente muito mais baixo do que as atuais emissões per capita dos países mais ricos, e provavelmente mais alto do que o número atual para a maior parte dos países em desenvolvimento.

Assim, o mundo industrializado precisaria "contrair" suas emissões para dar conta de suas metas, ao passo que países em desenvolvimento seriam permitidos a aumentar emissões e desenvolver suas economias antes que todos convergissem para o mesmo número. De acordo com essa abordagem, os caminhos das emissões para alguns países em desenvolvimento poderiam estar acima da possível meta, antes de tornar a cair, conforme as suas economias se fortalecerem.

A abordagem da contração e convergência tem a vantagem de que todas as nações estariam envolvidas desde o início, trata-se de um conceito transparente e honesto, e que gera uma medida final para a concentração de gases do efeito estufa. Entretanto, sua grande simplicidade também é um defeito, já que não leva em conta as diferentes circunstâncias de cada país, tampouco sua responsabilidade histórica quanto aos maus lençóis em que agora nos encontramos.

CONVERGÊNCIA DIFERENCIADA (OU "VÃO VOCÊS NA FRENTE, NÓS IREMOS DEPOIS")

Uma versão ligeiramente mais complexa da contração e convergência foi arquitetada em 2006. Os países mais ricos concordariam em convergir suas emissões per capita a um número baixo estabelecido dentro de um limite de tempo preestabelecido. Países em desenvolvimento também concordariam, individualmente, a convergir ao mesmo número, mas só teriam que começar quando sua taxa de emissão per capita chegasse a uma certa percentagem da média global (que estaria, então, em estável declínio).

Se eles nunca passarem desse limiar, nunca precisariam fazer cortes. Se se mantiverem abaixo da meta, podem vender permissões de emissão excedentes, mas se forem além, não são penalizados. (A menos, é claro, que cheguem ao limiar; nesse caso teriam de se juntar à contração para o ponto de convergência.)

Este modelo tem muitas das vantagens do primeiro, com o atrativo adicional de que aumenta o ônus dos países que foram historicamente responsáveis pelo problema, ao passo que dá mais espaço para respirar aos países em desenvolvimento, que estão correndo atrás do prejuízo.

METAS MULTIESTÁGIOS (OU "SUBA QUANDO ESTIVER PRONTO")

Essa abordagem envolve vários estágios diferentes com diferentes níveis de comprometimento. Os países passam de um para outro à medida que ultrapassarem alguns limiares (por exemplo, emissões per capita, ou PIB per capita). O estágio 1, para os países menos desenvolvidos, seria de nenhum comprometimento. O estágio 2 poderia consistir no comprometimento de países com o desenvolvimento sustentável, incluindo metas de emissão embutidas — por exemplo, a obsolescência de maquinaria ineficiente. O estágio 3 poderia envolver uma meta moderada para o corte de emissões, e o estágio 4 requereria uma meta mais restritiva e imediata. Nações industrializadas começaram neste último estágio, ao passo que as demais subiriam os degraus aos poucos, à medida que seu estágio de desenvolvimento se alterasse.

Claro que muito dependeria na escolha dos limiares, e também a natureza dos compromissos nas etapas posteriores. Um dos perigos dessa abordagem é que a contabilidade das emissões é muito complexa. Seria difícil se certificar da possibilidade de chegar a uma meta global, por causa das incertezas dos diferentes caminhos de desenvolvimento, e seriam necessários incentivos embutidos, garantidos a ter uma vigência através do tempo, para incentivar os países a agirem depois de passado determinado limiar.

Usando essa abordagem seria possível chegar ao limite de 550 ppm de gases do efeito estufa. Para chegar a 450 ppm seria necessário que a maioria dos países em desenvolvimento entrasse na fase 2 ou 3 imediatamente, e a entrada na fase 4 requereria reduções drásticas (e provavelmente impossíveis) de até 9% ao ano.[10]

TRÍPTICO GLOBAL (OU "FAÇA O QUE LHE DER NA TELHA")

A abordagem tríptica foi inventada como uma maneira de dividir entre os estados da União Européia o total de autorizações de emissões fixado para os Estados europeus no Protocolo de Kyoto. Chama-se "tríptico" porque originalmente se focava nos três setores responsáveis pela maior parte das emissões de um país: geração de energia, indústria de intenso consumo de energia e o setor doméstico (residências e transporte). Assim, poderia levar em consideração desenvolvimentos tecnológicos nas fontes de energia de baixo carbono, o potencial para melhora de eficiência na indústria e a relevância do padrão de vida das pessoas no orçamento de carbono.

A idéia é distribuir permissões para cada setor gerador de emissões (por exemplo, geração de eletricidade, agricultura ou tratamento de lixo), e então acrescentá-las a um volume de permissões fixo para cada país. Apenas a meta total nacional é obrigatória — o país pode fazer como quiser para chegar a essa meta —, mas o processo deve garantir que a meta seja alcançada.

Apesar de a versão global dessa abordagem ser mais complexa e envolver mais setores (por exemplo, agricultura e coleta de lixo), o princípio básico não muda. A grande vantagem dessa abordagem é que ela considera as circunstâncias nacionais específicas. A principal desvantagem é a sua inerente complexidade. Seriam necessários imensos volumes de informações confiáveis sobre cada nação, a negociação seria muito complicada e essa carga de especificidade e detalhe não necessariamente levaria a um resultado justo e transparente. A aplicação dessa abordagem em escala global seria, então, um tremendo desafio, mas ainda pode ser útil dividir permissões entre países próximos e semelhantes — como foi previsto no Protocolo de Kyoto para a União Européia.

SETOR POR SETOR (OU "FAÇO SE VOCÊ FIZER")

A idéia aqui é de, por meio da aplicação das mesmas regras a um setor específico independente do país envolvido, diminuir as incertezas sobre os efeitos que as reduções de emissões podem ter sobre a competitividade global. Então, por exemplo, toda a indústria automotiva do mundo poderia concordar com um nível-padrão de emissões por quilômetro, não importando onde o carro foi construído ou é dirigido. Ou a indústria do aço poderia concordar em emitir não mais do que um certo volume de dióxido de carbono por tonelada de aço produzido.

Uma maneira possível disso funcionar seria os países industrializados adotarem metas de emissão absolutas, como as do Protocolo de Kyoto só que mais restritivas, ao passo que os países em mais rápido desenvolvimento trabalhariam na sua energia e nos setores da indústria pesada. Conseguir envolver os dez maiores poluidores de cada setor cobriria de 80 a 90% das emissões dos países em desenvolvimento.

Essa abordagem certamente ajudaria a lidar com o problema de que qualquer companhia que reduzisse emissões em suas próprias usinas de energia perderia clientes para aquelas que continuassem a poluir, produzindo energia mais barata. Mas não garantiria que conseguiríamos nos manter abaixo daquele limite chave de concentração de gases do efeito estufa no ar.

INTENSIDADE (OU "NÃO SE PREOCUPE COM O TOTAL, REPARE NA EFICIÊNCIA")

Essa abordagem abandona a idéia de metas totais de emissão em prol de calcular a emissão por produto interno bruto (PIB). A vantagem óbvia dessa abordagem é que faria com que qualquer crescimento econômico futuro seja tão eficiente quanto possível, e, se os futuros padrões de crescimento mudarem, a meta não se altera.

A maior e talvez mais desastrosa desvantagem dessa abordagem é que ela não se pronuncia sobre qual volume de gases de efeito estufa acaba no ar. Até mesmo se todos os países do mundo drasticamente melhorassem sua eficiência de carbono à medida que as economias continuassem crescendo, os gases do efeito estufa continuariam em elevação, e a mudança climática ficaria livre para provocar os piores estragos. Como aponta um relatório, trata-se de "eficiência ambiental não-garantida".[11] É, entretanto, a abordagem preferida do presidente Bush.

Nenhuma abordagem agradará plenamente a todos, e a resposta final pode muito bem acabar sendo uma série de concessões mútuas. Entretanto, e talvez de modo surpreendente, a escolha da abordagem a ser seguida faz relativamente pouca diferença para os requisitos da maior parte dos países, acrescentando ou subtraindo apenas alguns pontos percentuais da meta total. Provavelmente será de mais importância para os países em desenvolvimento, que poderão participar antes ou mais tarde, dependendo da estratégia adotada. Para os demais, os fatores mais significativos serão a meta total escolhida e a data-base.

A cenoura e a vara

O terceiro pilar do novo tratado será um mecanismo superconfiável capaz de incentivar as nações a atingirem as suas metas e de gerar sanções, caso elas não o façam. Tanto a cenoura quanto a vara provavelmente serão de ordem financeira.

Como incentivo, o comércio de emissões é a melhor pedida. Quanto mais emissões você evita, mais dinheiro você pode ganhar, ao vender o seu crédito de permissões. Pôr preço em produtos é uma fórmula que os mercados e os governos entendem muito bem, e pôr um preço no carbono é a melhor maneira de reparar o grande fracasso mercadológico que é o aquecimento global.

Para a sanção, o melhor instrumento é a Organização Mundial do Comércio (OMC). Todos os países sabem que é bom para as suas economias ser parte do clube global de comércio. No intenso processo de negociações que precedeu a ativação do tratado de Kyoto, a Rússia finalmente concordou em assinar como uma troca direta por uma cadeira na OMC. Já que a organização estabelece as regras que regem o comércio global, ela também precisará garantir que cada país aceite que vantagens econômicas andem de mãos dadas com o cumprimento das obrigações climáticas e que o mundo não tolerará — e sequer pode se dar ao luxo de admitir — poluidores irresponsáveis. A opinião pública também poderia desempenhar um importante papel em cada país. A *Stern Review* coloca a questão da seguinte forma: "Como a ciência do aquecimento global é aceita por todos, atitudes públicas farão com que seja cada vez mais difícil para líderes políticos de todo o mundo minimizarem a importância de ações sérias."[12] Falaremos mais disso no capítulo 14.

Fluxo de recursos

Finalmente, o tratado precisará de um mecanismo para garantir a transferência tanto de tecnologia quanto de fundos dos países mais ricos aos países em desenvolvimento.

TRANSFERÊNCIA TECNOLÓGICA

Os países em desenvolvimento precisarão estar aptos a continuarem o seu crescimento econômico sem liberar mais dióxido de carbono — ou seja, não poderão usar as tecnologias poluentes que foram utilizadas pelo primeiro mundo. Não é do interesse de ninguém que os países não atinjam as suas metas por não poderem pagar por isso. E nenhum país em desenvolvimento subirá a bordo de um tratado nem concordará em cortar as próprias emissões a menos que ocorra algum tipo de transferência tecnológica. Essa transferência provavelmente será baseada em algum tipo de Mecanismo de Desenvolvimento Limpo, regido pelo comércio de créditos de carbono. Também será importante incentivar cooperações tecnológicas bilaterais e multilaterais. E, por último, essa parte do tratado precisará incluir alguma maneira de pagar pela preservação das florestas conseqüente do corte de taxas de desmatamento — algo que Kyoto não fez.

FINANCIANDO A ADAPTAÇÃO

Como dissemos repetidas vezes, a ciência da mudança climática deixa claro que os países menos responsáveis pelo problema serão os que mais sofrerão com ele. São também os países menos capazes de pagar pelas adaptações que já se fazem necessárias. Num piscar de olhos, e com a devida boa vontade política, os Estados Unidos poderiam proteger o seu litoral de outra enchente-desastre do tipo do Katrina, e o Reino Unido já está protegendo o seu. Mas o mesmo não se pode dizer de Bangladesh, que, além de correr o risco de ser mais severamente atingido, tem uma economia muito mais fraca. O tratado internacional terá que lidar com essa questão e garantir o fluxo — das nações ricas às pobres — de recursos para a adaptação.

Tudo indica que a transferência tecnológica e os recursos financeiros para adaptação andarão de mãos dadas. Por exemplo, poderia ser parte de um tratado que, se uma nação rica se exceder na sua cota de emissões, ela pode comprar permissões não-utilizadas de outro país ou então fornecer recursos para desenvolvimento de tecnologia ou para adaptação.

É agora ou nunca

É pouco provável que todos os detalhes de um tratado desse tipo possam ser resolvidos entre os 189 países que assinaram o Protocolo de Kyoto. Para negociações tão delicadas assim, esse grupo está abarrotado demais. Entretanto, há mais esperança a ser encontrada em um novo grupo, o das nações mais poluidoras. Esse grupo, agora chamado de Gleneagles Dialogue, compreende as ricas nações do G8, a União Européia e — sobretudo — as cinco economias que mais rápido se desenvolvem: o chamado G8+5. Se esses países bastante diferentes — os maiores poluidores do mundo — chegarem a um acordo, o resto do mundo deve muito bem segui-los. Os próximos dois capítulos se concentrarão nesses países-chave.

O mais importante de tudo é que um novo acordo ocorra logo. E não é porque o Protocolo de Kyoto expira em 2012. Mais importante do que isso, estamos ficando sem tempo para dominar a mudança climática. Se tivéssemos agido trinta anos atrás, poderíamos ter evitado os perigosos efeitos que hoje testemunhamos e que continuaremos a testemunhar, aconteça o que acontecer, nas próximas décadas. Agora é tarde demais para isso.

Mas ainda temos tempo de brecar a pior das possíveis conseqüências futuras. Como já dissemos várias vezes, isso provavelmente vai requerer que o pico das emissões ocorra nos próximos 15 anos, depois do quê elas precisam começar a cair — e tudo isso significa que precisamos agir rápido. Considerando quanto tempo se leva para pôr em movimento as engrenagens de um governo (até mesmo com a melhor boa vontade do mundo), precisamos que um acordo internacional seja posto em funcionamento o quanto antes, de preferência até 2009.

A principal reunião internacional a ser observada é a Conferência do Clima das Nações Unidas, que será realizada em Copenhague, em dezembro de 2009. Todos os signatários de Kyoto estarão presentes e será aí que os elementos essenciais do novo tratado precisarão finalmente ser estabelecidos.

Quando se trata de aquecimento global, não há tempo a perder. É agora ou nunca.

12

NAÇÕES EM RÁPIDO DESENVOLVIMENTO (ou "ora veja, o tratado é adorável")

Controlar o aquecimento global requererá a cooperação do mundo inteiro, mas alguns países desempenharão papéis mais importantes do que outros. Em especial, as mudanças mais importantes terão de vir de dois tipos de envolvidos: o mundo industrializado, que compreende as economias mais ricas e tem a maior parte da responsabilidade histórica pelas emissões feitas até hoje; e um punhado de nações que estão em franco e rápido desenvolvimento e que são, potencialmente, aquelas que mais podem contribuir para futuras elevações nas emissões, enquanto correm para se igualar aos países desenvolvidos.

Talvez faça parte da natureza humana esquecer o que aconteceu antes e se focar sobre o que está por vir. Seja como for, a última moda entre esses países é declarar que não faz sentido reduzir as emissões já que qualquer corte será anulado pelas vastas elevações em emissões que virão de países em rápido desenvolvimento, tal como a China e a Índia. Por causa disso, decidimos começar com os cinco países que estão se desenvolvendo mais rápido.

Isso não significa que acreditamos que esses países sejam "o problema". É verdade que eles são responsáveis pela maior parte da recente arrancada nas emissões de gases do efeito estufa, e também são responsáveis por uma grande parte do total global. Entretanto, a maior parte deles está atentamente a par dos perigos que derivarão da mudança climática. Na verdade, como você verá, esses países já estão tomando muitas providências no sentido de lidar com as próprias emissões, freqüentemente em circunstâncias muito difíceis.

Além disso, e mais importante de tudo, esses países tendem a produzir apenas pequenos volumes de gases do efeito estufa por cidadão e são responsáveis por muito pouco da atual concentração de gases do efeito estufa na atmosfera. E também têm o seguinte em comum: as necessidades referentes ao seu desenvolvimento econômico tendem a se sobrepor a todas as outras considerações políticas e econômicas.

Ainda assim, as cinco nações aqui descritas serão vitais para qualquer tratado futuro. Se alguma delas ficar de fora, essa nação poderia continuar emitindo os gases do efeito estufa que as outras nações não foram autorizadas; ou seja, não haveria cortes líquidos no total global de emissões.

Os números aqui fornecidos de emissões de cada país foram tirados de um relatório encomendado pelo governo britânico a uma firma de consultoria alemã chamada Ecofys.[1] Diferentes fontes podem fornecer números confusamente diferentes, que mais adiante pode causar confusão já que alguns números se referem apenas ao carbono, uns apenas ao dióxido de carbono e outros a todos os gases do efeito estufa calculados como equivalente de dióxido de carbono ou como dióxido de carbono. Os números para emissões fornecidos a seguir são todos referentes a gases do efeito estufa calculados como equivalente de dióxido de carbono. Os valores de emissões per capita e total de emissões são referentes ao ano 2004. Dados de emissões ao longo da história são médias anuais per capita de 1900 e 2004, sendo que o cálculo foi feito com os números da população atual.

China

Volume de emissões per capita: 5 toneladas por pessoa
Histórico de emissões per capita: 1,2 tonelada por pessoa
Total de emissões: 6.467 megatoneladas
Variação no volume de emissões desde 1990: +72,7%
Ratificou o Protocolo de Kyoto? Sim.

Para os céticos, a China se tornou recentemente o maior monstro da mudança climática, de forma que é apropriado começar por ela. O ritmo de desenvolvimento da China é de fato extraordinário. Mais ou menos um ano atrás, a China estava construindo uma nova usina de geração de energia movida a carvão a cada semana. Agora são duas por semana, e esse número está crescendo. A China não possui reservas de petróleo e tem muito pouco gás natural. Mas tem carvão, e muito. E esse carvão está abastecendo a fornalha da economia chinesa.

Está na moda citar números para as novas usinas de energia da China e usá-los para afirmar que não faz sentido os países ocidentais tentarem agir para brecar as emissões de carbono. Essas novas usinas de energia são notícias especialmente ruins do ponto de vista climático porque o carvão é o mais poluente de todos os combustíveis fósseis, produzindo não apenas smog nas cidades, mas também muito mais dióxido de carbono por unidade de energia do que o petróleo ou o gás.

Além disso, apesar de os números de 2004 aqui fornecidos mostrarem o total de emissões da China ficando ligeiramente atrás do total dos Estados Unidos, por pelo menos uma fonte a China superou os Estados Unidos e assumiu a pouco invejada posição de maior emissor de gases do efeito estufa do mundo.[2]

É justo dizer então que a China é o maior dos problemas relacionados ao efeito estufa? Não exatamente. Primeiro, porque muitos dos países do Ocidente maquiaram as suas emissões de dióxido de carbono ao exportar as próprias fábricas para... a China. Da próxima vez que você comprar algo MADE IN CHINA, pergunte-se quem é o responsável pelas emissões que possibilitaram a criação do produto.

Ainda mais importante de destacar, a China é um dos menores poluentes quando se calculam as emissões per capita, sobretudo se comparada às nações industrializadas, e o seu histórico de contribuições é realmente pequeno. A China pode dizer, com justiça, que diferentemente do industrializado Ocidente, quase nada fez para criar o problema do clima e que seus cidadãos, na média, desempenham um papel muito pequeno no que diz respeito à perpetuação do problema.

A prioridade principal do governo chinês é combater a enorme disparidade econômica entre os cidadãos ricos de Pequim e Shangai, e as cerca de 700 milhões de pessoas que vivem com US$ 2 por dia ou até menos. Acabar com esse abismo para proporcionar um padrão de vida pelo menos decente para a vasta população da China — o que está por trás da pletora de usinas de energia — é, certamente, um objetivo razoável segundo os critérios de qualquer um.

Entretanto, a menos que a China encontre uma maneira de se desenvolver economicamente sem elevar de forma descomunal as suas emissões, os esforços do resto do mundo farão pouca diferença. Para que o novo tratado internacional sobre as emissões de gases do efeito estufa tenha qualquer chance de êxito, a China tem de participar dele. (O mesmo, aliás, se aplica aos Estados Unidos — veja a seguir.)

A boa notícia é que o governo chinês está pelo menos tão alerta quanto qualquer outro país em relação aos perigos do aquecimento global. Diferentemente da maioria dos outros governos, dois terços dos membros do *politburo* chinês são de cientistas e engenheiros altamente qualificados. Trata-se de pessoas que compreendem o problema climático em toda sua extensão.

Essas pessoas estão alertas, por exemplo, para o fato de que a própria China seria duramente atingida por uma mudança climática desenfreada. Já há uma escassez de terra irrigada no interior, e isso só piorará à medida que as geleiras tibetanas diminuírem de tamanho e à medida que os rios por eles alimentados secarem. E Shanghai — o motor da economia do país — é uma das principais metrópoles do mundo que se tornarão vulneráveis a enchentes; tanto internas, por causa dos rios, quanto devido ao aumento do nível do mar. O governo chinês já assinou um acordo com o Reino Unido para investigar maneiras de melhorar as defesas de Shanghai contra enchentes, mas, a menos que a mudança climática seja brecada, será um grande desafio fazer com que a cidade continue acima do nível do mar ao final do século.

Quanto se trata de um novo acordo, será necessário permitir à China alguma expansão em emissões, talvez por meio de uma abordagem do tipo contração e convergência, junto com investimentos financeiros por parte de nações industrializadas, via algum tipo de Mecanismo de Desenvolvimento Limpo. Por exemplo: já que usinas de geração de energia movidas a carvão são inevitáveis, é crucial encontrar uma maneira de capturar as emissões de dióxido de carbono e estocá-las longe do ar. A União Européia recentemente concordou em ajudar a custear um programa-piloto chinês de Captura e Armazenagem de

Carbono, e o Reino Unido também concordou em apoiar um projeto para mapear locais na China onde se possa enterrar o carbono. Isso é sobretudo urgente porque a reforma retroativa daquelas duas usinas de geração de energia que estão sendo construídas a cada semana custará muito mais caro do que construir um projeto pensado desde o início nesse sentido.

Mas o fator mais importante para se convencer os chineses a fazerem parte de qualquer acordo será a participação dos Estados Unidos. Enquanto os Estados Unidos se recusarem a estabelecer metas, os chineses poderão gritar "hipócritas". A China subirá a bordo quando os Estados Unidos o fizerem; e, se forem usadas as mais razoáveis medições de responsabilidade quanto à emissão de carbono — histórico de emissões e valores per capita —, a China definitivamente encontra-se em melhor situação sob o ponto de vista moral.

Brasil

Volume de emissões per capita: 5,3 toneladas por pessoa (mais aproximadamente 7 toneladas por pessoa devido ao desmatamento)
Histórico de emissões: 1,6 tonelada por pessoa
Total de emissões: 983 megatoneladas (mais aproximadamente 1.100 megatoneladas devido ao desmatamento)
Variação no volume de emissões desde 1990: +40,7%
Ratificou o Protocolo de Kyoto? Sim.

O Brasil não precisa ser convencido da gravidade do problema do aquecimento global. Já em 1992 o país ofereceu a cidade do Rio de Janeiro para sediar a primeira Conferência Internacional da Terra, que lançou o processo que acabou levando ao Protocolo de Kyoto. O governo brasileiro é extremamente receptivo à idéia de envolver as nações em desenvolvimento na solução. Também é altamente consciente da ameaça potencial que a mudança climática impõe ao Brasil, sobretudo no que diz respeito à redução de produção de alimentos, mudanças forçadas no uso da terra e perda de área de mata. Tal como no caso da Índia, a agricultura brasileira depende muito do clima e é muito sensível a mudanças na temperatura e na precipitação pluvial. O Brasil também tem excelentes cientistas do clima, e o governo claramente lhes dá ouvidos.

Apesar de um estágio de desenvolvimento relativamente avançado, sobretudo no Sul do país, o Brasil apresenta números baixos de emissões per capita. Uma razão para isso é o uso de usinas hidrelétricas para a geração da maior parte da sua eletricidade, o que significa que o país tem uma das taxas de emissões mais baixas do mundo. Além disso, depois da crise do petróleo ocorrida nos anos 1970, o Brasil começou a desenvolver o uso de cana-de-açúcar para fazer etanol para automóveis. É hoje reconhecidamente o líder mundial em biocombustíveis, o que significa que as emissões provenientes dos transportes são muito baixas: apenas 0,74 toneladas de equivalente de dióxido de carbono per capita, comparado aos 2,24 do Reino Unido e aos 6,36 dos Estados Unidos. No total, fontes renováveis de energia respondem por 40% do abastecimento energético.

Entretanto, o desmatamento da Amazônia e do Nordeste do país ainda produz enormes quantidades de dióxido de carbono. A maior parte dos dados relativos ao efeito estufa contabilizam apenas emissões derivadas do uso de combustíveis fósseis, mas, no caso do Brasil, acrescentar os números do desmatamento faz uma grande diferença. O governo brasileiro está alerta quanto a isso e nos últimos anos deu passos significativos no sentido de expandir o alcance de áreas de preservação e impedir o corte ilegal de árvores. Mais de 40% da Amazônia brasileira está agora sob algum tipo de proteção.[3]

O problema é que praticamente não há incentivos econômicos para a prevenção do desmatamento. Segundo consta no Protocolo de Kyoto, países industrializados podem pagar para que o Brasil *reflorestes* áreas como uma maneira de equilibrar os seus próprios excessos de emissões. Mas evitar o desmatamento foi considerado problemático demais e ficou de fora do Mecanismo de Desenvolvimento Limpo. Qualquer proposta futura teria de fazer da proteção às florestas um dos instrumentos da caixa de ferramentas climática.

Considerando-se as demais emissões brasileiras, a abordagem da contração e convergência requereria uma desaceleração da taxa de crescimento das emissões até 2020 e redução das emissões totais até 2050. A abordagem multiestágios permitiria um espaço para respirar a curto prazo, e a abordagem por setor seria especialmente boa para o Brasil, visto que as suas emissões provenientes da eletricidade já são bastante baixas.

África do Sul

Volume de emissões per capita: 11,1 toneladas por pessoa
Histórico de emissões per capita: 3,6 toneladas por pessoa
Total de emissões: 505 megatoneladas
Variação no volume de emissões desde 1990: +29,7%
Ratificou Kyoto? Sim.

Para um país em desenvolvimento, a África do Sul tem um nível incomumente alto de emissões de gases do efeito estufa per capita. Como a China, a sua economia é dependente do carvão, porém a África do Sul é bem mais desenvolvida. A indústria da mineração — para extração de ouro, diamantes, platina e urânio — responde pela maior parte da economia e é sedenta por energia. Como as reservas de ouro começaram a se esgotar, o país passou a abrigar fábricas de países desenvolvidos. Por exemplo, todos os carros BMW da série 3 são agora montados na fábrica de Rosslyn, em Pretória.

Portanto, a África do Sul tem um grande volume de indústrias de alto consumo energético, e parece que assim será por algum tempo. E, no futuro próximo, também continuará a ser uma economia mineradora. Conforme mencionamos no capítulo 9, o país está investindo no desenvolvimento de reatores nucleares do tipo Pebble Bed, mas isso parece mais uma preocupação com intenções de exportação do que a sinalização de uma grande estratégia nuclear para a África do Sul.

O país também tem uma indústria de cana-de-açúcar bem desenvolvida e amplas habilidades tecnológicas para converter parte disso em biocombustíveis — embora seja difícil expandir as atuais áreas de cultivo e aumentar a colheita. E o país ainda está às voltas com as conseqüências do *apartheid*, bem como o sempre presente trauma da Aids.

Ainda assim o atual governo é progressista no que diz respeito à mudança climática e está disposto a conversar, pelo menos nos ministérios de Energia e do Meio Ambiente (mas não tanto no nível do chefe de Estado). Sobretudo, o governo está extremamente disposto a ser um colaborador internacional responsável. Se os termos visando países em desenvolvimento forem corretos e permitirem à África do Sul lidar com sua miríade de questões sociais e de desenvolvimento, ela estaria dentro.

México

Volume de emissões per capita: 5 toneladas por pessoa
Histórico de emissões per capita: 1,3 tonelada por pessoa
Total de emissões: 520 megatoneladas
Variação no volume de emissões desde 1990: +38,6%
Ratificou o Protocolo de Kyoto? Sim.

Assim como as outras nações que se encontram em rápido desenvolvimento, a prioridade do México é o crescimento. Entretanto, o governo mexicano também é altamente consciente das ameaças da mudança climática, sobretudo na forma de desertificação, diminuição da produtividade alimentar e enchentes costeiras em função da alteração no nível do mar e da intensificação das tempestades tropicais.

O México já está começando a fazer alguns esforços para desacelerar o crescimento das suas emissões de gases do efeito estufa. O governo também está muito disponível a se engajar no Gleneagles Dialogue, do G8 +5. Em 2006, o país até mesmo sediou a primeira reunião de acompanhamento do grupo, após seu início no ano anterior, em Gleneagles. Se os mexicanos pudessem ser persuadidos de que um novo acordo não colocaria em perigo seu crescimento econômico imediato e se houvesse um sentimento de propósito coletivo por parte de todos os países do grupo G8 +5, o México teria um importante papel.

Índia

Volume de emissões per capita: 1,6 tonelada por pessoa
Histórico de emissões per capita: 0,6 tonelada por pessoa

Total de emissões: 1.744 megatoneladas
Variação no volume de emissões desde 1990: +57,5%
Ratificou o Protocolo de Kyoto? Sim

A Índia é provavelmente o mais distraído dos países em desenvolvimento, do ponto de vista climático. Tem de longe o menor nível per capita do grupo e os mais urgentes problemas ambientais.

Entretanto, o subcontinente como um todo está sujeito a sofrer de forma dramática com o aquecimento global. A produção de alimentos está fadada a cair, o megadelta do Ganges-Brahmaputra em Bangladesh está assustadoramente vulnerável a enchentes que possam advir de uma combinação do aumento do nível do mar com tempestades tropicais mais intensas. E embora os modelos ainda não tenham certeza exata sobre como exatamente as monções asiáticas se transformarão em função das temperaturas em elevação, ninguém espera que elas continuem iguais.

Os cientistas indianos, é certo, estão conscientes disso — o presidente do IPCC, Rajendra Pachauri, vive em Delhi, e a Academia Nacional de Ciências da Índia assinou três declarações consecutivas urgindo por uma ação global quanto ao aquecimento global. A Índia também já instalou uma grande quantidade de turbinas eólicas, e a companhia indiana Suzlon é um dos maiores fabricantes mundiais dessas turbinas.

Mas por enquanto a urgência do problema ainda não foi absorvida completamente o governo indiano. Ainda assim, considerando-se o seu relativo baixo estágio de desenvolvimento aliado ao rápido crescimento, a Índia é uma das fontes mais frutíferas de oportunidades para a criação de projetos que envolvam o Mecanismo de Desenvolvimento Limpo. Além de tudo, um sinal animador foi recentemente dado por Kapil Siba, o ministro de Ciência e Tecnologia. Há pouco, Siba solicitou uma reunião com David King, especificamente para propor que a Índia estabeleça um Energy Technologies Institute, em paralelo ao instituto britânico, para desenvolver novas fontes de energia de baixo carbono. Esse foi o primeiro sinal de mudança de posição do governo indiano em relação à mudança climática.

Se o novo tratado permitir que a Índia atenda às suas urgentes necessidades desenvolvimentistas e tenha a chance de lucrar com investimentos internacionais via algum método similar ao Mecanismo de Desenvolvimento Limpo (por meio do qual já recebeu grandes investimentos internacionais), é muito provável que ela suba no barco de combate à mudança climática. Já que está partindo de uma taxa do emissões per capita tão baixa, a contração e convergência também permitiriam que ela mantivesse o crescimento das suas emissões ao longo da próxima década mais ou menos sem interferências, ao mesmo tempo em que traria benefícios financeiros provenientes das vendas das licenças de emissões.

13

PAÍSES INDUSTRIALIZADOS (ou de quem é mesmo a culpa?)

Países industrializados

Os países mais industrializados do mundo claramente precisarão seguir na frente no que diz respeito a controlar o aquecimento global. Juntos eles foram responsáveis pela quase totalidade do atual problema; em grande parte alcançaram sua riqueza e adiantado estágio de desenvolvimento a partir da exploração de combustíveis fósseis baratos. Esses são os países que carregam a parte mais difícil da responsabilidade coletiva pela mudança climática e têm os recursos econômicos que lhes capacitam dominar a discussão do tema. Em princípio, todos abraçaram essa responsabilidade. A maioria — não todos — também já começou a agir.

(É necessário lembrar que os números aqui fornecidos para emissões compreendem todos os gases do efeito estufa, calculados como equivalente de dióxido de carbono. Os valores de volume de emissões per capita e total de emissões são do ano 2004. Dados de emissões ao longo da história são médias anuais de 1900 a 2004, com cálculo per capita feito a partir da população atual.)

Estados Unidos

Volume de emissões per capita: 24 toneladas por pessoa
Histórico de emissões per capita: 12,7 toneladas por pessoa
Total de emissões: 7.065 megatoneladas
Variação em volume de emissões desde 1990: +15,7%
Ratificou o Protocolo de Kyoto? Não
Meta de Kyoto para 2012: - 7% (não adotada)

Os Estados Unidos encontram-se muito acima do resto do mundo tanto em matéria de riqueza quanto em emissões de gases do efeito estufa. Apesar de o país recentemente de acordo com um relatório ter cedido o título de maior emissor para a China, os Estados Unidos ainda emitem muito mais por pessoa do que quase todos os outros países. E também carregam uma grande responsabilidade histórica quanto aos gases do efeito estufa que já estão no ar.

Até muito recentemente, os Estados Unidos também eram um líder mundial no combate à mudança climática. Cientistas americanos há muito são pioneiros no estudo da mudança climática e estiveram entre os primeiros a alertar o resto do mundo quanto ao problema. Os Estados Unidos presidiram o grupo de trabalho que deu origem ao primeiro tratado global climático, o UNFCCC. E, durante a década de 1990, o governo americano esteve muito aberto a encontrar maneiras de reduzir as emissões, sob o forte apoio do vice-presidente Al Gore.[1]

Mas nos últimos anos os Estados Unidos, como todos sabem, deixaram de lado o problema da mudança climática (apesar dos esforços do ex-primeiro-ministro britânico Tony Blair em persuadir o presidente norte-americano do contrário) e se recusaram a ratificar o Protocolo de Kyoto.

As sementes do problema dos Estados Unidos com o Protocolo de Kyoto se encontram, conforme mencionamos no capítulo 11, no ano estabelecido pelo tratado como data-base para a contagem de emissões. Em 1998, quando o presidente Bill Clinton assinou o tratado, as emissões de seu país subiram às alturas, na comparação com o nível de 1990; portanto, qualquer acordo que use 1990 como base se tornou muito mais difícil de ser concretizado. Isso levou ao desconforto de políticos que estavam com receio de prejudicar uma economia cada vez mais frágil. O Senado — tanto republicanos quanto democratas — já haviam votado unanimemente pela chamada Resolução Byrd-Hagel, que declarava que não deveria ser assinado nenhum protocolo que "resultasse em dano grave à economia dos Estados Unidos". A resolução também criticou o Protocolo de Kyoto pela falta de compromissos por parte dos países em desenvolvimento. De forma que a administração Clinton/Gore não submeteu o Protocolo de Kyoto à apreciação do Senado.

Mas o verdadeiro golpe veio com a ascensão ao poder do presidente Bush e seus impetuosos e sequazes conselheiros. A questão da mudança climática passou pelo crivo da política devido a sua associação direta aos democratas, especialmente ao vice-presidente Al Gore. Movimentos para mudar o quadro de cientistas no Painel Intergovernamental sobre Mudanças Climáticas (IPCC), por exemplo, começaram quase imediatamente, e todos aqueles considerados afinados demais com a administração anterior passaram a ser vistos com suspeita. Logo depois dos republicanos tomarem o poder, houve o vazamento de um famoso memorando enviado pela companhia petrolífera ExxonMobil à administração que então tomava posse. O documento continha como recomendação principal: "Reestruturar o comparecimento dos Estados Unidos nas próximas reuniões do IPCC de forma a garantir que *nenhum dos proponentes da era Clinton/Al Gore sejam envolvidos em quaisquer atividades decisórias* [grifo do emissário]."[2] O mesmo memorando também pedia especificamente que o cientista-chefe do Banco Mundial, Bob Watson (cujas credenciais científicas são impecáveis, mas que trabalhara com a administração Clinton/Gore), fosse retirado da presidência do painel. O que foi feito.

É provável que não tenha ajudado o fato de muitos membros do gabinete do presidente Bush serem intimamente relacionados à indústria de combustíveis fósseis. Antes da nomeação, Dick Cheney havia sido CEO da Halliburton; o primeiro secretário de Comércio de Bush, Donald Evans, havia sido diretor-executivo de uma das maiores companhias de exploração de petróleo e gás; e Condoleezza Rice era diretora da Chevron.[3]

Esforços para deter a mudança climática também sofreram devido à sua associação com o movimento ambientalista. Para muitos republicanos conservadores, ambientalistas não são muito melhores do que comunistas, devido ao seu amor pela regulação da indústria e pela conseqüente restrição do crescimento econômico. Uma das primeiras medidas do presidente Bush após assumir o poder foi declarar que os Estados Unidos não ratificariam o Protocolo de Kyoto, e Rice acrescentou que "Kyoto está morto". (Anúncios da sua morte, da mesma maneira como Mark Twain observou ao ler o próprio e prematuro obituário, acabaram se mostrando muito exagerados. Apesar de Bush ter conseguido convencer a Austrália a não ratificar o tratado, a adesão da Rússia acabou por levar o número de países signatários além do patamar mínimo, e o Protocolo de Kyoto está vigorando desde fevereiro de 2005).[4]

A partir de então, a história da mudança climática nos Estados Unidos tem sido uma série de infortúnios, com legiões de cientistas de primeira grandeza clamando por ação e a administração às vezes ignorando, às vezes — de modo infame — tentando suprimir tais clamores. (As tentativas de supressão levaram a críticas generalizadas por parte dos cientistas americanos[5] e a depoimentos contundentes, em março de 2007, frente ao Comitê do Congresso sobre Supervisão e Reforma Governamental.[6]) Jack Marburger, o principal assessor científico da Casa Branca, passou por maus bocados. Apesar das retumbantes provas que mostram que a mudança climática já é uma realidade, ele esperou até fins de 2007 para reconhecer publicamente que esse é um problema real e provocado pela ação do homem.

A indústria do petróleo nos Estados Unidos há muito tempo tem estado alinhada com o governo — especialmente a ExxonMobil, que fundou uma série de *think-tanks* dedicados a degradar a ciência da mudança climática. Um desses *think-tanks* ofereceu US$ 10 mil a cada cientista que escrevesse um ensaio criticando as descobertas do relatório IPCC. Outro — chamado Competitive Enterprise Institute — veiculou em todo o país uma série de infames comerciais televisivos sugerindo que o dióxido de carbono é um inequívoco benefício à humanidade, injustamente denegrido. Os cientistas cujas descobertas foram citadas nos comerciais mais tarde acusaram, furiosos, os responsáveis pela edição e descreveram o resultado como "um esforço deliberado para confundir e enganar o público quanto ao debate sobre o aquecimento global".[7] (Conforme explicamos no capítulo 1, o dióxido de carbono é de fato necessário à vida, mas a ciência do aquecimento global mostra de forma inequívoca que o excesso de algo que, no geral, é bom pode causar danos.)

Para distrair os participantes das discussões sérias sobre o clima e para satisfazer a exigência de que países em desenvolvimento sejam contemplados em qualquer acordo, o presidente Bush estabeleceu aquilo que foi percebido pela maioria como um rival do Protocolo de Kyoto: a

Parceria Ásia-Pacífico para Desenvolvimento Limpo e Clima, que reúne Estados Unidos, Austrália, Japão, Coréia do Sul, China e Índia. Como o tratado de Kyoto, a parceria tem o objetivo declarado de resolver o problema climático. Entretanto, diferentemente do Protocolo de Kyoto, não estabelece metas obrigatórias nem mecanismos específicos para que sejam alcançadas as metas facultativas estabelecidas pelos membros. (Já que não são obrigatórias, também não há sanção para o caso do não cumprimento das metas.)

A parceria gira em torno da transferência de tecnologia de baixo carbono de países desenvolvidos para países em desenvolvimento, com uma ênfase especial na Captura e Armazenagem de Carbono — o método até agora não testado por meio do qual o dióxido de carbono gerado por usinas de energia movidas a queima de carvão pode ser capturado e estocado no subterrâneo em vez de liberado na atmosfera. Esse provavelmente será um instrumento vital na redução de emissões de países como China, Índia e África do Sul, que dependem enormemente do carvão como fonte de energia. Mas, por si só, não é suficiente.

Em abril de 2006, o Climate Institute of Australia divulgou um relatório sobre o progresso da Parceria Ásia-Pacífico dizendo que, mesmo nos cenários mais otimistas, o acordo levaria à *duplicação* das atuais emissões dos gases do efeito estufa até 2050, em vez de às drásticas reduções necessárias para controlar a mudança climática. Também afirmava que a quantidade de dinheiro investida até agora no desenvolvimento de novas tecnologias é baixa demais para ter qualquer impacto sério — representa apenas 1,1% do valor investido em mercados globais de carbono em função do Protocolo de Kyoto e uma esvanescente pequena fração do total de dinheiro que a International Energy Authority afirma que será aplicado em energia nos próximos 25 anos.[8] O senador republicano John McCain resumiu o pensamento de muitos quando disse que a parceria era "nada mais do que uma manobrazinha de relações públicas".[9]

Entretanto, a maré parece estar virando — se não em Washington, pelo menos no restante dos Estados Unidos. Se podemos ou não atribuir de forma direta o furacão Katrina ao aquecimento global, certamente ele serviu como um alerta para o quão dramáticos podem ser os revides da natureza, mesmo em um ambiente urbano "seguro", e o quão tolo é ignorar esses alertas.

Enquanto isso, a apaixonada associação de Al Gore com a causa da mudança climática deixou de ser um anátema republicano para se tornar um grande trunfo, depois do fenomenal sucesso do ex-vice-presidente com o livro e o filme *Uma Verdade Inconveniente*. (O anúncio do Prêmio Nobel da Paz para Al Gore e IPCC em 2007, pelo trabalho sobre a mudança climática, também ajudou a delinear o perfil da sua campanha.) Outra força motora significativa é o estado da Califórnia, que tem um orgulhoso histórico de lidar de modo eficiente com problemas ambientais — sobretudo no caso de Los Angeles e San Francisco, que já foram, outrora, cidades sufocadas pela fumaça e pela neblina — por meio da aplicação imediata de leis e do incentivo ao desenvolvimento de novas tecnologias. Não houve nenhum sentimento ecologista em jogo quando a Califórnia passou a usar catalisadores nos exaustores dos seus carros, e isso tampouco causou dano à economia. Cada novo arrocho no sistema regulatório para exaustores de carros encontrava oposição por parte da indústria de motores — mas nunca ninguém deixou de vender carros. Os catalisadores de automóveis defendidos pela Califórnia agora são um dispositivo-padrão no mundo industrializado e a principal razão pela qual, hoje, é tão mais agradável viver em tantas cidades.

A Califórnia, na improvável figura do ex-exterminador e atual governador, Arnold Schwarzenegger, já começou a combater o problema climático com a mesma eficiência. Em uma reunião dos governadores da Costa Oeste, em 2005, Schwarzenegger convidou David King a fazer um discurso que desse uma idéia geral da posição do Reino Unido quanto à mudança climática. Quando foi dito que o Reino Unido havia se comprometido unilateralmente a reduzir as suas emissões em 60% até 2050, a réplica de Schwarzenegger foi: "Nós reduziremos as nossas em 80%." Esse é o tipo de guerra em que todos nós deveríamos nos engajar.

A Califórnia começou a aplicar recursos onde está o início do problema. Em 2006, o estado aprovou uma lei, chamada Global Warming Solutions Act,[10] com a qual se compromete a, até 2020, voltar ao nível de emissões de 1990 (o que significa um corte efetivo de 25%). A lei também instigou um esquema de comércio de créditos de emissões que cobre todo o estado, e o próprio Schwarzenegger passou a dirigir um Hummer híbrido.

Nove estados do nordeste e do Meio-Atlântico estabeleceram os seus próprios esquemas de comércio, conhecido como Regional Greenhouse Gas Initiative (ou pelo apelido, mais simpático, de ReGGIe).[11] E centenas de prefeitos bradando de cidades de todos os estados do país assinaram o Conference of Mayors' Climate Protection Agreement, que solicita que até 2012 as cidades envolvidas reduzam as emissões de dióxido de carbono a 7% abaixo dos níveis de 1990.[12]

O clima para mudanças tem parecido ainda melhor desde que os democratas retomaram a liderança tanto do Congresso quanto do Senado, em meados do segundo semestre de 2006. O presidente republicano do influente Comitê do Meio Ambiente e de Obras Públicas do Senado era o senador James Inhofe, que estava de saída; ele uma vez declarara que o aquecimento global era "o maior embuste já perpetrado contra o povo americano". O presidente democrata que tomou posse do mesmo comitê deu abertamente boas-vindas à chegada de uma multidão de projetos de lei destinada ao incentivo de redução das emissões em escala nacional.

Entretanto, não se pode dizer que a mudança climática tenha continuado como uma questão partidária. A maior parte dos novos projetos de lei tem padrinhos democratas e republicanos. E a direita cristã, outrora uma fiel apoiadora da posição do presidente Bush, começou a apoiar ações relacionadas à mudança climática com o argumento de que precisamos agir como eficazes intendentes da Criação de Deus.

O setor privado também começou a tomar parte no combate. Companhias da estatura da Wal-Mart e General Electric se converteram à causa climática, e até mesmo a ExxonMobil amenizou a sua atitude. Apesar de ainda ser veementemente contra o Protocolo de Kyoto, cancelou o financiamento do mais distinto grupo de lobistas sobre o assunto e começou a discutir como podem vir a ser as regulamentações americanas em relação ao carbono.[13]

Há no ar uma nova conversa sobre a mudança climática como resultado de um fracasso de mercado nascido de injustos subsídios de combustíveis fósseis, e sobre esquemas de "cap and trade" como um adequado ajuste capitalista, mais do que um imposto regulatório ecológico. A miríade de esquemas de comércio de emissões independentes uns dos outros que estão brotando em todo o país encorajam as companhias a pressionarem por um esquema nacional, de modo que elas possam planejar o futuro com base em uma só série consistente de regras e condições de mercado, em vez de ter de trabalhar com esquemas diferentes para cada estado. O ativista ambiental Robert F. Kennedy Jr. foi levado a escrever na revista *Rolling Stone* que, por encorajar a eficiência, "um mercado verdadeiramente livre é o melhor amigo do planeta".[14] O *New York Times* declarou em dezembro de 2006 que o ano havia sido "verde". E em janeiro de 2007, no seu pronunciamento anual ao Legislativo, o presidente Bush fez a famosa declaração de que era preciso encontrar uma maneira de romper o vício americano em petróleo.

Porém, ainda há um longo caminho a ser percorrido. Apesar de o presidente Bush ter começado a falar de modo diferente sobre os perigos da mudança climática, as suas estratégias favoritas para o combate são, no mínimo, de eficácia duvidosa. Incluem um aumento massivo no uso de biocombustíveis — o que, conforme explicamos no capítulo 8, traz seus próprios riscos — aliado a um esforço para reduzir a intensidade das emissões de carbono por unidade de PIB em 18% até 2012. Isso parece impressionante, até que se descubra que o total de emissões ainda assim teria uma elevação de 13%, um número limítrofe ao ineficiente cenário "business as usual".[15]

Além de tudo, apesar de os negociadores do presidente terem concordado em se unir à declaração do G8 feita na Alemanha, em 2007, que aceitava a realidade da mudança climática e concordava em trabalhar com o objetivo de reduzir as emissões globais, um fascinante documento trazido a público pelo Greenpeace mostrou a extensão na qual aqueles mesmos negociadores insistiram na diluição da linguagem da declaração. Por exemplo, eles se recusaram a permitir qualquer menção a compromissos mútuos, dizendo que essa abordagem era "fundamentalmente incompatível com a visão do presidente sobre a mudança climática".[16] Um lobista acusou a administração Bush de "tentar plantar minas terrestres sob um possível acordo pós-Protocolo de Kyoto antes de deixar a Casa Branca".[17]

Logo antes da reunião realizada na Alemanha, o presidente Bush propôs iniciar negociações, presididas pelos Estados Unidos, entre as nações mais poluentes do mundo, para correrem "em paralelo" com os esforços das Nações Unidas. Entretanto, a iniciativa foi repelida a gritos pelas outras nações, sobretudo pelo Brasil, que viu nisso uma tentativa de minar o processo pós-Kyoto. Na Alemanha o presidente Bush relutantemente concordou com a declaração feita pela chanceler alemã, Angela Merkel, que presidia a reunião dos G8 + 5 e dizia: “Concordamos que o processo iniciado pelas Nações Unidas é o fórum apropriado para a negociação das futuras ações globais quanto à mudança climática.”

Considerando-se o histórico de resistência seguida de relutância, pode ser demais pedir que a atual administração abrace ações efetivas quanto à mudança climática. Mas o maremoto de atividades capitaneadas pela população, junto com as mudanças na atitude das empresas americanas, bem como no Capitol Hill, podem ser suficientes para persuadir o próximo presidente — seja republicano ou democrata — de que se trata de interesse nacional agir nesse sentido. Não será tão difícil assim. De todos os possíveis candidatos, McCain, Hagel, Obama, Edwards, Romney e Hillary Clinton já demonstram uma atitude mais progressista no que diz respeito à mudança climática do que o presidente prestes a deixar o gabinete.

Ainda assim, os Estados Unidos, um dos maiores emissores de gases do efeito estufa per capita e segundo maior emissor quando se consideram números absolutos, tem uma grande responsabilidade por emissões históricas e também dispõe da economia mais avançada do mundo. Apesar de o resto do planeta não estar sentado esperando, o novo tratado internacional terá poucas chances de êxito até que — e a menos que — os Estados Unidos assumam uma atitude de responsabilidade e liderança global no que tange à mudança climática.

Rússia

Volume de emissões per capita: 13,5 toneladas por pessoa
Histórico de emissões per capita: 7,1 toneladas por pessoa
Total de emissões: 1.938 megatoneladas
Variação no volume de emissões desde 1990: -35,1%
Ratificou o Protocolo de Kyoto? Sim
Meta para 2012, segundo o Protocolo de Kyoto: 0%

Na corrida até a ratificação do Protocolo de Kyoto, o governo russo repetidas vezes declarou que a mudança climática estava longe de ser uma das suas prioridades. O presidente Vladimir Putin deixou clara a sua posição em 2003, quando disse: "A Rússia é um país setentrional, e, se as temperaturas subirem 2 ou 3 graus, não é grave. Gastaríamos menos em casacos pesados e... as colheitas de grãos aumentariam".[18] Se a colheita de grãos na Rússia iria de fato ser maior com um aquecimento de 3ºC é algo que está aberto para debate. Mas todos os modelos concordam que, com uma variação maior do que 3ºC, as colheitas despencariam. E a mudança climática traria à Rússia outros problemas que poderiam muito bem invalidar quaisquer vantagens de uma menor necessidade de casacos pesados.

Para 2070, por exemplo, o relatório IPCC prevê um aumento significativo de enchentes no norte da Rússia e estiagens mais freqüentes no sul do país. Também prevê que o degelo do *permafrost* não apenas levará à deformação e ao rompimento dos gasodutos, quando o chão sob eles se desfizer, como também vai expor, devido à drenagem, vastas áreas de terrenos outrora alagadiços a incêndios catastróficos, similares aos que varreram Bornéu e ocultaram o país em um rastro de fumaça laranja.[19] O problema da mudança climática é que com ela é tudo ou nada — você não pode escolher só as bênçãos e deixar de lado os ônus.

Putin fez o referido discurso enquanto avaliava se ratificava ou não o Protocolo de Kyoto. A questão era de grande importância, pois o protocolo foi planejado para só entrar em vigor quando países responsáveis por pelo menos 55% das emissões de dióxido de carbono de 1990 concordassem em seguir adiante. Em 2003, de todos os grandes poluidores industrializados, só a Rússia, a Austrália e os Estados Unidos ainda não haviam assinado. Qualquer um dos três faria a contagem passar do limite dos 55%, mas, se nenhum deles ratificasse, o protocolo estaria condenado.

Os Estados Unidos já haviam declarado a sua intenção de não assiná-lo, e, depois de intensas pressões por parte dos Estados Unidos, a Austrália também se recusou a assinar. Enquanto isso, os sinais vindos da Rússia não eram bons. Uma reunião bilateral sobre a mudança climática entre o Reino Unido e cientistas russos foi literalmente seqüestrada quando o então chefe de gabinete de Putin, Andrey Illarionov, mudou a programação no último minuto para trazer um punhado de céticos e evitar que os cientistas britânicos se pronunciassem.

David King estava liderando a delegação britânica. Ele já havia explicado que teria de sair mais cedo da conferência que trataria de futuros encontros governamentais, no Kremlin. Mas, quando se levantou para sair, Illarionov pegou o microfone e começou a gritar que ele era um covarde e a "ordenar" que ficasse, para responder às suas perguntas. A delegação britânica foi embora, com essa incrível explosão ainda retumbando nos ouvidos. Na manhã seguinte, a edição do *Moscow Times* trazia a desalentadora manchete: REINO UNIDO DECLARA GUERRA CONTRA A RÚSSIA — que se tratava da citação direta de uma fala de Illarionov.

Mas se argumentos científicos não são capazes de persuadir um governo, argumentos econômicos às vezes se mostram mais poderosos. A Rússia estava ansiosa por entrar no clube global de negócios, a Organização Mundial do Comércio. Após o relatório de David King sobre os acontecimentos na Rússia, Tony Blair foi até os líderes da União Européia para propor um escambo. Se a Rússia ratificasse o Protocolo de Kyoto, a União Européia apoiaria a sua entrada na OMC. Isso se mostrou um trunfo poderoso. No dia 4 de novembro de 2004, apesar da contínua oposição de Illarionov, o presidente Putin ratificou o Protocolo de Kyoto.

Para a Rússia, apoiar o Protocolo de Kyoto fez pouca diferença prática. Por razões puramente econômicas, as suas emissões haviam despencado desde 1990, significando que o país cumpriria com facilidade as obrigações de redução estabelecidas no protocolo. Na verdade, as emissões russas haviam caído tanto que o fenômeno estava assegurando bilhões de dólares em créditos de carbono que, pelo menos em princípio, poderiam ser vendidos no mercado de Kyoto. Entretanto, isso não ocorreu — provavelmente porque apenas os Estados Unidos teriam condições de comprá-los, mas os Estados Unidos haviam ficado de fora do protocolo.

O apoio da Rússia para um tratado pós-Kyoto é algo que permanece incerto. Por um lado, seu novo isolacionismo, aliado com suas consideráveis exportações de gás natural, sugere que o país quererá se ater a uma economia à base de carbono. Mas, por outro lado, o seu potencial para a venda de pelo menos parte de suas licenças de emissão pode ser tentador o suficiente para manter a Rússia a bordo, se os Estados Unidos fizerem parte da parceria. Entretanto, como explicamos no capítulo 11, qualquer acordo futuro quase que certamente teria de atualizar os números de partida da Rússia para medições mais recentes do que as de 1990.

Japão

Volume de emissões per capita: 10,6 toneladas por pessoa
Histórico de emissões per capita: 4 toneladas por pessoa
Total de emissões: 1.355 megatoneladas
Variação no volume de emissões desde 1990: +8%
Ratificou o Protocolo de Kyoto? Sim
Meta estabelecida no Protocolo de Kyoto para 2012: -6%

Considerando-se o seu avançado estado de desenvolvimento industrial, o Japão apresenta relativamente um baixo volume de emissões per capita, sobretudo porque uma grande parte da sua eletricidade provém de energia nuclear, e a sua indústria é uma das mais eficientes do mundo, do ponto de vista de consumo de energia. O Japão há muito tem estado comprometido com o combate à mudança climática, sendo o país-anfitrião da reunião que criou o Protocolo de Kyoto.

Em parte por causa disso, e também porque o Japão não tem reservas petrolíferas próprias, poupar energia foi elevado ao status de imperativo nacional. Em 2005 a campanha "cool biz" do governo japonês incentivava os funcionários civis a não regularem o termostato dos seus condicionadores de ar a menos que 28ºC. Milhares de trabalhadores concordaram em tirar o paletó e a gravata, e mudar para camisas de manga curta durante o verão — e isso em uma cultura conservadora, conformista e orientada pelos negócios. Apenas em Tóquio e na região metropolitana, a campanha poupou energia suficiente para alimentar uma cidade de 250 mil habitantes por um mês.[20] A campanha se tornou um acontecimento anual. No começo de cada verão desde então, o primeiro-ministro tira o paletó e a gravata, e o seu gabinete, bem como uma parcela incrível da população, faz o mesmo.

O governo japonês continua nervoso quanto aos efeitos que a redução das emissões de dióxido de carbono podem ter mais adiante na economia japonesa, e o país está investindo em inovação tecnológica. Foi um dos financiadores do novo projeto de fusão internacional que descrevemos no capítulo 9. Também é o maior investidor do mundo em painéis solares e em técnicas para se fazer gás hidrogênio a partir de água.

Qualquer abordagem futura baseada em emissões per capita seria favorável ao Japão, já que isso compensaria o alto nível de eficiência que o país já alcançou.

Canadá

Volume de emissões per capita: 23,7 toneladas por pessoa
Histórico de emissões per capita: 9,8 toneladas por pessoa
Total de emissões: 758 megatoneladas
Variação no volume de emissões desde 1990: +27%
Ratificou o Protocolo de Kyoto? Sim
Meta de 2012 estabelecida no Protocolo de Kyoto: -6%

O Canadá ratificou o Protocolo de Kyoto em 2002, mas está muito distante de atingir a sua meta de 6% de redução nas emissões. Na verdade, entre 1990 e 2004, o volume de emissões canadenses aumentou em 27%, o que, proporcionalmente, é uma elevação ainda maior que a dos Estados Unidos.

Em geral há bastante apoio popular no país para ações que visem lidar com a mudança climática, mas sucessivos governos emperraram exatamente ao colocar isso em prática. Em 2005, o governo publicou uma proposta para se alcançar a meta de Kyoto usando uma combinação de reduções de emissões obrigatórias para grandes fábricas e usinas de energia, e esquemas em grande parte voluntários para outros setores. Grupos ambientalistas criticaram o plano por depender demais de medidas e incentivos voluntários em vez de impor cortes obrigatórios, mas, de qualquer forma, o governo só implementou o plano após perder as eleições, em 2006.

O novo governo, da minoria conservadora, sob liderança do primeiro-ministro Stephen Harper, declarou então que a meta estabelecida no Protocolo de Kyoto para o Canadá era impossível e cortou o financiamento para projetos que tinham como foco a mudança climática. O governo elaborou, é verdade, um plano alternativo para controlar emissões, mas o plano foi arruinado pois colocava no mesmo saco gases do efeito estufa com neblina e outras formas mais imediatas e mais aparentes de poluição. Além disso, as metas obrigatórias estabelecidas no plano para redução de emissões de gases do efeito estufa por parte da indústria eram baseadas na intensidade — isto é, emissões por unidade de PIB — em vez de em quantidades absolutas. (Discutimos na parte dedicada aos Estados Unidos, logo antes, os vários aspectos sob os quais essa abordagem é defeituosa.)

Esses acontecimentos detonaram uma lufada de reações políticas, incluindo a aprovação no Parlamento de um projeto de lei de um cidadão, chamado "Uma Lei para Garantir que o Canadá Cumpra suas Obrigações do Protocolo de Kyoto", planejado para tentar forçar o governo a se comprometer com o acordo. Todos os membros dos três partidos oposicionistas votaram a favor desse projeto; ele foi aprovado tanto no Parlamento quanto no Senado, e se tornou lei no dia 22 de junho de 2007.

Entre outras coisas, a Lei obriga o governo a especificar as reduções de gases do efeito estufa esperadas para cada ano até 2012, mostrando de que forma elas atingirão as metas estabelecidas para o Canadá no Protocolo de Kyoto. Mesmo assim, o atual governo repetidas vezes declarou que não tem intenção de tentar atingir as metas, e, no momento da redação deste livro (segundo semestre de 2007), a situação ainda não havia sido resolvida.

Austrália

Volume de emissões per capita: 26,2 toneladas por pessoa
Histórico de emissões per capita: 10,3 toneladas por pessoa
Total de emissões: 529 megatoneladas
Variação no volume de emissões desde 1990: +25,9%
Ratificou Kyoto? Sim
Meta para 2012 estabelecida no Protocolo de Kyoto: +8%

A Austrália participou do Gleneagles Dialogue no México, e recentes estiagens tem ajudado a aumentar o apoio popular em todo o país para se fazer algo quanto à mudança climática. Entretanto, quando era primeiro-ministro, John Howard manteve a recusa de ratificar o Protocolo de Kyoto. Seus críticos diziam que tal posição foi tomada sobretudo para bajular os Estados Unidos, opinião fortalecida pelo fato de que, dos participantes do acordo, apenas os Estados Unidos e a Austrália se recusaram a ratificá-lo. E mais: se a Rússia não tivesse sido persuadida a mudar sua posição e ratificar o protocolo em 2004, a recusa da Austrália teria sido o suficiente para evitar que o tratado entrasse em vigor, o que era o desejo declarado da administração Bush.

Apesar de a meta para a Austrália no protocolo ter sido definida em generosos +8% dos níveis de 1990, suas atuais emissões subiram ainda mais, quase 26%. O país tem um dos mais altos índices per capita de emissões de todo o mundo, mais alto até do que os Estados Unidos. E também está sujeito a sofrer sérias perdas com a futura mudança climática, incluindo aumento de estiagem, ondas de calor, intensificação de danos provocados por tempestades tropicais e o branqueamento dos corais na Grande Barreira de Coral. (De fato, o estado de Victoria já está cambaleando após sete anos sucessivos de estiagem — que continua.)

Durante seu tempo no cargo, o ex-primeiro-ministro Howard havia colocado todas as suas esperanças na Parceria Ásia-Pacífico para o Desenvolvimento Limpo e Clima. Essa parceria não estabelece metas de redução, dirige seu foco na tentativa de desenvolver novas tecnologias e, como explicamos na parte do livro dedicada aos Estados Unidos, por si só levaria a um significativo aumento das emissões de gases do efeito estufa em vez da redução de que tanto precisamos.

Entretanto, o governo federal sofreu muita pressão para implementar medidas restritivas a fim de combater a mudança climática. Em parte isso se devia individualmente a alguns líderes políticos. New South Wales tem um esquema de compra e venda de créditos de emissão para o setor elétrico desde 2003, e em 2004 todos os estados australianos se uniram para formar uma força-tarefa, chamada National Emissions Trading Task Force, com o intuito de forçar um esquema de compra e venda nacional.[21] Também tem havido um maremoto de apoio popular. Em uma pesquisa, 80% dos questionados disseram que queriam que o governo fizesse mais para combater a mudança climática.

Em novembro de 2006, em uma incrível virada, o ex-primeiro-ministro Howard fez um discurso dizendo que "a Austrália fará parte de futuras discussões que tiverem o objetivo de chegar a um acordo internacional que envolva todos os grandes poluidores, que envolva todas as nações do mundo" e cogitou, pelo menos, "falar sobre um sistema de abrangência mundial de compra e venda de créditos de emissões".[22]

No dia 4 de junho de 2007, logo após um relatório do grupo ministerial de força-tarefa sobre comércio de emissões,[23] Howard foi mais além, pedindo que um esquema de compra e venda de emissões de amplitude nacional fosse estabelecido na Austrália até 2012.

Entretanto, em parte por sua impopular posição sobre mudança climática, Howard perdeu a eleição geral em novembro de 2007 e uma das primeiras ações de seu sucessor, Kevin Rudd, foi ratificar o Protocolo de Kyoto.

União Européia

A União Européia fica atrás apenas dos Estados Unidos quanto a responsabilidade histórica no problema do efeito estufa.[24] Entretanto, as atitudes do bloco europeu e dos Estados Unidos têm sido bem diferentes. Em vez de se esquivar do problema, a União Européia colocou a mudança climática no topo das suas prioridades durante a maior parte da década passada.

A União Européia se comprometeu em bloco a uma meta de redução de 8% até 2012, a partir dos valores de 1990, segundo o Protocolo de Kyoto — uma meta que deve ser atingida,[25] embora provavelmente vá requerer alguma contribuição de projetos de Mecanismo de Desenvolvimento Limpo de outras partes do mundo.

A União Européia também foi pioneira no estabelecimento de um esquema de compra e venda de proporções continentais que começou em 2005 e que, apesar dos problemas mencionados no capítulo 10, é responsável por quase todo o mercado global de créditos de emissão de carbono. E estabeleceu um amplo plano de como o continente precisará se adaptar para as mudanças que já são inevitáveis.[26]

Talvez ainda mais importante, a atual política oficial da União Européia é de tentar evitar as piores conseqüências da mudança climática ao restringir a elevação da temperatura a não mais que 2ºC acima dos níveis pré-industriais. Como mostramos no capítulo 6, pode ser que isso não seja mais possível, até mesmo com um nível de estabilização de 450 ppm CO_2eq.

Em maio de 2007, a reunião de primavera do conselho da União Européia reafirmou essa posição, que já havia sido declarada em dois documentos de diretrizes.[27] O conselho instava para que os países desenvolvidos reduzissem seus níveis de emissão em 30% até 2020 em relação aos níveis de 1990 e mantivessem uma meta de 60 a 80% de redução para 2050. De acordo com esse plano, muitos países em desenvolvimento também precisariam reduzir emissões daqui a poucas décadas e ao mesmo tempo seriam incentivados em um caminho de baixo carbono por meio de investimentos financiados pelos países desenvolvidos.[28] Níveis de emissões atingiriam o pico nas duas próximas décadas, depois do que cairiam para um nível global de 50% até 2050 em relação às emissões atuais.

Assim, a União Européia já deixou muito clara a posição a partir da qual negociará um novo acordo global. Também se comprometeu "sem preconceitos" a um amplo e unilateral corte de pelo menos 20% até 2020, explicitamente para sinalizar liderança e pôr em movimento as engrenagens internacionais.

Isso surtiu efeito sobre agrupamentos mais amplos. A reunião do G8 na Alemanha em junho de 2007 fez, junto com a União Européia e as cinco nações que mais rápido estão se desenvolvendo, a seguinte e extraordinária declaração: "Recebemos com preocupação o recente relatório do IPCC e suas conclusões. Estamos convencidos de que ações urgentes e aliadas são necessárias e aceitamos nossa responsabilidade no sentido de liderar o combate contra a mudança climática. Ao estabelecermos uma meta global de redução de emissões como parte do processo com o qual concordamos em Heiligendamm, envolvendo todos os maiores poluidores, consideraremos de forma séria as decisões tomadas pela União Européia, pelo Canadá e pelo Japão, que incluem um corte de pelo menos metade das emissões globais até 2050."

Essa declaração foi criticada pela ausência de metas compulsórias, que haviam sido sumariamente bloqueadas pelos Estados Unidos. Mas é o primeiro documento aos quais as maiores economias do mundo puseram suas assinaturas que pelo menos menciona a necessidade de uma redução tão grande e em tal período de tempo. (Muitos comentadores pareceram não perceber que a meta desejada nessa declaração era uma redução de 50% de emissões *globais* até 2050, o que, conforme já apontamos, significaria um corte de 80% para as nações do G8 participantes.)

Que tenha havido qualquer declaração de consenso sobre esse assunto tão polêmico deveu-se ao incansável lobby das nações européias pertencentes ao G8, sobretudo o Reino Unido, a Alemanha — país anfitrião — e a França.

França

Volume de emissões per capita: 9 toneladas por pessoa
Histórico de emissões per capita: 6,6 toneladas por pessoa
Total de emissões: 563 megatoneladas
Variação no volume de emissões desde 1990: -0,4%
Ratificou o Protocolo de Kyoto? Sim
Meta de redução para 2010, segundo o Protocolo de Kyoto: 0%

A França fechou sua última mina de carvão em 2004 e agora gera cerca de 80% da sua eletricidade a partir de energia nuclear. Apesar de sua opção por energia nuclear ser um anátema para muitos grupos ambientalistas, ela possibilitou à França ter uma das mais baixas taxas de emissão per capita do mundo industrializado. Graças às suas usinas nucleares, a França é responsável por menos de um quinto das emissões européias por unidade de energia gerada, apesar de os valores do seu transporte, da sua indústria e do seu aquecimento doméstico serem proporcionalmente muito mais altos do que isso.

O governo francês apoiou esforços internacionais para cortar emissões desde um estágio muito inicial das negociações. Em 2002 o então presidente Jacques Chirac declarou: "Nossa casa está em chamas e estamos fazendo vista grossa", e acrescentou que a mudança climática estava nos ameaçando com uma "tragédia planetária".[29] A França sofreu especialmente com a onda de calor no ano seguinte, o que muito ajudou a acordar as consciências entre os seus cidadãos para os perigos da mudança climática.

Em março de 2005, foi incorporada na Constituição Francesa uma Carta Ambiental que declara: "as escolhas que precisam ser feitas para dar conta das necessidades da atual geração não deveriam pôr em risco a capacidade de gerações futuras e de outras pessoas de satisfazerem suas próprias necessidades". Nesse mesmo ano, um projeto de lei para o setor energético estabeleceu a meta de reduzir-se o uso de energia em 2% por ano, de dar continuidade ao apoio à energia nuclear e dedicar esforços especiais ao desenvolvimento de novas fontes de energia de baixo carbono.

Em paralelo às propostas da União Européia, o projeto de lei francês também estabeleceu uma ambiciosa estratégia de longo prazo para reduzir, até 2050, as emissões do país em 75% abaixo dos níveis de 1990. Segundo os termos do projeto de lei, o governo precisa fazer o necessário para atingir essa meta, embora ela ainda não seja obrigatória.

Quando o novo presidente Nicolas Sarkozy foi eleito, em 2007, ele reafirmou a importância do ambiente para a sua administração ao criar um novo "superministério" que cobre as áreas de ambiente, energia, transporte, habitat natural e planejamento terrestre. O chefe do ministério, Jean-Louis Borloo, é também o homem número 2 de Sarkozy.

Para atingir as suas metas de redução, a França está se focando em novas tecnologias, sobretudo biocombustíveis para o setor de transportes, e em estratégias para realizar grandes avanços em matéria de eficiência energética. Por exemplo, muitas melhoras de eficiência em residências particulares — tal como a compra de aquecedores de água novos e menos dispendiosos — agora gozam de consideráveis isenções de impostos. A França também tem relações com muitos países africanos envolvidos nos projetos do Mecanismo de Desenvolvimento Limpo.

Alemanha

Volume de emissões per capita: 12,3 toneladas por pessoa
Histórico de emissões per capita: 9 toneladas por pessoa
Total de emissões: 1.015 megatoneladas
Variação no volume de emissões desde 1990: -17,5%
Ratificou o Protocolo de Kyoto? Sim
Meta de reduções para 2012 estabelecida pelo Protocolo de Kyoto: -21%

A Alemanha tem uma longa e ilustre história de lutas travadas por causas ambientais em geral e contra a mudança climática em particular. Foi um dos primeiros países europeus a fazer uso amplo de energia eólica e solar. Graças aos seu programa "100 mil telhados", de 1999, que oferecia empréstimos amigáveis para instalação de painéis solares em residências particulares, a Alemanha agora tem a maior capacidade instalada de energia solar de todo o mundo. Também é um líder mundial em fabricação e exportação de maquinaria para energia renovável. Estima-se que uma de cada duas turbinas e um em cada três painéis fotovoltaicos são feitos na Alemanha, e alguns economistas previram que a energia renovável pode ultrapassar a indústria automobilística na condição de maior indústria de exportação do país.

O ímpeto para ação doméstica se arrefeceu um pouco nos anos recentes, em parte devido a problemas políticos e econômicos associados à reunificação da Alemanha. Entretanto, a chanceler Angela Merkel trouxe novo gás para a luta alemã contra a mudança climática. Cientista de formação, ela entende o problema muito bem e fez dele uma das prioridades da sua administração.

Uma das questões que a Alemanha enfrenta no combate à mudança climática — e uma das razões para a sua relativamente alta taxa de emissões per capita — são as extensas reservas de carvão de que dispõe. A despeito da ampla adoção de fontes de energia "ecológicas", metade da eletricidade do país ainda provém do carvão, que é o mais nocivo de todos os combustíveis minerais (e grande parte desse carvão é carvão marrom, que é menos eficiente e ainda mais poluente). Em março de 2007, um plano-piloto entrou em operação na cidade de Brandemburgo, na tentativa de capturar dióxido de carbono de uma usina de geração de energia e convertê-lo em uma forma estocável. Até agora, a tentativa tem sido modesta: a capacidade da usina é de apenas 50MW e ainda não está claro onde o CO_2 capturado pode ser estocado. Mas, se lograr êxito, a companhia sueca responsável planeja aumentar a escala de funcionamento.

Por causa das baixas atividades econômicas na antiga Alemanha Oriental após a queda do Muro de Berlim, as emissões da Alemanha como um todo caíram significativamente desde 1990, fato que se reflete na meta estabelecida para o país no Protocolo de Kyoto. Mas Merkel quer ir mais além. Em setembro de 2007, ela apresentou uma lista de 29 medidas por meio das quais a Alemanha poderia avançar nos seus cortes de emissões. Essas medidas incluem todos os culpados de sempre, sobre os quais já discutimos na parte II. Ao colocá-los todos juntos, o governo de Merkel planeja reduzir as emissões do país em extraordinários 40% até 2020 — a meta mais ambiciosa do mundo até agora.

Merkel também trouxe novo fôlego para o papel da Alemanha na vanguarda da ação internacional. Como Tony Blair, Merkel fez da mudança climática um dos pilares da presidência alemã do G8, e se deve em grande parte à intensa pressão aplicada por esses dois líderes e pelo presidente Sarkozy, da França, o fato de que a reunião do G8+5, em Heiligendamm em junho de 2007, foi capaz de fazer a extraordinária declaração conjunta sobre a mudança climática antes mencionada.

A chanceler Merkel também formalizou o Gleneagles Dialogue entre G8 e as cinco nações de mais rápido desenvolvimento, que continuará tentando estabelecer a base para um acordo internacional entre as economias mais poluentes. Isso, por sua vez, poderia muito bem ser a semente para um tratado global de verdade sobre a mudança climática, de que nós tão desesperadamente precisamos.

Reino Unido

Volume de emissões per capita: 11 toneladas por pessoa
Histórico de emissões per capita: 11,2 toneladas por pessoa
Total de emissões: 656 megatoneladas
Variação no volume de emissões desde 1990: -14,2%
Ratificou o Protocolo de Kyoto? Sim
Meta de reduções para 2012 estabelecidas no Protocolo de Kyoto: -12,5%

Talvez apropriadamente, já que a Revolução Industrial lá começou, o Reino Unido tem sido um dos países mais proativos do mundo, tanto na implementação de medidas nacionais quanto na liderança do processo internacional.

Quando o Partido Trabalhista chegou ao poder em 1997, herdou uma estável e aguda queda nas emissões de gases do efeito estufa, que ocorria desde 1990 sobretudo por causa da migração do petróleo para o gás natural de grande parte do suprimento de energia do Reino Unido. O vice-primeiro-ministro, John Prescott, inicialmente fez da mudança climática sua missão pessoal, e era uma das forças de liderança na reunião de 1997, em Kyoto, que levou ao Protocolo de Kyoto. Em 1998, o então ministro das Finanças, Gordon Brown, impôs o chamado Imposto da Mudança Climática sobre as fontes de energia que produzem CO_2 (e também, curiosamente, da energia nuclear). Grande parte do montante proveniente dessa arrecadação foi destinada ao estabelecimento do Carbon Trust e do Energy Savings Trust, duas instituições próximas ao governo que têm a missão de aumentar a consciência da população quanto à mudança climática e também de trabalhar com empresas para reduzir emissões por meio da melhora da sua eficiência energética.

Em abril de 2002, o governo introduziu um esquema segundo o qual companhias públicas eram obrigadas a gerar uma certa proporção da sua eletricidade a partir de fontes renováveis (10% até 2010, e 20% até 2020, sem incluir a energia nuclear) ou negociar créditos de outras companhias para ficar longe de problemas.

O Reino Unido também foi o responsável pelo primeiro esquema de comércio de carbono, em 2004, que, desde então, se desdobrou no esquema europeu. Ser pioneiro tem lá suas vantagens. A bolsa de Londres de fato incorporou o mercado de carbono, competindo pela proeminência global apenas com a Bolsa do Clima de Chicago, que está em operação desde 2003 apesar da falta de um esquema de comércio de carbono de proporções nacionais nos Estados Unidos.

Desde 1997, as emissões totais de gases do efeito estufa do Reino Unido continuam a cair, sobretudo por causa de sérios esforços para cortar a liberação de metano provenientes de aterros de lixo — que reduziram as suas emissões desse poderoso gás do efeito estufa em 55%. O Reino Unido, portanto, não terá problemas em atingir as metas para si estabelecidas no Protocolo de Kyoto.

Em 2003, o Reino Unido declarou que reduziria unilateralmente suas emissões de dióxido de carbono em 60% até 2050 e desafiou outros países a fazerem o mesmo. Uma espécie de manual oficial publicado naquele ano estabeleceu um esboço de como isso deveria ser atingido e determinou a meta intermediária de reduzir as emissões em 20% até 2010 — uma meta mais restritiva do que a do Protocolo de Kyoto.

Entretanto, emissões de dióxido de carbono têm subido, apesar das referidas medidas nacionais, sobretudo por causa do gradual fechamento de velhas usinas nucleares britânicas. Ser pioneiro também traz desvantagens. O Reino Unido construiu a primeira usina nuclear comercial cerca de 60 anos atrás. Mas essa geração de usinas nucleares está agora chegando ao fim de sua vida útil. Há 15 anos, 30% da eletricidade do Reino Unido eram de origem nuclear. Hoje, esse número é de 19% e, a menos que novas usinas sejam construídas, até 2020 cairá para de 7 a 8%. Cada vez que uma usina nuclear é substituída por uma movida a combustíveis fósseis, as emissões do Reino Unido inevitavelmente sobem. Agora parece muito improvável que o Reino Unido vá atingir as metas que estabeleceu para si próprio até 2010.

Assim, em 2007, o governo publicou um novo manual oficial que fornecia muito mais detalhes sobre como atingir a meta para 2050 ao usar uma série de medidas que visavam à eficiência energética, bem como adotando novas tecnologias de energia renovável.[30]

Para tratar da ausência atual de tecnologias de baixo carbono, David King, trabalhando juntamente com o então ministro das Finanças, Gordon Brown, dedicou-se ao estabelecimento de uma nova parceria entre os setores público e privado, chamada Energy Technologies Institute, a fim de desenvolver novas tecnologias de baixo carbono. O instituto receberá o financiamento de £100 milhões por ano, durante dez anos, sendo que metade deverá vir da indústria e metade do governo. Já fazem parte da parceria empresas de motores, serviços públicos e companhias petrolíferas, e estão em andamento as negociações para se preencher as últimas cadeiras disponíveis.

É desalentador, claro, o fato de que a meta de 2010 dificilmente será alcançada. Entretanto, aprendemos a nossa lição. Para garantir que tenhamos um desempenho melhor no futuro, o Reino Unido também tomou a iniciativa de celebrar legalmente os compromissos de redução, com a Climate Change Bill, que compromete o país com um corte de 60% nas emissões de CO_2 até 2050 e a um corte intermediário de 26 a

32% até 2020. É o primeiro país no mundo a colocar tal meta de longo prazo sob a obrigação da lei. (A meta, com quase toda certeza, precisará ser elevada, mas ainda assim se trata de um passo muito importante.) Também haverá um Comitê da Mudança Climática que trabalhará próximo ao governo segundo o modelo do Banco da Inglaterra e que terá permissão de utilizar um amplo leque de medidas para assegurar que as emissões declinem conforme o desejado.

No âmbito internacional, o Reino Unido tem desempenhado um papel crucial, em muitos casos ocupando um vácuo de liderança deixado com a recusa (temporária, esperamos) dos Estados Unidos em tratar da questão da mudança climática. Assim como a sua ativa participação no processo do Protocolo de Kyoto e seu papel no estabelecimento do Esquema de Comércio Europeu, o Reino Unido deu passos consideráveis no sentido de unir o mundo sob a bandeira do aquecimento global. Em 2005, Tony Blair fez da mudança climática um dos dois principais pilares da presidência do Reino Unido no G8. Ele convidou as cinco nações que mais rápido se desenvolvem para a reunião do G8 em Gleneagles, bem como outros grandes poluidores industriais. O resultado foi o início do Gleneagles Dialogue, seguido por outra reunião entre esses países no México, com o objetivo específico de tentar estabelecer as bases para um novo tratado internacional.

O processo foi formalizado na Alemanha, em 2007, e — devido à sua capacidade de pressionar os Estados Unidos e trazer para o debate os principais países em desenvolvimento — se anuncia como um passo-chave no desmantelamento do impasse internacional. O primeiro-ministro também fez pessoalmente pressão no presidente Bush para que ele concorde em tomar parte na declaração do G8 sobre a mudança climática feita na Alemanha, em 2007.

Então, quando finalmente tivermos conseguido montar um bom acordo, as nações precisarão implementá-lo individualmente. Cada uma escolherá o seu caminho, mas haverá alguns fatores comuns. Sobretudo, cada país precisará:

- ❑ Acionar estratégias de adaptação que possam suportar as mudanças nas décadas vindouras (ver o capítulo 4).

- Migrar para tecnologias de baixo carbono já existentes e (sobretudo no caso de nações mais ricas, com mais bases científicas estabelecidas) financiar a pesquisa e o desenvolvimento de novas tecnologias (ver os capítulos 8 e 9).
- Melhorar a eficiência energética e reduzir a demanda de energia (ver o capítulo 7).
- Comprometer-se com uma série de fatores de incentivo que pode incluir: incentivo de impostos e sanções, esquemas de comércio de créditos de emissões de amplitude nacional ou internacional (ver o capítulo 10).
- Encontrar uma maneira de canalizar o crescente desejo dos consumidores por ação efetiva. Por exemplo, os governos precisarão dotar os consumidores de conhecimento sobre a melhor maneira de agir, estimulando a adoção de rótulos detalhados que especifiquem as emissões de dióxido de carbono associadas a todo o processo de produção do produto e também por meio do estabelecimento de padrões de regulagem para esquemas de compensação de carbono (ver o capítulo 14).

Conforme quisemos demonstrar neste capítulo e no anterior, os governos também precisarão continuar fazendo pressão para que todos os envolvidos no processo do efeito estufa tomem parte no combate. De algum modo, as nações que já estão convencidas dos perigos da mudança climática precisarão transmitir essas preocupações para as demais. É fácil esquecer o quão vulnerável somos. Aqueles de nós que vivem nas nações mais ricas do mundo são como os passageiros da primeira-classe de aviões, com direito a poltrona totalmente reclinável e champanhe. Já que a mudança climática atingirá primeiro os cidadãos mais vulneráveis do mundo, o resto de nós pode relaxar e pensar que não há necessidade de se preocupar. Mas, se as asas do avião se partirem, todos nós acabaremos mortos do mesmo jeito.

14

O QUE VOCÊ PODE FAZER PARA MUDAR O MUNDO

É fácil acreditar que o aquecimento global não é problema nosso — outras pessoas é que sofrerão e outras pessoas pensarão numa solução. Entretanto, isso está muito longe da verdade. O próprio nome já dá uma dica: "aquecimento global" é realmente um problema global. Nenhum de nós está a salvo de seus efeitos (apesar de alguns de nós terem mais chances de se adaptar a eles). Todos nós somos parte do problema e cada um de nós precisará participar da sua solução.

Hoje, há mais de 6 bilhões de seres humanos vivendo na Terra. Em meados do século, haverá 9,5 bilhões. Mesmo sem o problema da mudança climática, nossos recursos e reservas se tornarão escassos. Com isso, o boom populacional se torna ainda mais grave.

Pensar dessa forma faz a raça humana parecer uma grande bolha. Mas, na verdade, é na condição de indivíduos que vivemos as nossas vidas e fazemos as nossas escolhas. Toda vez que cada um de nós liga uma luz, escolhe um produto no supermercado, entra num carro ou num ônibus, compra uma roupa ou assiste a um filme, influencia a maneira com que a economia funciona. Escolhas como essas impulsionaram a economia do mundo no século XX. Também levaram a uma espiral de emissão de gases do efeito estufa. Agora todos nós teremos de adaptar nossas escolhas às novas realidades do século XXI.

Os capítulos anteriores mostraram quanto da solução para o problema da mudança climática precisará ocorrer de cima para baixo, a partir de governos, indústrias e grandes acordos internacionais. Mas nada disso acontecerá a menos que nós, a população, pressionemos de baixo para cima. Por meio das escolhas que fazemos sobre quase todos os aspectos das nossas vidas, precisamos orientar produtores e fabricantes ao longo de caminhos sustentáveis. Por meio das escolhas que fazemos na urna eleitoral e das pressões que exercemos sobre os nossos representantes locais e nas nossas comunidades, precisamos levar os políticos a colocar o nosso país no caminho certo. Somos nós que temos a força para provocar mudanças.

A seguir, explicamos de que forma cada um deveria começar a combater a mudança climática nas nossas próprias vidas e por que isso faz diferença. Essa é a conclusão de quase tudo o que escrevemos. Em especial, grande parte desse material já apareceu nos capítulos 7 ("Menos é mais") e 8 ("Aviões, trens e automóveis"). Mas também descrevemos como pressionar os políticos de modo a garantir que eles estabeleçam as metas nacionais apropriadas e tomem parte dos acordos internacionais adequados.

Alguns desses pontos podem parecer familiares, mas outros poderão surpreendê-lo. E, juntas, essas escolhas fazem uma pequena diferença em algo que é muito grande. Trarão nada mais nada menos do que uma mudança global em matéria de cultura. Como já mencionamos, até agora tratamos a energia como algo que é praticamente gratuito e infinitamente disponível. Desperdiçamos recursos e ignoramos os perigos de explorar cada vez mais o ativo do nosso planeta. Para sairmos dessa confusão, precisaremos mudar de atitude e perceber quão preciosos nossos recursos energéticos na verdade são.

Antes de passarmos para informações específicas, eis aqui algumas palavras sobre duas questões polêmicas: compensação de carbono e quilometragem de alimentos.

Tornar-se neutro em carbono

Recentemente tem se falado muito sobre "tornar-se neutro em carbono". Já que hoje é impossível viver no mundo desenvolvido sem emitir pelo menos algum gás de efeito estufa, a única maneira de fazê-lo é mergulhar nas águas controversas da compensação de carbono.

Em tese, é uma boa idéia, semelhante ao Mecanismo do Desenvolvimento Limpo do Protocolo de Kyoto, que descrevemos no capítulo 10. Dito de forma simples, quando você compra um certificado de compensação de carbono, você está compensando, digamos, uma tonelada das suas próprias emissões ao pagar para que outra pessoa reduza as emissões dela num mesmo volume. Já que o ar não dá bola para de onde vêm os gases do efeito estufa, o resultado é um equilíbrio. Você compensa as suas próprias emissões.

Normalmente, o "algum outro lugar" é um país em desenvolvimento, porque é lá que estão as oportunidades mais baratas e com as quais é mais fácil se fazer uma diferença. Por exemplo, se um hospital na Índia está usando querosene para iluminação, o seu dinheiro pode financiar a migração desse hospital para painéis solares. Isso pode ajudar a Índia a dar o salto de qualidade em direção às últimas e menos poluentes tecnologias sem ter que passar pelas várias (e altamente poluidoras) etapas intermediárias pelas quais passaram os países ocidentais.

Ambientalistas radicais têm objeções a essa idéia. Eles reclamam que a compensação faz com que as pessoas se eximam da responsabilidade — e até mesmo as desencoraja a mudar os próprios hábitos. O jornalista ambiental George Monbiot comparou, muito inteligentemente, a compensação de carbono à prática medieval da Igreja de vender indulgências — pedaços de papel que atestavam que um pecado específico era perdoado, de modo que era possível pecar sem se sentir culpado.

Esse argumento faz sentido, e compensar carbono com certeza não deve ser a sua primeira opção. Há muitas outras maneiras de reduzir as suas emissões, incluindo várias que citamos nesse capítulo. Os Amigos da Terra, o Greenpeace e o WWF fizeram uma declaração conjunta sobre compensação de carbono na qual dizem que "encorajamos indivíduos, empresas e governos a primeiro fazerem tudo o que podem para reduzir ou evitar emissões de gases do efeito estufa, antes de considerar a opção de compras de certificados de compensação".[1]

Mas há alguns níveis de emissões abaixo dos quais não conseguimos mais descer, e há algumas formas de emissão (como os vôos de longa distância) para as quais não há alternativas — além de não fazer a viagem. Nesses casos e contanto que você também esteja fazendo todo o possível para reduzir emissões de outras maneiras faz sentido considerar compensar as suas emissões.

Porém, o outro problema com os certificados de compensação de carbono é ter a certeza de que eles de fato farão o que prometem. Companhias de certificados de compensação estão brotando por todos os lados, e atualmente há pouca ou nenhuma regulamentação sobre isso. O seu belo certificado, que diz que você compensou 10 toneladas de gases do efeito estufa, pode não valer nem mesmo o papel no qual está impresso.

Os problemas, nesse caso, são os mesmos já mencionados no capítulo 10 para o Mecanismo de Desenvolvimento Limpo. Como ter a certeza de que a compensação que você está comprando (1) de fato acontecerá; (2) realmente compensa tanto gás estufa quanto você pensa; e (3) tal compensação não teria acontecido de qualquer maneira, sem o seu dinheiro?

Por exemplo, no início muitas companhias se ofereciam para plantar árvores por você. Mas leva muito tempo até que essas árvores possam absorver dióxido de carbono, e, se nesse período elas forem queimadas, deliberada ou acidentalmente, o CO_2 volta para o ar. Além disso, é incrivelmente difícil calcular exatamente quanto dióxido de carbono uma árvore absorverá ao longo da sua vida. Outro problema é que, longe dos trópicos, plantar árvores onde antes não havia vegetação alguma pode literalmente piorar a situação, devido à mudança da reflexividade da terra e do incentivo para que ela absorva mais luz solar.[2] E também há o perigo de as pessoas reclamarem créditos de carbono por plantações que estavam sendo planejadas de qualquer forma.[3]

Sem algum tipo de referência confiável, a indústria da compensação de carbono sempre estará sujeita a fraudes deliberadas, mas mesmo tentativas bem-intencionadas de favorecer cortes confiáveis de emissões podem não vingar.[4] Assim, várias ONGs se juntaram a fim de criar um padrão independente para projetos de compensação de carbono — o Gold Standard.[5] Esse selo só é dado a projetos de energia renovável e de eficiência energética, especificamente porque encorajam mudanças no comportamento, em vez de permitir que o mundo continue dependendo de combustíveis fósseis. Os projetos também são rigorosa e conservadoramente testados, para verificar se são mesmo complementares (isto é, se não teriam ocorrido de qualquer maneira) e se de fato serão responsáveis pela redução em emissões que propagandeiam.

Assim, se você decidir compensar todas ou parte de suas emissões, recomendamos que adote apenas programas que apresentem esse padrão de qualidade. Qualquer outra coisa pode ser apenas ouro dos tolos.

Quilometragem de alimentos

No quesito de conceitos climáticos, esse parece ser o mais simples possível. A comida tem que viajar uma certa distância, das fazendas ao prato. Quanto mais longe vai, mais emissões de transporte ela causa. Portanto seria melhor, do ponto de vista climático, comprar comida que tenha percorrido a mais curta distância possível e que, conseqüentemente, apresente a menor quantidade associada de "quilometragem de alimento".

Entretanto, o quadro geral é um pouco mais complexo do que isso. Primeiro, porque faz uma grande diferença a maneira pela qual a comida viajou. Aviões são a pior alternativa, do ponto de vista de emissões, seguidos por carros e veículos de carga, embora, se os veículos de carga estiverem 100% carregados, eles possam ser relativamente eficientes do ponto de vista de emissões.[6]

Mais surpreendente ainda: até mesmo quando você contabiliza o modo de transporte, a idéia, aparentemente simples, de quilometragem de alimentos pode conduzir você à direção errada. É importante olhar para todo o histórico de emissões que um produto alimentício causou, e não apenas o transporte final. Por exemplo, cultivar tomates em estufas no Reino Unido, com todo o aquecimento e a iluminação necessários, pode causar mais emissões totais do que cultivá-los na ensolarada Espanha e então transportá-los para a Grã-Bretanha.[7] E um estudo realizado em 2006 pela Unidade de Pesquisa de Agronegócio e Economia da Universidade de Lincoln em Christchurch, Nova Zelândia, concluiu que derivados do leite produzidos no país e exportados à União Européia eram duas vezes mais econômicos do ponto de vista energético do que aqueles produzidos localmente, e a carne de ovelha, quatro vezes mais eficiente.[8]

Em parte, tais anormalidades refletem nosso desejo crescente por alimentos que estão fora da estação ou por comidas que jamais poderiam ser cultivadas no clima local. Mas servem para ilustrar que prestar atenção na distância que algo percorreu não necessariamente ajuda a decidir quais os produtos que causam menos emissões. Confusões como essa seriam solucionadas se os governos dos países insistissem para que produtos fossem rotulados de modo apropriado, mostrando o volume de emissões realizadas desde o seu berço — uma política pela qual todos nós deveríamos fazer pressão.

Enquanto isso, uma boa regra básica é que, se a estação é propícia para um tipo de alimento e esse alimento é cultivado na região, é provável que esse produto tenha causado menos emissões do que algo que está fora de estação ou que vem de uma longa distância. Por outro lado, se se trata de uma comida que está fora de estação, é mais difícil de saber.

Mas a quilometragem de alimentos apresenta ainda outro problema: a questão do desenvolvimento sustentável. Evitar alimentos trazidos de países em desenvolvimento poderia ter um sério efeito colateral na economia dessas nações, sem necessariamente fazer muito pela causa da mudança climática. Por exemplo, o International Institute for Environment and Development publicou um relatório em 2006 afirmando que importações de frutas, vegetais e flores para o Reino Unido a partir da África subsaariana eram uma parte vital da economia dos países envolvidos, sustentando até 1,5 milhão de pessoas em algumas das economias mais pobres da Terra. O relatório também aponta que, apesar de grande parte da produção ser transportada por avião — devido à ausência de infra-estrutura nos países de origem e ao perigo dos produtos perecerem na estrada — a importação ainda contribui com menos de 0,1% das emissões totais desses países. Emissões de prédios, transporte pessoal, agricultura e até mesmo de quilômetros rodados em estradas para transporte de comida dentro do país em si contribuem muito mais para o problema.[9]

Calcule as suas pegadas de carbono

Um bom começo quando se decide reduzir as próprias emissões de carbono é descobrir quais são elas. Agora há muitas calculadoras disponíveis na internet que podem ajudá-lo com a tarefa de precisar o volume de emissões de gases do efeito estufa pelas quais você é pessoalmente responsável. Até agora, todos nós estamos sofrendo de uma versão climática da síndrome de déficit de atenção — ou talvez devêssemos chamá-la de síndrome de déficit de informação. A maioria de nós não tem idéia de por quanto gás do efeito estufa é responsável, nem mesmo de quais aspectos da nossa vida são mais poluentes ou mais fáceis de serem alterados.

Em casa, no trabalho ou na escola

Tire a tomada da parede

Uma das maneiras mais simples e mais eficientes de se combater a mudança climática é desligar aparelhos eletrônicos quando você não os estiver usando. E isso significa desligá-los mesmo — da tomada, se necessário —, e não apenas deixá-los no modo standby. É incrível pensarmos que nos tornamos tão perdulários com energia a ponto de aparelhos serem projetados para precisarem de energia quando não estão fazendo nada. E isso faz muita diferença. A International Energy Authority estima que aparelhos colocados no modo standby custam ao mundo 1% das nossas emissões de gases do efeito estufa — quase o mesmo de toda a indústria da aviação.

E todo esse uso desnecessário de eletricidade desperdiça dinheiro, bem como emissões. De acordo com pesquisadores do Lawrence Berkeley National Laboratory, da Califórnia, consumidores residenciais nos Estados Unidos gastam mais de US$ 4 *bilhões* em standby todos os anos.[10]

Fique quentinho, fique fresquinho

Faz total sentido, do ponto de vista climático, certificar-se se a sua casa está bem protegida dos elementos da natureza. Qualquer calor que escape no inverno, ou ar frio no verão, significa que você terá de desperdiçar mais emissões. Se você mora em uma casa, certifique-se de que o isolamento no sótão é tão bom quanto possível. Sele escapes de ar ao redor de janelas e considere a instalação de cortinas. E, sim, pense também na possibilidade de alterar a temperatura do seu termostato. Muitas casas são aquecidas além do necessário no inverno e hiper-resfriadas no verão.

Se você está se mudando, pergunte ao vendedor ou ao proprietário quão eficiente do ponto de vista energético é a nova casa e não tenha receio de solicitar alterações — tal como um melhor isolamento térmico — que melhorarão a eficiência.

Mudar as lâmpadas

É mais do que hora das velhas e dispendiosas lâmpadas incandescentes serem relegadas ao ferro-velho da história. Lâmpadas novas e econômicas funcionam às mil maravilhas e com apenas uma fração do dispêndio de eletricidade (e, portanto, de emissões) das lâmpadas normais. Custam um pouco mais caro — embora possivelmente isso vá mudar — mas se pagam muitas vezes com a economia de energia. De fato vale a pena mudar todas as lâmpadas da sua casa.

Comprar os aparelhos mais eficientes do mercado do ponto de vista de energia

A maior parte dos eletrodomésticos da linha branca, tal como refrigeradores, máquinas de lavar etc., têm se tornado mais eficientes a cada novo modelo. Fabricantes fizeram isso expressamente porque os governos insistiram para que as máquinas mostrassem de forma clara quanto de energia gastam, e os consumidores ouviram os seus bolsos. Faz todo o sentido comprar os últimos e mais eficientes modelos cada vez que você precisa adquirir máquinas novas. Também faz sentido lavar as suas roupas na temperatura mais fria possível.

O Energy Saving Trust (a Agência de Economia de Energia da Grã-Bretanha) observa que engenhocas eletrônicas, enquanto isso, têm ido justamente na direção contrária — tornando-se mais sequiosas por energia a cada novo modelo. Rádios digitais, por exemplo, consomem muito mais energia do que seus primos analógicos, e tevês de plasma são monstruosos gastadores de energia. Se você quer comprar uma tevê de tela plana, prefira uma LCD, que consome muito menos eletricidade.

É uma boa prática minimizar a quantidade de aparelhos e sempre pedir os modelos mais eficientes do ponto de vista de energia. Não estamos falando de contar centavos. Estamos falando de tratar a energia como o precioso recurso que ela de fato é. Além disso, assim como ocorre com eletrodomésticos da linha branca, quanto mais os consumidores buscarem aparelhos eficazes, maior pressão haverá para que os fabricantes atendam essa demanda.

Reciclar e reutilizar

É um clichê, mas de fato ajuda se você reutilizar sacos plásticos, minimizar o uso de pacotes e reciclar o máximo possível, sobretudo latas de alumínio. Tudo o que poupa energia é bom para a redução de emissões de gases do efeito estufa, e reutilizar sacos plásticos, mesmo que uma só vez, significa redução da energia necessária para fabricar mais sacos. O mesmo se aplica para todas a parafernália de pacotes que os supermercados tentam vender a você.* Além disso, grande parte das coisas que você joga fora termina em aterros de lixo, onde cria metano — um gás do efeito estufa ainda mais potente do que o dióxido de carbono.

Observe exatamente quanta eletricidade você está usando

Se você pode, é uma boa idéia arranjar um "smart meter". É um aparelho simples que mostra de forma clara, na sua sala ou na sua cozinha, exatamente quanta energia você está usando. Alguns também mostrarão de que forma o consumo atual se compara com o da semana passada, ou com o do ano passado. Pesquisas mostram que pessoas que sabem quanta energia estão usando tendem a reduzi-la. Além disso é gratificante ver de que forma os seus esforços para reduzir emissões estão sendo recompensados.

---

* Em vários países europeus, por exemplo, é costume mercados e supermercados cobrarem por sacola plástica fornecida. (N. da T.)

Mude para um fornecedor "ecológico"

Veja se você pode mudar para uma companhia fornecedora de eletricidade que forneça apenas energia renovável ou de baixo carbono. Não haverá energia renovável ou de baixo carbono para todo mundo, mas quanto mais pessoas pedirem, mais pressão haverá para que as companhias elétricas encontrem alternativas.

Faça você mesmo

Já existem tecnologias para instalação de turbinas eólicas e painéis solares em prédios, embora ainda custem caro. Os preços começarão a cair à medida que mais pessoas as adotarem, e o planejamento de emissões se tornará gradualmente mais fácil à medida que a atitude das pessoas mudar. Espere só para ver as unidades de aquecimento e energia combinados, de tamanho residencial, que logo entrarão no mercado. Elas possibilitarão a queima de gás para produção de eletricidade e também o uso direto do aquecimento que essa queima gera.

Viagens

Reduza as emissões do seu carro

Veículos automotores são responsáveis por espantosos 10% de todas as emissões globais de gases do efeito estufa. Pior que isso: uma surpreendente proporção de trajetos feitos pelos carros que geram essas emissões são trajetos de curta distância. Considere a possibilidade de caminhar ou ir de bicicleta. Tente agrupar os percursos que você precisa realizar, ou pegar um ônibus ou até mesmo um trem, se possível. Às vezes, sobretudo para percorrer longas distâncias, o trem pode ser fantástico — uma maneira tranqüila de viajar, responsável por apenas um décimo das emissões por passageiro de um carro comum.

Se você mora em uma cidade ou até mesmo em uma metrópole, use e abuse do transporte público, sempre que puder. Se você mora no interior, tente convencer a administração local a estabelecer um serviço de ônibus sob encomenda, tal como o Wigglybus, do Reino Unido, que tem rotas flexíveis e pode ser reservado pelas pessoas até mesmo depois que o veículo já está em movimento.

Se você trocar de carro, pense na possibilidade de comprar um veículo híbrido, ou um que seja movido a biodiesel. Escolha modelos que sejam mais eficientes. Considere a possibilidade de fazer um curso de ecodireção, para aprender a como tirar o máximo de cada preciosa gota de gasolina. E verifique sempre se os seus pneus estão devidamente cheios.

Voe menos — e se voar, compense o carbono

Não é totalmente justo acusar a aviação e dizer que ela é o maior vilão do clima. Na verdade, três quartos das emissões derivadas de transportes do mundo provêm de veículos de estradas, e a aviação responde por apenas poucos pontos percentuais das emissões globais de gases de efeito estufa.

Porém, a aviação com certeza acrescenta bastante para o histórico de emissões de um indivíduo, as chamadas "pegadas de carbono". Há hoje alguns avanços em melhora na eficiência de aviões e novas tentativas para encontrar alternativas de baixo carbono para o combustível utilizado. Mas novos combustíveis provavelmente não estarão disponíveis nas próximas décadas, e qualquer aprimoramento na eficiência parece que será sobrepujado pelo crescente peso do número de passageiros.

De forma que é definitivamente uma boa idéia tentar voar menos. Se você precisar voar, escolha uma companhia aérea com uma frota jovem e, portanto, mais eficiente. Se se trata de um vôo de curta distância, verifique se um trem não daria conta do recado. Pense na possibilidade de compensar as emissões do seu vôo e, se você o fizer, certifique-se de escolher uma companhia confiável, com projetos que tenham aderido ao Gold Standard.

Exerça influência

Mantenha-se informado

A história do clima — do ponto de vista científico, tecnológico e sobretudo político — está sendo escrita todos os dias. Pode ser difícil encontrar um caminho na tempestade de informações, mas vale a pena estar informado. Ao final deste livro, listamos alguns bons sites e fontes de informação confiáveis. (Como tudo na vida, quando precisamos decidir em quem confiar, uma das melhores maneiras é observar o que têm a ganhar os potenciais depositários de confiança.) Nós também faremos o melhor para manter o nosso próprio site, www.thehottopic.net, abastecido com as últimas informações.

Mantenha a mente aberta

Você pode fazer uma grande diferença ao estar preparado para considerar algumas das mais controversas soluções propostas para o problema. Por exemplo, a criação de novas fazendas de vento muitas vezes se emperrava no estágio de planejamento de autorizações locais, e a energia nuclear tem um vasto quórum de oponentes que muitas vezes não estão preparados para pesar os prós da mesma forma que pesam os contras. Mantenha sua mente o mais aberta possível; considere todos os argumentos à luz da séria ameaça que é a mudança climática. E lembre-se de que qualquer tipo de mudança — em especial uma mudança cultural da magnitude que precisamos — também requer escolhas difíceis. Nós, seres humanos, por natureza somos profundamente conservadores, mas na prática usamos nossa flexibilidade e nossa ingenuidade para grande efeito no mundo. Essas são as qualidades que todos nós precisamos usar, para o bem do clima.

Também será importante estar receptivo a novas e inventivas idéias que podem nos ajudar a combater o problema. Uma sugestão intrigante é a de permissões individuais de carbono, muitas vezes apresentada na forma de cartões de crédito de carbono. Isso funcionaria como um cartão pré-pago para telefone celular. Cada adulto receberia uma quantidade de permissões de emissão, para ser usada com, digamos, eletricidade, aquecimento e transporte pessoal. A cada compra em uma dessas áreas o cartão de crédito de carbono seria passado, e o saldo, atualizado. Se você precisar mais do que a sua cota, você paga para recarregar o seu cartão. Se você precisa menos da sua cota, você pode vender o excedente. O sistema para pagar pela recarga do cartão ou para sacar o dinheiro proveniente da venda de permissões excedentes poderia ser tão simples quanto um caixa automático de banco.

A maior parte das versões dessa idéia pressupõe que o sistema será aplicado apenas dentro de uma nação. Mas há algumas variações potencialmente interessantes. Por exemplo, cada um de nós poderia ter uma quota pessoal para as nossas emissões domésticas, mas a qualquer viagem internacional precisaria de créditos de carbono de projetos Gold Standard creditados em outros continentes.

Uma grande vantagem de uma abordagem dessas é que concentraria nossa atenção exatamente nas emissões por que somos responsáveis e nos encorajaria a fazer algo especificamente a respeito disso. O governo britânico encomendou um relatório preliminar a fim de estudar o escopo dos diferentes esquemas propostos até agora, e trata-se de uma leitura fascinante.[11]

Vote com a sua cédula eleitoral, a sua carteira e com os pés no chão

Quando você votar, verifique qual a posição dos candidatos quanto às questões climáticas e faça pressão para que eles levem a sério o aquecimento global. Há vários websites que podem lhe informar o que o seu representante disse sobre o assunto. Mesmo se falta muito tempo para uma eleição, pressione os seus representantes locais por e-mail ou carta. O capítulo 11 explica que tipo de acordo internacional sobre o clima eles deveriam estar defendendo. Diga-lhes que eles precisam ir atrás de um acordo para manter os gases do efeito estufa abaixo dos 450 ppm CO_2eq. Peça que se esforcem pelo estabelecimento de políticas nacionais importantes, sobretudo a devida rotulação de todos os produtos, de acordo com o impacto que eles têm no efeito estufa, de forma que você, consumidor, possa fazer escolhas esclarecidas.

Como descrevemos antes, mesmo sem ter a informação completa das emissões de toda vida de um produto, ainda assim é possível fazer uma diferença, através do que você compra e de como você viaja. Vale a pena manter o clima em mente a cada tomada de decisão financeira.

Aja localmente para mudar as coisas globalmente

Estão cada vez mais evidentes em todo o mundo as provas de que pressão exercida por organizações locais, câmaras legislativas municipais e estaduais pode influenciar políticas nacionais relacionadas à mudança climática. Já descrevemos no capítulo 13 de que forma ações realizadas nos Estados Unidos por prefeitos, pela Califórnia e pelos estados do nordeste do país ajudaram a mostrar a postura do presidente Bush, contrária a qualquer providência cabível, em uma luz cada vez mais desfavorável. E também há a cidade de Austin, Texas, que fica no coração da região petrolífera do país, num dos estados mais conservadores da federação, mas é uma das mais progressistas quando se trata de lidar com o aquecimento global. O Plano de Proteção do Clima de Austin é tão abrangente que deveria envergonhar qualquer outro governo não levá-lo à ação.[12] O plano é fazer com que todas as operações da cidade sejam neutras em emissão de carbono até 2020, implementar "o mais agressivo plano público de redução de gases do efeito estufa de toda a nação", tornar as diretrizes de construção da cidade as mais eficientes dos Estados Unidos e encorajar todas as empresas e todos os indivíduos a reduzirem suas pegadas de carbono a zero.

Na verdade, em todo o mundo, metrópoles, cidades e comunidades não estão sentadas esperando os governos agirem; em vez disso, estão tomando para si a responsabilidade de tratar da questão climática. No Reino Unido, por exemplo, a cidade de Newcastle tem ambições de ser a primeira no mundo a se tornar inteiramente neutra em carbono. Implementou uma série de políticas, a começar no própria câmara de vereadores, mas indo bem além, para encorajar tanto empresas como cidadãos locais a mudarem a forma de se relacionar com o clima sem prejudicar os seus estilos de vida. A iniciativa é altamente popular, e agora políticos da cidade precisam competir uns com os outros para mostrar seu comprometimento no combate à mudança climática.[13] E a pressão exercida sobre o primeiro-ministro da Austrália por estados isolados ajudou a transformar um esquema nacional de comércio de emissões, de um sonho distante, em realidade.

Pressões desse tipo sequer ficam confinadas aos países desenvolvidos. A província de Western Cape, na África do Sul, corre sérios riscos de ser muito prejudicada com futuras mudanças no clima, e os habitantes sabem disso. Assim, em vez de esperarem sentados para que o governo nacional aja, o governo regional da província decidiu tomar suas próprias iniciativas. Em julho de 2007, publicou um detalhado documento estratégico que explicava de que forma se planejava melhorar a eficiência, mudar para fontes renováveis de energia e reduzir emissões de carbono em geral.[14] As metas são impressionantes. Até 2014, o governo da área planeja melhorar a eficiência energética da área em 15%, gerar 15% da eletricidade a partir de fontes renováveis e reduzir as emissões de gases do efeito estufa em 10%. São notícias maravilhosas. Tal iniciativa, tomada em um país em desenvolvimento, poderia ter repercussões políticas mais significativas do que os cortes de emissões em si.

O resumo da ópera de tudo isso é que fazer pressão para mudar os hábitos na sua escola, no seu local de trabalho e na câmara legislativa municipal pode, de fato, fazer a diferença. À medida que as iniciativas locais se espalharem e políticos locais entenderem o recado de que políticas relacionadas ao aquecimento global são importantes, pequenas sementes podem florescer de forma rápida e eficiente. Se Newcastle, Austin e a província de Western Cape podem fazê-lo, todos nós podemos.

Seja otimista

Não saia por aí esfregando na cara dos outros o quão mais consciente você é do que eles. A experiência sugere que fazer as pessoas se sentirem culpadas torna ainda mais difícil elas agirem — e nada mais. E nenhum de nós tem o direito de ser presunçoso, não importa o que estejamos fazendo para reduzir as nossas emissões. Desde o dia em que nascemos, cada um de nós tem inadvertidamente contribuído para o problema do efeito estufa, e a riqueza de que gozamos foi construída sobre as emissões de gerações antes de nós. Qualquer coisa que façamos agora ainda é fazer nada mais do que pagar uma pequena fração dessa velha dívida. Pensar de outra maneira é acreditar que, uma vez que você comprou o seu Prius, a mudança climática passa a ser um problema de outra pessoa. Não é assim. Todos nós somos responsáveis, e continuaremos a ser até que tenhamos freado as emissões de gases do efeito estufa.

É, entretanto, uma boa idéia observar os esforços de outras pessoas para reduzir emissões. As últimas pesquisas sugerem que as pessoas agem de forma mais altruísta quanto ao clima se percebem que isso melhora a sua reputação.[15] Um pouco de persuasão também pode ajudar, assim como tomar a iniciativa. Se você implementou maneiras de cortar as emissões de carbono na sua casa, veja se pode estabelecê-las no seu local de trabalho ou na sua escola.

Pesquisas de opinião diferem sobre como as pessoas se sentem quanto à mudança climática e no que elas hoje acreditam. Mas ainda há uma parcela substancial de pessoas que pensa que o problema não é importante, ou que não é problema delas.[16] Uma maneira de ajudar é convencer as pessoas com quem você convive a levar a sério o aquecimento global. (Nosso manual de mitos sobre a mudança climática provavelmente será útil.)

Também é importante não cair na armadilha de pensar que o que você faz para mudar a sua vida não faz diferença alguma. Faz, sim. Mesmo se o volume de emissões que você conseguiu cortar é apenas uma pequena proporção do total global, a única maneira de conseguirmos resolver o problema do clima é fazê-lo todos juntos. Negociadores do Reino Unido já descobriram que a decisão unilateral do país de cortar emissões em 60% até 2050 fez com que países em desenvolvimento como a China e o Brasil imediatamente o levassem a sério. E as ações de indivíduos podem pressionar para que o governo faça algo — como a situação nos Estados Unidos deixa claro.

Sobretudo, não se desespere. O problema climático é com certeza muito sério, mas não é intratável. Se você ainda precisa ser convencido, eis uma imagem final que deverá animá-lo. Quando aprendermos a captar a luz do sol devidamente, teremos toda a energia de que precisamos, bem nas nossas portas. Energia suficiente para dar conta de toda a demanda do mundo pode ser tirada das áreas contidas nesses seis pequenos quadrados de terra.[17]

Se toda a luz do sol que cai sobre cada uma das áreas dentro desses seis quadrados pudesse ser captada, isso cobriria todas as demandas de energia do mundo. (Fonte: Nathan Lewis)

ÁSIA E RÚSSIA
ÁFRICA
AUSTRALÁSIA

AGRADECIMENTOS

Os autores gostariam de agradecer às seguintes pessoas:

Pela inspiração e pelo aconselhamento, especificamente sobre a mudança climática:

Richard Alley, Michael Bender, Henry Derwent, Laura Garwin, John Houghton, Geoff Jenkins, Ralph Keeling, Oliver Morton, Robert Napier, Fred Pearce, John Pyle, Dan Schrag, Jeremy Webb e David Warrilow

Pela leitura e pelo comentário do original, integral ou em parte:

Fred Barron, David Bodanis, Partha Dasgupta, Michael Evans, Tim Flannery, Jim Lovelock, Rosa Malloy, Oliver Morton, Nick Rowley e Bob Watson

Pelo apoio, sobretudo durante a redação do livro:

Fred Barron, Stephen Battersby, Yann Golzio, Ben King, Toby King, Emily King e Zach King, Jane Lichtenstein, Rosa Malloy, Damian Malloy, Dominick McIntyre, Philippe Mottin, Christine Nesme, Jean-Chris Sinardet, Helene Sinardet, Sammy e Minnie Sinardet, Simon e Anita Singh, Karen Southwell, Helen, Ed e Christian Southworth, Jayne Thomas e John Vandecar

Agradecimentos especiais aos nossos editores, Bill Swainson e Emily Sweet, da editora Bloomsbury, e Andrea Schulz, da Harcourt, e aos nossos agentes, Michael Carlisle e Susan Hobson, da Inkwell. E agradecimentos mais do que especiais para Michael Evans e Hubert Sinardet: sem eles este livro não teria sido escrito.

ANEXO

Mitos sobre o clima, meias-verdades e informações equivocadas

A ciência do aquecimento

A Terra não está aquecendo de verdade

Está, sim. Os anos 1998 e 2005 foram os dois mais quentes já registrados (isto é, nos últimos 150 anos). Os anos 2002, 2003 e 2004 foram, respectivamente, o terceiro, o quarto e o quinto colocados. Na verdade, dez dos últimos 11 anos estão entre os 11 anos mais quentes. Reconstituições de temperaturas passadas realizadas por meio de corais, testemunhos de gelo e outras técnicas mostram que a temperatura está mais quente agora do que nos últimos 1.000 anos e provavelmente mesmo antes disso (ver capítulo 1).

Na Idade Média era mais quente do que agora

Não, não era. As temperaturas estão mais altas agora do que jamais estiveram nos últimos 1.000 anos (ver capítulo 1).

Os testemunhos de gelo mostram que no final de eras do gelo as temperaturas sobem antes da elevação do CO_2, então o CO_2 não pode ser o causador do aquecimento

Os testemunhos de gelo mostram um lapso de tempo entre o início do aquecimento e a elevação do CO_2 no final de cada era do gelo. Porém, isso não significa que o dióxido de carbono não causa aquecimento. Na verdade, ninguém pensa que o dióxido de carbono seja aquilo que põe fim às eras de gelo. Em vez disso, uma oscilação na órbita do nosso planeta altera a distribuição da luz que recebemos do Sol. Isso causa um ligeiro aquecimento que detona outros processos que por sua vez liberam dióxido de carbono. Por exemplo, um oceano mais quente absorve menos dióxido de carbono, de forma que mais dióxido de carbono fica livre na atmosfera. Além disso, um clima mais quente e úmido significa que menos poeira rica em ferro é soprada sobre o mar. Nas eras do gelo, esse ferro provavelmente alimenta o crescimento de plânctons, que absorvem dióxido de carbono. Corte esta fonte de nutriente, e você terá menos plânctons e, portanto, mais CO_2.

A parte importante é o que acontece a seguir. O dióxido de carbono extra por si só causa aquecimento, o que origina mais dióxido de carbono, que origina mais aquecimento. De acordo com os testemunhos de gelo, o aquecimento total leva uns 5 mil anos para se completar. A ligeira alteração na insolação causada pela oscilação da órbita da Terra nem de longe seria o suficiente para fazer todo o trabalho sozinha. Em vez disso, a maior parte do aquecimento (depois das primeiras centenas de anos) seria causada por feedbacks, inclusive do dióxido de carbono.

Trata-se de um processo perfeitamente natural, que só é usado por estudiosos do clima para mostrar que uma elevação de dióxido de carbono de fato aquece a Terra, mesmo se for uma alteração mínima. A elevação ao final de uma era do gelo, aliás, levou os níveis de dióxido de carbono a um nível muito inferior ao de hoje (ver capítulo 1).

As temperaturas estavam caindo em meados do século XX apesar do nível de CO_2 estar aumentando, então o CO_2 não pode causar aquecimento

Esse é um argumento muito popular usado por céticos, mas patina no fato de que cientistas conseguem explicar por que as temperaturas caíram um pouco em meados do século XX no hemisfério norte. Na verdade, a queima de combustíveis fósseis sujos produz partículas que contêm enxofre, chamadas aerossóis, que refletem a luz do sol de volta ao espaço, ajudando assim a refrescar o planeta. Ou seja, elas fazem uma espécie de cabo-de-guerra com o dióxido de carbono, criando um resfriamento que equilibra o aquecimento gerado pelo efeito estufa.

Pesquisadores agora acreditam que esses aerossóis foram os responsáveis pelo ligeiro resfriamento que ocorreu entre 1940 e o final da década de 1960. As razões pela qual o resfriamento não continuou são duas: ao banir os combustíveis que estavam sufocando as nossas cidades, limpamos os nossos processos e os níveis de dióxido de carbono subiram tanto que venceram o cabo-de-guerra. Além disso, a razão pela qual esse resfriamento só ocorreu no hemisfério norte é que não havia massa terrestre o suficiente nem indústrias em quantidade suficiente no hemisfério sul para produzir aerossóis em quantidade a contrabalançar o efeito do dióxido de carbono (ver capítulo 2).

Emissões de dióxido de carbono de origem humana são minúsculas quando comparadas com emissões de fontes naturais, então não podem ser assim tão relevantes

É verdade que as fontes naturais emitem muito mais dióxido de carbono do que os humanos, mas também é verdade que as fontes naturais absorvem muito mais dióxido de carbono. Falando de modo geral, a natureza está em equilíbrio no que diz respeito ao carbono. As emissões humanas é que tiraram o mundo desse equilíbrio.

Concentrações de dióxido de carbono são minúsculas quando comparadas com outros gases da atmosfera, então não podem ser assim tão relevantes

O dióxido de carbono de fato responde por apenas uma pequena parte da atmosfera; há apenas quatro moléculas de CO_2 para cada 10 mil moléculas que compõem o ar. Mas o dióxido de carbono luta acima do seu peso quando se trata do efeito estufa. Os principais constituintes do ar — nitrogênio e oxigênio — não conseguem absorver nenhuma radiação infravermelha. Já o dióxido de carbono, mesmo em pequenas quantidades, absorve calor de forma muito eficaz. E também dispara processos de feedback que permitem que o ar absorva mais água — que é um gás do efeito estufa por si só. Assim, alterar o CO_2 e os outros gases de efeito estufa ainda que numa pequena proporção pode afetar a temperatura de toda a atmosfera, da mesma forma que acrescentar algumas gotas de tinta pode mudar a cor de toda uma banheira cheia d'água (ver capítulo 1).

Os humanos não são responsáveis pelo aquecimento — é tudo uma questão de ciclos/mudanças naturais no Sol

Na verdade, o aquecimento registrado ao longo das últimas décadas foi todo ele causado pela ação humana. Não há ciclo natural que possa explicar o que vimos, e o Sol está indo noutra direção. (Sem a ação humana, o Sol teria causado um suave resfriamento!) Mais ainda: os modelos climáticos mostram que as elevações registradas na concentração dos gases do efeito estufa deveriam causar exatamente as mudanças que nós já vimos. Não há mais espaço para dúvidas quanto a isso. A culpa é nossa mesmo (ver capítulo 2).

Impactos da mudança climática

O clima da Terra está em constante mudança, então, por que se preocupar?

O clima do nosso planeta é com certeza muito instável, e no passado já esteve bem mais quente e bem mais frio do que hoje. Mas toda a civilização humana foi construída no clima que temos agora. Por exemplo, há apenas algumas centenas de milhares de anos, o nível do mar estava vários metros acima do nível de hoje, mas naquela época não havia nenhuma cidade costeira esperando para ser inundada (ver capítulo 1).

Um pouco de aquecimento até que seria bom

Há no mundo algumas regiões onde um pouco de aquecimento poderia, de fato, ser algo bom. Por exemplo, nas latitudes médias — norte da Europa, Estados Unidos e parte da Rússia — uma elevação de temperatura na ordem de 2ºC faria com que a produção agrícola total aumentasse. Entretanto, o problema da mudança climática é que você não pode escolher quais efeitos quer e quais não quer. Até mesmo no caso desses países, o aumento da produção de alimentos viria acompanhado de uma movimentação em direção ao norte dos trajetos de tempestades (menos chuva, mais incêndios e estiagens), tempestades individualmente mais intensas (riscos de inundação), elevação do nível do mar, tempestades ainda mais intensas (ameaça às cidades costeiras) e ondas de calor mais fortes (mortandade em massa e ameaça às lavouras). Nas partes mais pobres do mundo, os efeitos serão mais severos, mesmo com uma elevação apenas modesta na temperatura. Na verdade, isso já está acontecendo. Mesmo se você não se sentir mobilizado a agir por uma questão de justiça social, é preciso se dar conta de que, numa economia globalizada, o que acontece com alguns países acaba afetando todos os demais.

A probabilidade é a de que, aconteça o que acontecer, vivenciaremos os efeitos de alguns graus de aquecimento — já é tarde demais para evitar isso. Mas quaisquer providências que tomemos agora poderiam nos ajudar a evitar um aquecimento ainda pior, que prejudicaria seriamente até mesmo os países mais setentrionais (ver capítulos 4, 5 e 6).

Se o mundo se tornar mais quente, menos pessoas morrerão de frio

É verdade que haverá menos acontecimentos de extremo frio no mundo, e a redução nas mortes causadas pelo frio quase com certeza mais do que equilibrariam o número de mortes causadas por ondas de calor. Mas isso não significa que a humanidade sobreviverá melhor. Além de mortes causadas diretamente pelo calor, as pessoas também estarão mais vulneráveis a enchentes, doenças infecciosas e fome. O relatório IPCC é inequívoco quanto a isso. O artigo "Impactos e adaptações", do grupo de trabalho II, capítulo 8, diz claramente que, em termos de números de vidas, esses riscos intensificados ultrapassam a redução de mortes causadas pelo frio.

Entretanto, muitas dessas mortes também podem ser evitadas, desde que nos adaptemos às mudanças que já são inevitáveis (capítulo 3) e reduzamos emissões de gases do efeito estufa para que as mudanças não sejam ainda piores (ver capítulo 6 em diante). Conforme declarou o cientista alemão John Schellnhuber, precisamos "evitar o incontrolável e controlar o evitável".

"Pornografia climática", ou desastres que não estão necessariamente esperando para acontecer

A correia transportadora do oceano está prestes a ser desligada e mergulhar o mundo em uma era do gelo

Na verdade, embora esse popular cenário de desastre tenha sido usado no filme *O Dia Depois de Amanhã*, isso dificilmente aconteceria, pelo menos não nesse século, mesmo se não agíssemos para cortar a emissão de gases do efeito estufa (ver capítulo 5).

A Antártida está prestes a deslizar para dentro do mar

A parte oriental da Antártida, mais antiga e fria, dificilmente derreterá, mesmo se as temperaturas se elevarem de forma drástica. Ninguém sabe ao certo quão seguro é o mais vulnerável manto de gelo da Antártida ocidental, mas provavelmente podemos salvar a maior parte dele do degelo se agirmos rápido (ver capítulo 5).

A floresta amazônica já está condenada

Apesar de um modelo sugerir que grandes partes da Amazônia poderiam estar vulneráveis por volta da metade do século, a maioria diz que a Amazônia provavelmente ficaria intacta até o final do século, mesmo se nada fizéssemos para combater as emissões de gases do efeito estufa.

Se acabássemos com as serras elétricas e dedicássemos nossa atenção à redução das emissões, a Amazônia ainda resistiria por muito tempo.

Informações equivocadas

O desaparecimento das neves do Kilimanjaro prova a existência do aquecimento global

O monte Kilimanjaro é um caso especial que nada nos diz sobre o aquecimento global. A calota de neve existiu por 11 mil anos; está recuando e pode muito bem desaparecer totalmente. Mas não sabemos ainda por quê. Como o recuo começou no início do século XIX, esse movimento inicial não pode ter sido disparado por nenhuma mudança climática causada por humanos (embora possa ter acontecido por causa de alguma outra ação humana, por exemplo, uma variação no padrão de utilização da terra). Entretanto, o aquecimento global pode agora estar ajudando a dar o empurrãozinho final. Corrobora essa idéia o fato do glaciar ter sobrevivido intacto ao longo de milhares de anos de flutuações climáticas naturais e só agora estar a ponto de desaparecer por inteiro. Mas, por hora, simplesmente não podemos ter certeza. Pesquisadores dispõem de apenas alguns anos de medições detalhadas no glaciar do monte Kilimanjaro e, até que tenham à disposição muito mais anos de dados, não podem ter certeza absoluta sobre o que está causando o seu desaparecimento.

Entretanto, toda a comoção quanto ao Kilimanjaro é apenas uma distração do quadro geral. Glaciares estão diminuindo em todo o mundo, dos trópicos aos pólos, e em muitos desses casos a causa é claramente o aquecimento global.

A guerra em Darfur / o furacão Katrina foi causada/o pelo aquecimento global

Na verdade, não sabemos. Os cientistas não podem atribuir com certeza nenhum acontecimento isolado ao aquecimento global. Entretanto, eles afirmam que furacões/estiagens/enchentes/fome estão a caminho como resultado da mudança climática. Mas é possível aprender com as nossas aflições passadas. Independente dos acontecimentos em Nova Orleans e em Darfur terem ou não sido "causados" pelo aquecimento global, ainda assim nos mostram quão devastadoras as mudanças climáticas podem ser se não estamos devidamente preparados (ver capítulo 3).

A força da tecnologia

Nada de terrível acontecerá nas próximas décadas, então devemos esperar até que surjam novas tecnologias que possam resolver o problema

Precisaremos de novas tecnologias para sair dessa enrascada climática. Mas, além de precisarmos desenvolvê-las, também será necessário começar a usar as tecnologias e estratégias de eficiência energética de que já dispomos (capítulos 7 a 9). Uma perigosa mudança climática já está entre nós, e haverá mais por vir nas próximas décadas, independente do que fizermos hoje (ver capítulos 3 e 4). Mais importante: quanto mais esperarmos, mais difícil será evitar as piores conseqüências de futuras mudanças climáticas. Conforme explicamos no capítulo 6, precisamos manter os níveis de gases do efeito estufa abaixo dos 450 ppm CO_2eq. Para conseguirmos isso, os picos das emissões terão de ocorrer nos próximos 15 anos, e então haver uma queda. A única opção é fazer algo agora.

Economia

Não temos dinheiro para combater a mudança climática

Na verdade, combater a mudança climática é algo que acaba se mostrando incrivelmente barato. Muitas das estratégias que precisaremos empregar para melhorar eficiências energéticas irão economizar dinheiro onde antes havia desperdício (ver capítulo 10), e investimentos em novas tecnologias podem muito bem disparar um crescimento econômico.

Faríamos melhor investindo esse dinheiro em ajuda humanitária

Isso é, na melhor das hipóteses, uma idéia equivocada. Primeiro, porque, se o dinheiro não é usado para lidar com a mudança climática, é muito pouco provável que seja destinado à ajuda humanitária. (Por exemplo, a Agência Internacional de Energia prevê que mais de US$ 20 trilhões precisarão ser investidos de agora até 2030 para dar conta da crescente demanda mundial de energia. O que se pode fazer é optar entre investir em combustíveis fósseis ou em formas de energia de baixo carbono, em vez de se discutir em onde mais gastar nosso dinheiro.)

Além disso, não se trata de tentar resolver todos os problemas do mundo — o que não é uma tragédia em si, já que essa meta até hoje nos escapou. Em vez disso, trata-se de resolver um problema específico, que se impõe a todos nós, de forma a podermos deixar aos nossos netos um clima que eles possam suportar.

Conforme já dissemos, as próximas duas décadas oferecem nossa única possível janela de oportunidade para frear os níveis de gases do efeito estufa na atmosfera em um nível que permita que se atinja essa meta. Depois disso, nenhuma outra geração de seres humanos poderá controlar o problema do efeito estufa. Para nós, nossos filhos ou nossos netos, já será tarde demais.

Por causa disso, acreditamos que é melhor pensar nos custos da mudança climática como uma política de seguros contra um futuro perigoso em vez de como uma forma de solidariedade. E, vista dessa forma, a questão mostra-se uma pechincha. A quantia de dinheiro que seria necessária anualmente para lidar com a mudança climática não chega à metade do volume de negócios da indústria mundial de seguros (ver capítulo 10).

Política

Não faz sentido fazer qualquer coisa que seja, pois as novas usinas de energia da China neutralizarão qualquer efeito

Nunca chegaremos a um tratado internacional sobre a mudança climática a menos que todo mundo se responsabilize por suas emissões. Sim, a China é o maior emissor em números absolutos, e um dos países cujas emissões mais crescem. Mas ainda emite muito menos gases do efeito estufa per capita do que todos os países desenvolvidos. Também, até hoje, foi responsável por apenas uma pequena parte do problema. Para que haja alguma chance de se persuadir os países em desenvolvimento a tomar parte em um acordo internacional, os países desenvolvidos — até hoje os principais causadores do problema — precisarão combater as próprias emissões. Negociadores do Reino Unido acharam que o comprometimento unilateral do governo do seu país em reduzir as emissões em 60% até 2050 fez uma grande diferença na maneira como foram recebidos pelos países em desenvolvimento, mesmo que o volume de emissões envolvido seja apenas uma pequena proporção do total global (ver capítulos 12 e 13).

Já é tarde demais, e não há nada que possamos fazer

Não é tarde demais, e *há*, sim, várias coisas que podemos fazer. Embora não possamos brecar os efeitos iniciais da mudança climática, alguns dos quais já estão entre nós, ainda assim temos a chance de evitar os piores efeitos que podem ser jogados sobre nós. Nesse livro, expusemos as possíveis soluções ao problema: adaptações (capítulo 3), tecnologias (capítulos de 6 a 9), economia (capítulo 10) e políticas (capítulos 11 a 13). Também mostramos o que é possível fazer para tornar isso tudo realidade (capítulo 14). Não é hora de entrar em pânico, nem de enterrar a cabeça no chão. É hora de agir.

GLOSSÁRIO

"Business as usual" — Essa expressão é usada em todos os relatórios IPCC e em muitas outras análises do efeito estufa para se referir à projeção de cenário em que nada é feito para se reduzir emissões de gases do efeito estufa.

Captura e Armazenagem de Carbono (CAC) — A idéia é queimar combustíveis fósseis da maneira usual a fim de gerar energia, mas, após a queima, enterrar o dióxido de carbono antes que ele possa escapar para a atmosfera. Esse processo tem a grande vantagem de poder reduzir as emissões de usinas de energia movidas a combustíveis fósseis, assim dando ao mundo um tempo adicional para desenvolver novas alternativas de baixa emissão de carbono. É provável que o CAC se mostre mais importante para países como a Índia e a China, que estão explorando suas vastas reservas de carvão a uma velocidade crescente como forma de abastecer um desenvolvimento econômico extremamente rápido. Entretanto, a tecnologia ainda não se encontra em fase comercial, e usinas de energia que usem o sistema CAC sempre serão mais caras do que aquelas que simplesmente liberarem as emissões na atmosfera, de modo que algum tipo de mecanismo econômico será necessário para torná-la viável.

CO_2eq — Trata-se de uma abreviação de "equivalente de dióxido de carbono" e é uma unidade de medida que leva em conta os efeitos combinados de todos os gases do efeito estufa: dióxido de carbono, óxido nitroso, metano e gases de efeito estufa menos abundantes, como os clorofluorcarbonetos.

É uma unidade de medida importante, pois diferentes gases do efeito estufa provocam aquecimento em intensidades diferentes. Então, para descobrir quanto de aquecimento podemos esperar de todos eles, não basta apenas somar suas concentrações. Em vez disso, pesquisadores atribuem um peso diferente à concentração de cada gás, de acordo com sua potência quanto ao efeito estufa, usando o dióxido de carbono como padrão.

O número resultante fornece o valor da massa de puro dióxido de carbono que teria o mesmo efeito de aquecimento de todos os gases do efeito estufa em questão combinados. É uma maneira muito mais eficaz de mensurar os gases do efeito estufa do que considerar apenas o dióxido de carbono, e é o tipo de medição que usamos em todo este livro.

Convenção-Quadro das Nações Unidas sobre as Mudanças Climáticas (UNFCCC, de United Nations Framework Convention on Climate Change) — Trata-se do primeiro tratado internacional sobre o clima. Entrou em vigor em 1994 e desde então foi assinado por 189 países — incluindo os Estados Unidos. O objetivo declarado do tratado é atingir a "... estabilização das concentrações de gases do efeito estufa na atmosfera em um nível que evitaria interferências perigosas [causadas pelo ser humano] no sistema climático".

Implementação Conjunta (IC) — Mecanismo criado para o Protocolo de Kyoto, segundo o qual um país desenvolvido (e rico) pode obter créditos de carbono por meio da implementação de um projeto que vise reduzir emissões em um país relativamente desenvolvido (mais pobre), como, por exemplo, um país do ex-bloco soviético.

Painel Intergovernamental sobre Mudanças Climáticas (IPCC, de Intergovernmental Panel on Climate Change) — Corpo internacional formado por cientistas e representantes de governos de vários países para avaliar a magnitude dos riscos que as mudanças provocadas no clima pela mão humana representam. Foi criado em 1988 e é aberto a todos os membros das Nações Unidas e da Organização Meteorológica Mundial. O IPCC não faz pesquisas próprias. Em vez disso, produz relatórios que sintetizam o atual estado da ciência quanto ao clima.

Como o IPCC precisa refletir uma visão consensada por seus muitos colaboradores, tem a reputação de ser um grupo conservador. Também é amplamente considerado a autoridade máxima em ciência do aquecimento global. Em 2007, foi laureado com o Prêmio Nobel da Paz.

Neste livro, quando escrevemos "relatório do IPCC", estamos nos referindo ao último relatório divulgado, o Fourth Assessment Report (4º Relatório), publicado em novembro de 2007 pela Cambridge University Press. O relatório compreende quatro volumes: embasamento científico, impactos e adaptações, mitigação da mudança climática e uma síntese geral. Tem vários milhares de páginas, levou seis anos para ser organizado e contém contribuições de milhares de cientistas e representantes de governos de mais de 130 países.

Mecanismo de Desenvolvimento Limpo (MDL) — Um instrumento criado para o Protocolo de Kyoto, segundo o qual um país desenvolvido (e, portanto, rico) pode obter créditos de carbono ao implementar um programa para reduzir emissões em um país em desenvolvimento mais pobre, tal como a Índia.

ppm — Abreviação de "partes por milhão". É a unidade de medida em geral usada para gases do efeito estufa, já que esses existem em quantidades relativamente pequenas na atmosfera. Um ppm corresponde a 0,0001%.

Protocolo de Kyoto — O Protocolo de Kyoto nasceu da UNFCCC, em 1997. Estabelece metas de emissões para todos os signatários, com o objetivo de reduzir as emissões globais de gases do efeito estufa em 5% até 2012. Para mais explicações sobre as virtudes e as fraquezas do protocolo e a necessidade de um novo tratado internacional, ver a parte III, em especial os capítulos 10 e 11.

NOTAS

Prefácio

1 D.A. King. *Science*, vol. 303, p. 176-7, 2004. Este artigo é baseado na palestra Zuckerman [promovida anualmente pelo Ministério da Ciência e Inovação inglês], The Science of Climate Change: Adapt, Mitigate or Ignore?, proferida por David King em 2002 e disponível no site www.foundation.org.uk/events/pdf/20021031_King.pdf.

Capítulo 1: O mundo em aquecimento

1 Isto é arriscado pois até mesmo algo que parece uma medição concreta de temperatura pode se revelar como não sendo nada disso. É o caso da famosa "feira sobre o gelo", organizada sobre o rio Tâmisa congelado, em Londres. Apesar de alguns fenômenos relacionados ao frio de fato terem acontecido durante o período conhecido como Pequena Era do Gelo, o rio na verdade congelou 22 vezes desde o século XIII, inclusive em alguns períodos em que se registraram temperaturas altas em outras partes do mundo. A verdadeira razão para o congelamento do rio foram massas localizadas de ar frio, combinadas com vãos de ponte estreitos que barravam a subida da maré (cuja água salgada congela a uma temperatura mais baixa que a água doce). Nenhum congelamento integral ocorreu desde 1835, quando os píeres da Ponte de Londres foram ampliados, facilitando o avanço da maré contra a corrente (a maré misturava-se com a água doce e portanto baixava o ponto de congelamento daquela parte do rio). Ver P.D. Jones, T.J. Osborn e K.R. Briffa. The Evolution of Climate over the Last Millenium. *Science*, vol. 292(5517), p. 662-7, 27 de abril de 2001; DOI: 10.1126/science.1059126, e a discussão em http://www.realclimate.org/index.php/archives/2006/03/art-and-climate/.

2 Não é tão simples quanto parece, porque o crescimento da árvore pode ser influenciado por quantidades de luz solar, umidade e até mesmo pelo crescimento no ano anterior. Mas alguns pesquisadores se tornaram especialistas em reunir todos esses dados a fim de interpretar os registros das árvores.

3 O átomo de oxigênio vem em variedades, chamadas "isótopos", que têm, cada um, um peso atômico diferente. A variação de temperatura altera a razão na qual esses isótopos são incorporados do ar à neve.

4 Para muito mais detalhes sobre isso, ver Climate Change 2007: The Physical Science Basis (escrito pelo Working Group I com o subtítulo de Working Group I Contribution to the Fourth Assesment Report of the IPCC Corporate Author Intergovernamental Panel on Climate Change, ao longo do livro referido como IPCC WGI), capítulo 6, seção 6.6, *IPCC reports* (Cambridge University Press, 2007), especialmente a figura 6.10c. Todos os detalhes podem ser encontrados em www.cambridge.org/browse/browse_highlights.asp?subjectid=710

5 É difícil dizer, pois há menos registros disponíveis sobre o hemisfério sul — devido à menor superfície terrestre assim como à menor quantidade de pesquisas —, de modo que essas conclusões são dominadas por temperaturas do hemisfério norte. Ver P.D. Jones, T.J. Osborn e K.R. Briffa. The Evolution of Climate over the Last Millenium. *Science*, vol. 292 (5517). p. 662-7, 27 de abril de 2001; DOI: 10.1126/science.1059126; e Timothy Spall et al. The Spatial Extent of 20th Century Warmth in the Context of the Past 1200; Years. *Science.* vol. 311, p. 841, 2006; DOI: 10.1126/science.1120514.

6 Citado por Spencer Weart. *The Discovery of Global Warming.* Cambridge, Mass.: Harvard University Press, 2003, p. 1.

7 Ver IPCC WGI, capítulo 6, especialmente a figura 6.10c, que mostra um apanhado de todas as diferentes reconstruções de temperatura.

8 IPCC WGI, capítulo 3.

9 A última era do gelo foi de 3 a 5°C mais fria do que os dias atuais; ver IPCC WGI, capítulo 6. Observar também que as temperaturas registradas até hoje foram mascaradas por dois efeitos: o efeito de resfriamento causado pelas partículas da poluição do ar e a defasagem no tempo causada pela inércia térmica do oceano.

10 Ver IPCC WGI, capítulo 3. O ano de 1996 foi o único relativamente frio dos últimos tempos.

11 IPCC WGI, Summary for Policymakers.

12 O mais importante gás do efeito estufa em ação na atmosfera (além do vapor d'água) é o dióxido de carbono (CO_2), mas também há quantidades significativas de metano (CH_4), óxido nitroso (NO_2, também conhecido como "gás do riso") e pequenas quantidades de um conjunto de gases que contêm cloro e que, além de serem gases do efeito estufa, também destroem a camada de ozônio.

13 A água da atmosfera é incrivelmente dinâmica. Entre sua evaporação a partir do oceano e subseqüente queda em forma de chuva, uma molécula de água permanecerá no ar por apenas dez dias.

14 O chamado "feedback do vapor d'água" forneceu a base para uma das mais contundentes críticas contra os perigos da mudança climática. O respeitado

pesquisador e conhecido cético do clima Richard Lindzen, professor do MIT, acreditou que a camada superior da troposfera secaria à medida que a proporção de dióxido de carbono aumentasse e que isso equilibraria a umidade do ar, diminuindo-a. Entretanto, medições provaram que essa teoria é incorreta. Tratamos disso no capítulo 2.

15 Não temos espaço aqui para tratar do descobrimento do efeito estufa, apesar de ser uma história fascinante. Mas se você tem interesse, veja Weart, *The Discovery of Global Warming*; ou Gabrielle Walker, *An Ocean of Air*. Londres: Bloomsbury, 2007, capítulo 3.

16 Se o ar é rarefeito, parte do carbono se transformará em fuligem, razão pela qual, quando você queima coisas que já foram vivas — como uma torrada —, essa coisa fica preta. Parte do carbono provavelmente também será emitida como monóxido de carbono, o gás letal que sai do cano de descarga dos carros e que as pessoas usam para cometer suicídio.

17 Para mais informações sobre esse assunto, ver o excelente capítulo 8, Digging Up the Dead. In: Tim Flannery. *The Weather Makers*. Londres: Penguin Books, 2007.

18 Embora em princípio os processos de construção de comida a partir de dióxido de carbono, de digestão e de expiração devessem ser neutros, a agricultura mudou isso. Embora nossos ancestrais caçadores estivessem realmente em harmonia carbonífera com a sua comida, a energia que nós colocamos no cultivo de plantas, bem como sua emissão de gases do efeito estufa, significa que respirar não é mais uma atividade neutra em emissão de dióxido de carbono. Ver o capítulo 8 para mais informações sobre as emissões diretas da agricultura.

19 Pode parecer surpreendente que o gelo possa ter idades diferentes em diferentes partes do continente. Mas o gelo na Antártida circula constantemente: apesar de o continente estar tapado por gelo há milhões de anos, o gelo mais profundo, em alguns dos pontos de maior espessura, foi há muito espremido como pasta de dente de um tubo e desapareceu em direção à costa. Em alguns lugares ele derreteu, já que o gelo na base da calota fica próximo ao ponto de fusão. A idade do gelo que resta depende de quanta neve cai a cada ano. Cai mais neve na estação Vostok do que no Domo C, de forma que, considerando-se duas porções de gelo de espessuras iguais, o gelo na base da calota será mais jovem.

20 Ver J-R Petit *et al.* Climate and Atmospheric History of the Past 420,000 Years from the Vostok Ice Core, Antarctica. *Nature*, vol. 399, p. 429-36, 1999; e R. Spahni et al. Atmospheric Methane and Nitrous Oxide of the late Pleistocene from Antarctic Ice Cores. *Science*, vol. 310, p. 1317-21, 2005. Os testemunhos de gelo também mostram dramaticamente que níveis mais altos de dióxido de carbono (e de metano) sempre andam de mãos dadas com uma temperatura mais elevada. Os dois estão significativamente ligados. Ver Ane-

xo — Mitos sobre o clima, meias-verdades e informações equivocadas para mais informações sobre a diferença de tempo entre aumento de temperatura e elevação de níveis de dióxido de carbono, e sobre por que isso não atrapalha o raciocínio aqui descrito.

21 A curva também mostra níveis de dióxido de carbono serpenteando para cima e para baixo a cada ano, conforme o ar "respira". Porque há mais terra no hemisfério norte do que no sul, a cada verão no hemisfério norte os níveis de dióxido de carbono caem à medida que as plantas utilizam esse carbono e o transformam em alimento, e a cada inverno no hemisfério norte os níveis caem novamente, na proporção que o ciclo das plantas se desacelera ou que elas morrem.

22 Ver IPCC WGI, capítulo 6, especialmente a questão 6.2.

23 Também há sinais recentes de que o metano possa estar se estabilizando, embora ninguém ainda saiba por quê, de forma que não está claro se esta boa tendência perdurará. Ver I.J. Simpson, F.S. Rowland, S. Meinardi e D.R. Blake. Influence of Biomass Burning During Recent Fluctuations in the Slow Growth of Global Tropospheric Methane. *Geophysical Research Letters*, vol. 33, L22808, 2006.

Capítulo 2: Quem é o culpado?

1 F. Foukal, C. Frohlich, H. Spruit e T.M.L. Wigley. Variations in solar luminosity and their effect on the Earth's Climate. *Nature*, vol. 433, p. 161-6, 2006.

2 Mike Lockwood e Claus Fröhlich. Recent oppositely directed trends in solar climate forcings and the global mean surface air temperature. *Proc. R. Soc. A*; DOI: 10.1098/rspa.2007.1880 (2007), disponível na internet em www.ubs.royalsoc.ac.uk/media/proceedings_a/rspa20071880.pdf

3 A influência das nuvens no clima não é assim tão simples e direta. Apesar de nuvens mais baixas reduzirem a temperatura da maneira mencionada, nuvens na parte mais elevada da troposfera podem na verdade causar um aquecimento no clima ao fazer a radiação infravermelha refletir em direção à Terra. Além disso, menos nuvens significam que mais calor penetra durante o dia, mas menos energia é retida durante a noite. Lidar com essas questões e tentar predizer exatamente a quantidade de nuvens — e de que tipo — que podemos esperar no futuro é uma das razões pelas quais há uma gama tão grande de previsões sobre quanta elevação de temperatura devemos esperar de um dado aumento no nível de dióxido de carbono.

4 Essas partículas podem fazer baixar a temperatura do planeta de duas maneiras. No chamado "efeito direto", elas rebatem a luz do Sol diretamente de volta para o espaço. Mas no "efeito indireto" elas podem ajudar a semear gotículas de nuvens, que também refletem a luz do Sol. Se as nuvens se formam

em torno de aerossóis, elas tendem a formar pequenas gotículas que duram mais tempo na atmosfera antes de se tornarem grandes o suficiente para cair, no formato de chuva. Assim, aerossóis também tendem a prolongar a duração das nuvens.

5 Ver, por exemplo, a página de informações da Unidade de Pesquisa de Clima da Universidade de East Anglia em www.cru.uea.ac.uk/cru/info/volcano/

6 IPCC WGI, capítulo 9, seção 9.7.

7 Parte desse resfriamento se deve ao desaparecimento da camada de ozônio, que se localiza originalmente na estratosfera inferior. Já que o ozônio também é um gás do efeito estufa, ele aquece a estratosfera localmente; assim como sua dissipação significa um resfriamento dessa camada. Entretanto, a perda de ozônio não é suficiente para explicar toda a tendência de aquecimento. Quando os modelos computam tanto a quantidade conhecida de ozônio que foi perdida quanto quantidade conhecida de dióxido de carbono e metano, a estratosfera sofre um resfriamento proporcional ao indicado pelas medições. Picos naturais ocorrem no registro de temperaturas a partir de ocasionais erupções vulcânicas, mas gases do efeito estufa são mesmo assim o carro-chefe do resfriamento em geral. Ver, por exemplo, V. Ramaswamy *et al.* Anthropogenic and natural influences in the evolution of lower stratospheric cooling. *Science*, 24 de fevereiro 2006, vol. 311, n. 5764, p. 1138-41; DOI: 10.1126/science.1122587. Em IPCC WGI, capítulo 9, também há mais sobre esse assunto.

8 GCM originalmente significava "General Circulation Models", que são os precursores dos modernos modelos climáticos, ainda que simulassem apenas a atmosfera.

9 V. Ramanathan *et al.* Warming trends in Asia amplified by brown cloud solar absorption. *Nature*, vol. 448, p. 575-8, 2 de agosto de 2006; DOI: 10.1038/nature 06019.

10 A retomada de atividades vulcânicas de grande monta a partir de 1956 provavelmente contribuiu para esse resfriamento, mas chegou dez anos atrasada para explicar seu início.

11 Ver, por exemplo, Peter A. Stott *et al.* External control of 20th-century temperature by natural and anthropogenic forcings. *Science*, vol. 290, p. 2133 (2000); DOI: 10.1126/science.290.5499.2133; e o comentário, Francis W. Zwiers e Andrew J. Weaver. The causes of 20th-century warming. *Science*, vol. 290, p. 2081-3 (2000); DOI: 10.1126/science.290.5499.2081. E também Gerald A. Meeh *et al.* Combinations of natural and anthropogenic forcings in twentieth-century Climate. *Journal of Climate*, vol. 17, n.19, p. 3721-7 (2004).

12 Brian J. Soden *et al.* The radiative signature of upper tropospheric moistening. *Science*, vol. 310, p. 841 (2005); DOI: 10.1126/science.1115602.

Capítulo 3: Sentindo o calor?

1 David W. Inouye, Billy Barr, Kenneth B. Armitage e Brian D. Inouye. Climate change is affecting altitudinal migrants and hibernating species. *Proceedings of the National Academy of Sciences*, vol. 97 (4), p. 1630-33, 15 de fevereiro de 2000.

2 Ver Climate Change 2007: Impacts and Adaptations (escrito por Working Group II com o subtítulo Working Group II Contribution to the Fourth Assesment Report of the IPCC Corporate Author Intergovernmental Panel on Climate Change, daqui para a frente referido como IPCC WGII), capítulo 1, seção 1.3.5.6, *IPCC reports.* Cambridge: Cambridge University Press, 2007.

3 Alan Pounds *et al.* Widespread amphibian extinctions from epidemic disease by global warming. *Nature*, vol. 439, p. 161-7, 12 de janeiro de 2006; DOI: 10.1038/nature04246. Outros pesquisadores sugeriram que o declínio da espécie pode estar relacionado à redução de folhas mortas sobre o solo. Ver Steven M. Whitfield *et al.* Amphibian and reptile declines over 35 years at La Selva, Costa Rica. *PNAS*, vol. 104, p. 8352-6 (2007).

4 Ver IPCC, WGII, capítulo 4.

5 J.C. Stroeve *et al.* Tracking the Artic's shrinking ice cover: another extreme September minimum in 2004. *Geophysical Research Letters*, vol. 32, L04501 (2005).

6 Gabrielle Walker. The tipping point of the iceberg. *Nature*, vol. 441, p. 802-5, 2006.

7 J.E. Overland, M.C. Spillane, D.B. Percival, M. Wang e H.O. Mofjeld. Seasonal and Regional Variation of Pan-Artic Surface Air Temperature Over the Instrumental Record. *Journal of Climate*, vol. 17, n. 17, p. 3263-82 (2004).

8 Ver Gabrielle Walker. The tipping point of the iceberg. *Nature*, vol. 441, p. 802-5, 2006; e T.C. Johns *et al.* Anthropogenic climate change for 1860 to 2100 simulated with the HadCM3 model under updated emissions scenarios. *Climate Dynamics*, vol. 20, p. 538-612, 2003.

9 IPCC, WGII, capítulo 4, box 4.3.

10 O plâncton de mar aberto pode se beneficiar com o derretimento da camada de gelo, mas o Ártico é pobre em nutrientes, de modo que o derretimento não traria muitos benefícios. Ver V. Smetacek e V e S. Nicol. Polar ocean ecossystems in a changing world. *Nature*, vol. 437, p. 362-8, 2005; DOI: 10.1038/nature04161.

11 Ocean acidification due to increasing atmospheric carbon dioxide, documento de diretrizes 12/05 da Real Sociedade (2005),

12 K. Caldeira e M.E. Wickett. Anthropogenic carbon and ocean pH. *Nature*, vol. 425, p. 365, 2003.

13 www.tos.org/oceanography/issues/issue_archive/issue_pdfs/20_2/20.2_caldeira.pdf

14 Ver IPCC WGII, Summary for Policymakers.
15 Ver IPCC WGII, capítulo 4, para muito mais sobre serviços específicos que os diferentes ecossistemas selvagens nos proporcionam.
16 Sobre isso e sobre o que segue, ver a discussão em IPCC WGI, capítulo 9, seção 9.5.4.3.1.
17 Michela Biasutti e Alessandra Giannini. Robust Sahel drying in response to late 20th century forcings. *Geophysical Research Letters*, vol. 33, L11706 (2006); DOI: 10.1029/2006GL026067, 2006.
18 Julian Borger. Scorched. *Guardian*, sábado, 28 de abril de 2007.
19 Ao longo dos últimos trinta anos, o número total de furacões caiu levemente na maior parte do oceano tropical. Entretanto, em nove dos últimos 11 anos houve um número incomumente grande de furacões no Atlântico Norte, culminando com a temporada de 2005, que quebrou todos os recordes.
20 T.P. Barnett *et al.* Penetration of human-induced warming into the world's oceans. *Science*, vol. 309, p. 284, 2005; DOI: 10.1126/science.1112418.
21 K.A. Emanuel. Increasing destructiveness of tropical cyclones over the past 30 years. *Nature*, v. 436, p. 686-8, 2005. Ver também o excelente ensaio do mesmo autor, disponível em http://wind.mit.edu/~emanuel/anthro2.htm, que fornece muito mais detalhes sobre o mecanismo dos furacões e também indica que o crescente prejuízo sentido nos Estados Unidos nos últimos trinta anos tem ainda mais a ver com o êxodo para a costa e padrões de prédios frágeis do que com o impacto de furacões mais fortes. Observe também que é possível que a força crescente dos ventos na parte alta da atmosfera ajude a cortar furacões em formação antes de eles se transformarem em furacões adultos e perigosos.
22 Christoph Schär e Gerd Jendritzky. Hot news from summer 2003. *Nature*, vol. 432, p. 559-60, 2 de dezembro de 2004.
23 Para argumentos em favor da estimativa mais alta, ver www.earth-policy.org/Updates/2006/Update56.htm
24 P. A. Stott, D.A. Stone e M.R. Allen. Human contribution to the European heat wave of 2003. *Nature*, vol. 432, p. 610-14, 2 de dezembro de 2004.

Capítulo 4: O que vem por aí

1 Ver, por exemplo, Peter A. Stott e J.A. Kettleborough. Origins and estimates of uncertainty in predictions of twenty-first century temperature rise. *Nature*, vol. 416, p. 723-6, 18 de abril de 2002.
2 Jeffrey A.Yin. A consistent poleward shift of the storm tracks in simulations of 21st century climate. *Geophysical Research Letters*, vol. 32, L18701; DOI: 10.1029/2005GL023684, 2005. Também há um bom texto sobre esse assunto em www.realclimate.org/index.php/archives/2006/12/on-mid-latitude-storms/

3 Nicholas Stern. *The Economics of Climate Change: The Stern Review*. Cambridge: Cambridge University Press, 2007 (daqui para a frente referido como *Stern Review*).
4 P.A. Stott, D.A. Stone e M.R. Allen. Human contribution to the European heat wave of 2003. *Nature*, vol. 432, p. 610-14, 2 de dezembro de 2004.
5 Ver W. R. Keatinge *et al.* Heat related mortality in warm and cold regions of Europe: observational study. *British Medical Journal*, vol. 321, p. 670-73, 2000, disponível online em www.bmj.com/cgi/reprint/321/7262/670
6 *Stern Review*, box 3.5.
7 Entre 1957 e 1958, a área era de 0,23 km², e em 1997 havia crescido para 1,65 km². Para esse e outros detalhes do esquema de adaptação Tsho Rolpa, ver IPCC WGII, capítulo 17, box 17.1.
8 Sobre isso, ver IPCC WGII, capítulo 17, seção 17.2.2.
9 W. R. Keatinge *et al.* Heat related mortality in warm and cold regions of Europe: observational study. *British Medical Journal*, vol. 321, p. 670-73, 2000, também disponível em www.bmj.com/cgi/reprint/321/7262/670

Capítulo 5: As cartadas imprevisíveis do aquecimento

1 A outra razão é que o norte da Europa tem um clima marítimo — poucos países ficam longe do relativo calor do oceano — ao passo que as partes centrais da América do Norte ficam isoladas, no meio do continente.
2 Gabrielle Walker. The tipping point of the iceberg. *Nature*, vol. 441, p. 802-5, 2006, e referências; ver também Stephen Battersby. The Great Atlantic shutdown. *New Scientist,* 15 de abril de 2006.
3 Uma queda compensadora no nível do mar no hemisfério sul seria menos drástica porque se distribuiria em uma área maior.
4 S. Rahmstorf *et al.* Thermohaline circulation hysteresis: a model intercomparison. *Geophysical Research Letters.* vol. 32, L23605, 2005; DOI: 10.1029/2005GL023655.
5 Gabrielle Walker. The tipping point of the iceberg. *Nature*, vol. 441, p. 802-55, 2006.
6 Andrew Shepherd e Duncan Wingham. Recent sea-level contributions of the Antarctic and Greenland Ice Sheets. *Science*, vol. 315, p. 1529-32, 16 de março de 2007; DOI: 10.1126/science.1136776.
7 C. H. Davis, Y. Li, J. R. McConnell, M. M. Frey e E. Hanna. Snowfall-driven growth in East Antarctic Ice Sheet mitigates recent sea-level rise. *Science*, vol. 308, n. 5730, p. 1898-1901, 2005; DOI: 10.1126/science.1110662.
8 E. Domack *et al.* Stability of the Larsen B ice shelf on the Antarctic Peninsula during the Holocene epoch. *Nature*, vol. 436, p. 681-5, 2005; DOI: 10.1038/nature03908.

9 T.A. Scambos, J.A. Bohlander, C.A. Shuman e P. Skyarca. Glacier acceleration and thinning after ice shelf collapse in the Larsen B embayment, Antarctica. *Geophysical Research Letters*, vol. 31, L18401 2004; DOI: 10.1029/2004GL020670.

10 Ver, por exemplo, Andrew Shepherd *et al.* Inland thinning of Pine Island glacier, West Antarctica. *Science*, vol. 291, p. 862-4, 2 de fevereiro de 2001; DOI: 10.1126/science.291.5505.862.

11 O. M. Johannessen *et al.* Recent ice-sheet growth in the interior of Greenland. *Science*, vol. 310, p. 1013-16, 2005 e W. Krabill *et al.* Greenland Ice Sheet: increased coastal thinning. *Geophysical Research Letters*, vol. 31, 2004.

12 E. Rignot e P. Kanagaratnam. *Science*, vol. 311, p. 986 (2006).

13 J. M. Gregory e P. Hybrechts. Ice-sheet contributions to future sea-level change. *Philosophical Transactions of the Royal Society of London* A, 364, p. 1709-31, 2006; DOI: 10.1098/rsta.2006.1796.

14 H. Jay Zwally *et al.* Surface melt-induced acceleration of Greenland Ice-Sheet flow. *Science*, vol. 297, p. 218-22 (2002).

15 Gabrielle Walker. A world melting from the top down. *Nature*, vol. 446, p. 718-21, 2007, e suas referências.

16 V. Romanovsky *et al.* Permafrost Temperature Records: Indicators of Climate Change. *EOS, AGU Transactions*, vol. 83, n, 50, p. 589-94, 10 de dezembro de 2002.

17 K. M. Walter *et al.* Methane bubbling from Siberian thaw lakes as a positive feedback to climate warming. *Nature*, vol. 443, p. 71-5, 7 setembro de 2006; DOI: 10.1038/nature05040.

18 T. Johansson *et al.* Decadal vegetation changes in a northern peat land, greenhouse gas fluxes and net radiative forcing. *Global Change Biology*, vol. 12, p. 1-18 (2006); DOI: 10.1111/j.1365-2486.2006.01267.x.

19 J. E. Hanson. Scientific reticence and sea level rise. *Environmental Research Letters*, 2:024002; 2007; DOI: 10.1088/1748-9326/2/2/024002.

20 Ver IPCC WGII, capítulo 7.

21 Ver, por exemplo, Jim Lovelock. *The Revenge of Gaia.* Londres: Allen Lane, 2006; e Fred Pearce. *The Last Generation: How Will Nature Take Her Revenge for Climate Change?* Nottingham: Eden Books, 2006.

Capítulo 6: Qual deve ser o nosso objetivo?

1 Todas essas informações são do IPCC WGII, capítulo 19, tabela 19.1, e capítulo 20, tabela 20.7. Observe que já há um perigo de confusão quando qualquer pessoa fala sobre um aumento específico de temperatura porque parte disso se refere a um aumento acima da temperatura dos tempos pré-industriais, antes do início do aquecimento global, enquanto outros falam de

elevações relativas aos dias de hoje, quando já temos 1,4°C de aquecimento. Quando qualquer pessoa menciona uma elevação específica de temperatura, sempre é válido verificar o ponto de referência. Ao longo deste livro, sempre nos referiremos a elevações de temperatura a partir dos tempos pré-industriais, salvo se especificado de outra forma.

2 Citado por Michael Oppenheimer e Annie Petsonk no Article 2 of the UNFCCC: Historical Origins, Recent Interpretations. *Climatic Change*, vol. 73, p. 195-226 (2005); DOI: 10.1007/s10584-005-0434-8.

3 Climate Protection Strategies for the 21st Century. Kyoto and Beyond. WBGU, 2003, disponível em www.wbgu.de/wbgu_sn2003_engl.html

4 Meeting the Climate Challenge. International Climate Change Taskforce. Disponível em www.americanprogress.org/kf/climatechallenge.pdf

5 http://register.consilium.europa.eu/pdf/en/05/st07/st07242.en05.pdf

6 Como estes valores são incertos, fizemos uma aproximação e chegamos a 0,5°C. Esses números são uma combinação de resultados descritos em Climate Change 2007: Mitigation of Climate Change (doravante referido como IPCC WGIII), capítulo 3, especialmente tabela 3.9 e na discussão da seção 3.5 (Cambridge: Cambridge University Press, 2007); e em G.R. Harris *et al.* Frequency distributions of transient regional climate change from perturbed physics ensembles of general circulation model simulations. *Climate Dynamics*, vol. 27, n. 4, p. 357-375, 2006, DOI: 10.1007/s00382-006-0142-8. As temperaturas em questão apresentam um nível de certeza de 80%.

7 *Stern Review*, capítulo 7.

8 IPCC WGIII, capítulo 1.

9 S. Pacala e R. Socolow. Stabilisation wedges: solving the climate problem for the next 50 years with current technologies. *Science*, vol. 205, p. 968-72, 13 de agosto de 2004.

10 Fred Pearce descreve isso muito bem no anexo de *The Last Generation* (2006).

11 Diferentemente das cunhas, que começam com nada hoje e aumentam linearmente nos próximos cinqüenta anos, o prêmio Virgin requer a remoção de um bilhão de toneladas por ano por no mínimo uma década. Se começássemos a fazer isso nos próximos dez anos e continuássemos durante quatro décadas, chegaríamos em um volume total de 40 bilhões de toneladas, o que é cerca de metade de uma cunha de Socolow.

12 Johannes Lehmann. A handful of carbon. *Nature*, vol. 447, p. 143-4, 2007.

13 Oliver Morton. Is this what it takes to save the world? *Nature*, vol. 447, p. 132-6, 2007; DOI: 10.1038/447132a2007

14 P. J. Crutzen. Albedo Enhancement by Stratospheric Sulfur Injections: A Contribution to Resolve a Policy Dilemma? *Climatic Change*, vol. 77, p. 211-20, 2006.

Capítulo 7: Menos é mais

1 IPCC WGIII, capítulo 6. Esse número não inclui halocarbonos, que representam outra 1,5 gigatonelada de CO_2eq por ano — se bem que eles provavelmente serão tirados de circulação.
2 www.eere.energy.gov/consumer/your_home/lighting_daylighting/index.cfm/mytopic=11980
3 IPCC WGIII, capítulo 6, seção 6.4.9.
4 Ver a página de dados da AIE em www.iea.org/textbase/papers/2005/standby_fact.pdf
5 *Stern Review*, box 24.9, página 600.
6 Estudos clássicos realizados por Robert Socolow na Universidade de Princeton em 1978 mostraram que o consumo de energia de casas idênticas porém habitadas por pessoas diferentes poderia variar até 100%.
7 http://kim.foresight.gov.uk/horizon_scanning_centre/Energy/Potential_Role_ST/Potential_Role_ST.html
8 *Ibid.*
9 *Ibid.*
10 Ver IPCC WGIII, capítulo 8, seção 8.3.2.
11 IPCC WGIII, capítulo 8.
12 *Stern Review*, capítulo 25, figura 25.1 Esses números variam de estudo para estudo, e WGIII, no capítulo 9 do relatório IPCC, sugeriu o número ligeiramente menor mas ainda bastante substancial de 5,8 gigatoneladas de CO_2/ano "nos anos 1990". O capítulo 3 do mesmo relatório propôs, para as emissões ocasionadas pelo desmatamento e pela decomposição do solo após o corte, o equivalente a de 7 a 16 % do total das emissões de gases do efeito estufa de 2004.
13 A derrubada seletiva de árvores pode ser feita de maneira mais sustentável apenas com um pouco mais de cuidado. Selos de certificação que mostrassem a origem de madeiras duras tropicais e indicassem se foram cortadas de maneira sustentável ajudariam a pressionar os madeireiros a fazer a derrubada da maneira certa.
14 Plantar árvores não é necessariamente uma solução para os males do clima. Há alguns indícios de que plantar árvores em latitudes médias e altas significa substituir a terra, clara, por copas escuras de árvores, o que incentiva o planeta a absorver mais luz do sol — causando um maior aquecimento. Ver S. Gibbard, K. Caldeira, G. Bala, T. J. Philips e M. Wickett. Climate effects of global land cover change. *Geophysical Research Letters*, 32 (23) L23705, 2005. Isso, entretanto, não se aplica aos trópicos.
15 Isso é o resultado dos modelos de cima para baixo, que iniciam nos variados níveis de CO_2 em diferentes partes da atmosfera e fazem o caminho inverso, para tentar descobrir de onde o CO_2 está partindo. Os modelos que fazem

cálculos de cima para baixo e usando terras cultiváveis existentes encontram valores mais baixos — apesar de poderem subestimar a capacidade das florestas em agir como repositórios de carbono. Ver IPCC WGIII, capítulo 9 para mais discussões sobre isso.

16 Até onde as florestas já estão atuando como repositórios de carbono é uma questão controversa. Ver, por exemplo, o recente artigo da revista *Science* que mostra que florestas tropicais estocam consideravelmente mais carbono do que previamente se pensava: B. Stephens *et al.* Weak Northern and Strong Tropical Land Carbon Uptake from Vertical Profiles of Atmospheric CO_2. *Science*, vol. 316, p. 1732-5 (2007).

17 *Stern Review*, capítulo 25, box 25.2.

18 *Stern Review*, capítulo 25, p. 607.

19 Ver IPCC WGIII, capítulo 9, tabela 9.3.

20 Citado em IPCC WGIII, capítulo 10, seção 10.1.

Capítulo 8: Aviões, trens e automóveis

1 As emissões chegaram a 6,3 bilhões de toneladas em 2004, o que significa um crescimento de 120% desde 1970.

2 IPCC WGIII, capítulo 1.

3 http://kim.foresight.gov.uk/horizon_scanning_centre/Energy/Potential_Role_ST/Potential_Role_ST.html

4 Também se diz que os preços em elevação causariam para os países em desenvolvimento uma alta no custo das importações alimentícias da ordem de 9% em 2007. O relatório está disponível no site www.fao.org/docrep/010/ah864e/ah864e00.htm

5 A. E. Farrell *et al.* Ethanol can contribute to energy and environmental goals. *Science*, vol. 311, p. 506-8, 27 de janeiro de 2006. Os números do artigo diferem ligeiramente daqueles aqui citados. Ver também a errata do artigo.

6 www.iea.org/textbase/techno/essentials2.pdf

7 Ver, por exemplo, o relatório da Amigos da Terra em www.foe.co.uk/resource/briefings/palm_oil_biofuel_position.pdf

8 Sustainable Bioenergy: A Framework for Decision Makers, disponível em http://esa.un.org/un-energy/pdf/susdev.Biofuels.FAO.pdf . Ver também Fred Pearce. Fuels gold: big risks of the biofuel revolution. *New Scientist*, 25 de setembro de 2006, para um excelente panorama das vantagens e desvantagens dos biocombustíveis.

9 Em parte devido aos problemas potenciais de se fazer a conta das emissões de gases do efeito estufa quando se trata de biocombustíveis, o relatório da ONU também concluiu que a bioenergia serviria melhor à causa do efeito estufa se usada no lugar do carvão no emprego para geração de eletricidade e aquecimento. Mas admitiu ainda que a escassez de combustíveis alternativos

para transporte faz com que pesquisas mais aprofundadas sobre biocombustíveis sejam muito importantes.

10 *Stern Review*, p. 388, box 15.6.

11 *Stern Review*, p. 388, box 15.6; e IPCC WGIII, capítulo 5.

12 Ver, por exemplo, a análise feita pela Royal Commission on Environmental Pollution, do Reino Unido: The Environmental Effects of Civil Aircraft in Flight, publicado em 2002 e disponível em www.rcep.org.uk/avreport.htm

13 IPCC WGIII, capítulo 5, seção 5.3.3.

14 IPCC WGIII, capítulo 5, seção 5.3.3, tabela 5.7. Ver também um excelente resumo sobre os desenvolvimentos tecnológicos em potencial, bem como os possíveis os perigos correspondentes, em Bennett Davis. Green sky thinking. *New Scientist*, 22 de fevereiro de 2007.

15 IPCC WGIII, capítulo 5, seção 5.4.2.1, e tabela 5.13.

16 Há uma excelente discussão dessas questões em um artigo especial publicado pelo jornal britânico *The Observer*, The big green dilemma, escrito por Tom Robbins, 1º de julho de 2007, disponível em www.guardian.co.uk/travel/2007/jul/01/escape.green

17 IPCC WGIII, capítulo 5, figura 5.7. Observe que a imagem mostra os valores em carbono, e não em dióxido de carbono. Para uma conversão, você precisa multiplicar por 44 e dividir por 12. Ver também V. Eyring *et al.* Emissions from international shipping: 1. The last 50 years. *Journal of Geophysical Research-Atmospheres*, vol. 110 (D17), p. 17305, 15 de setembro de 2005. Abstract disponível em www.mpg.de/english/researchResults/researchPublications/researchReports/GEO/200541_043.shtml

18 Ver IPCC WGIII, capítulo 5, tabela 5.4.

19 www.railteam.eu/

20 www.acea.be/files/463-8.pdf

21 *Stern Review*.

22 Células-combustíveis também poderiam ser usadas como um equipamento de estocagem para contornar a natureza instável de fontes renováveis de energia, tais como solar e eólica.

23 *Stern Review*, p. 405, box 16.1.

Capítulo 9: Poder para mudar

1 IPCC WGIII, capítulo 1, p. 3.

2 IPCC WGIII, capítulo 4, tabela 4.2.

3 IPCC WGIII, capítulo 1, p. 13.

4 IPCC Special Report on Carbon Capture and Storage, 2005, capítulo 1. Disponível em http://www.ipcc.ch/activity/srccs/index.htm

5 *Stern Review*, p. 400.

6 www.worldenergyoutlook.org/press_rel06.asp

7 Salvo indicação específica, as demais informações deste capítulo foram retiradas do capítulo 4 do IPCC WGIII, ou do relatório do Foresight Horizon Scanning Centre, disponível em: http://kim.foresight.gov.uk/horizon_scanning_centre/Energy/Potential_Role_ST/Potential_Role_ST.html
8 IPCC WGIII, capítulo 4, seção 4.3.3.1, para os detalhes fornecidos nesse parágrafo.
9 IPCC WGIII, capítulo 4, tabela 4.2.
10 IPCC WGIII, capítulo 4.
11 IPCC WGIII, capítulo 4, tabela 4.2.
12 www.newwindenergy.com/wind-farms/jersey-atlantic-wind-farm/
13 *Stern Review*, box 9.2.
14 IPCC Special Report on Carbon Capture and Storage, 2005, disponível em http:/ipcc.ch/activity/srccs/index.htm
15 http://fossil.energy.gov/sequestration/partnerships/index.html
16 www.futuregenalliance.org/
17 *Stern Review*, box 24.7, p. 593.
18 Ver IPCC WGIII, capítulo 4, seção 4.3.6.
19 IPCC Special Report on Carbon Capture and Storage, 2005, disponível em www.ipcc.ch/activity/srccs/index.htm
20 O processo de fusão dispersa alguns nêutrons que irão chocar-se contra as paredes do reator e acabarão por torná-lo radioativo. Mas a cinza da reação é livre de qualquer radioatividade, e o volume total de lixo é muito menor do que de uma usina de fissão.

Capítulo 10: É a economia, ora!

1 Nicholas Stern. *The Economics of Climate Change: The Stern Review*. Cambridge: Cambridge University Press, 2007, capítulo 6. O nível de custos inicial era de 5% do PIB. A inclusão de impactos não-econômicos no meio ambiente e na saúde humana elevou o número para 11%; a possibilidade de o clima ser mais sensível do que imaginamos fez as estimativas chegarem a 14%, e a consideração de que às partes mais pobres do mundo caberia uma fatia desproporcional resultou num número final de 20%. Observe-se que esses números marcam o possível impacto de um cenário "business as usual" e demoraria vários séculos até que fossem atingidos.
2 Para simplificar as coisas, esse número dá conta do fato de que uma queda na percentagem na renda de alguém que luta para sobreviver com £1 é muito pior do que uma queda no caso de alguém que ganha £100 por dia. Stern usou para esse parâmetro o fator 1, que significa que, nesse caso, um benefício para a pessoa que ganha £1 por dia valeria 100 vezes mais do que a mesma percentagem de benefício que adviesse à pessoa que ganha £100. Um valor 2,

muito mais comum nesse tipo de cálculo, alteraria o número desse exemplo para 10.000 vezes.

3 William Nordhaus. Critical assumptions in the Stern Review on Climate Change. *Science*, vol. 317, p. 201-2, 13 de julho de 2007. Também há um editorial bem útil em *The Economist*, Shots across the Stern, 13 de dezembro de 2006.

4 Nicholas Stern e Chris Taylor. Climate Change: Risk, Ethics and the Stern Review. *Science*, vol. 317, p. 203-4, 13 de julho de 2007.

5 Ver IPCC WGIII, capítulo 20, p. 16.

6 Dasgupta escreveu: "Aceitar isso equivaleria a afirmar que a geração atual deveria, literalmente, morrer de fome para que as gerações futuras possam gozar de níveis de consumo crescentes. (Na verdade, propor o valor 1 é o mesmo que dizer que morrer de fome não é tão horrível assim!)" Ver Comments on the Stern Review's Economics of Climate Change by Sir Partha Dasgupta, disponível em www.econ.cam.ac.uk/faculty/dasgupta/STERN.pdf

7 Ver IPCC WGIII, capítulo 20, p. 16.

8 Partha Dasgupta. Discounting Climate Change. *Review of Environmental Economics and Policy*, no prelo.

9 IPCC WG III, Summary for Policymakers.

10 Disponível em www.mckinseyquarterly.com/article_abstract_visitor.aspx?ar=1911&L2=3&L3=0&srid=246 (é preciso preencher um registro gratuito).

11 *Stern Review*, p. xviii.

12 *Stern Review*, p. 386.

13 O esquema de comércio de créditos de carbono de Kyoto começou as suas operações em fevereiro de 2005, quando o protocolo entrou em vigor.

14 O Reino Unido, a Irlanda, a Espanha, a Itália, a Áustria e a Grécia tinham índices de emissões que eram mais altos do que os limites. Mas as emissões do resto da União Européia eram mais baixas. Ver, por exemplo, A. D. Ellerman e D. K. Buchner. The European Union Emissions Trading Scheme: Origins, Allocations and Early Results. *Review of Environmental Economics and Policy*, vol. 1, n. 1, p. 66-87, inverno de 2007.

15 Martin Brough. Emission trading can the carbon market drive investment decisions? *Power Engineering International*, disponível em http://pepei.pennnet.com/display_article/297274/17/ARTCL/none/none/Emission-Trading---Can-the-carbon-market-drive-investment-decisions?

16 Por essas razões, economistas aprovaram, ainda que cautelosamente, o experimento. Ver, por exemplo, a série de artigos sobre o assunto em *Review of Environmental Economics and Policy*, vol. 1, n. 1, inverno de 2007.

17 State of the Carbon Market 2007, disponível através do site do Banco Mundial sobre o carbono, em http://carbonfinance.org/

18 Ver *Stern Review*, capítulo 17, para mais detalhes sobre isso.

19 http://assets.panda.org/downloads/emission_impossible_final_.pdf
20 M. Wara. Is the global carbon market working? *Nature*, vol. 445 p 595-596, 18, fevereiro de 2007.
21 Nick Davies. Abuse and incompetence in fight against global warming. *The Guardian*, 2 de junho de 2007.
22 www.cdmgoldstandard.org
23 *Stern Review*, p. 610.
24 Ver http://unfccc.int/methods_and_science/lulucf/items/3757.php. Para uma discussão mais detalhada sobre essa questão, ver Raymond E. Gullison *et al.* Tropical forests and climate policy. *Science*, vol. 316, p. 985-6, 18 de maio de 2007; publicado online em 10 de maio de 2007 (DOI: 10.1126/science.1136163); e M. Santilli *et al.* Tropical deforestation and the Kyoto Protocol. *Climatic Change*, vol. 71, no. 3, p. 267-76(10), agosto de 2005.
25 *Stern Review*, p. 616, box 25.5.
26 *Stern Review*, p. 626, box 26.1.
27 *Stern Review*, p. 626, Box 26.1.
28 Há um excelente resumo sobre a situação atual do negócio em Kurt Kleiner. The corporate race to cut carbon. *Nature Reports Climate Change* (DOI:10.1038/climate.2007.31), disponível na internet em: www.nature.com/climate/2007/0708/full/climate.2007.31.html
29 http://www.pewclimate.org/docUploads/PEW_CorpStrategies.pdf

Capítulo 11: A estrada que veio de Kyoto

1 O Tratado da Não-Proliferação Nuclear é um dos poucos que chegaram perto.
2 http://unfccc.int/files/kyoto_protocol/background/status_of_ratification/application/pdf/kp_ratifcation.pdf
3 M. R. Rapauch *et al.* Global and regional drivers of accelerating CO_2 emissions. *PNAS*, v. 104, n. 24, p. 10288-93, 12 de junho de 2007.
4 *Ibid.*
5 Ver o relatório do Ecofys, Factors underpinning future action, p. 13, disponível em www.defra.gov.uk/science/project_data/DocumentLibrary/GA01093/GA01093_4191_FRP.pdf (doravante referido como "relatório Ecofys"), para informações mais detalhadas sobre isso e sobre como a questão depende da maneira de se distribuir metas nacionais. Para constar, 550 ppm CO_2eq significaria uma redução, por parte das nações industrializadas, de cerca de 70% até 2050, e 650 ppm CO_2eq, uma redução de 60%.
6 Esse trecho é parte das evidências dos Amigos da Terra para o Comitê Ambiental de Auditoria do Reino Unido, julho de 2007. Veja todo o relatório em www.publications.parliament.uk/pa/cm200607/cmselect/cmenvaud/460/460.pdf

7 Ver John Vidal e David Adam. China overtakes US as world's biggest CO_2 emitter. *The Guardian*, 2 de junho de 2007.
8 Página de dados do relatório Ecofys.
9 Relatório Ecofys, p. 13. Observe que os números exatos dependem de cenários populacionais, e provavelmente teriam de ser adaptados para refletir números da população, conforme a passagem do tempo.
10 Relatório Ecofys, p. 16.
11 Relatório Ecofys.
12 *Stern Review*, p. 527.

Capítulo 12: Nações em rápido desenvolvimento (ou "ora veja, o tratado é adorável")

1 O relatório Ecofys contém mais detalhes sobre as fontes de informação e a sua acuracidade.
2 Ver www.mnp.nl/en/dossiers/Climatechange/moreinfo/Chinanowno1inCO2 emissionsUSAinsecondposition.html
3 Ver o relatório do World Resource Institute em www.wri.org/biodiv/topic_content.cfm?cid=4218

Capítulo 13: Países industrializados (ou "de quem é mesmo a culpa")

1 Citado por Michael Oppenheimer e Annie Petsonk. Article 2 of the UNFCCC: Historical Origins, Recent Interpretations. *Climatic Change*, vol. 73, p. 195-226, 2005; DOI: 10.1007/s10584-005-0434-8.
2 www.nrdc.org/media/docs/020403.pdf
3 Todos pediram demissão dos seus cargos para se juntar ao governo, e o petroleiro que a Chevron batizou com o nome de *Rice* — após a saída desta da empresa — em homenagem à sua contribuição à companhia foi rebatizado após protestos.
4 Posteriormente Clinton disse, sobre a administração Bush: "Eu assinei o Protocolo de Kyoto e eles desassinaram." www.washingtonpost.com/wp-dyn/content/article/2005/07/13/AR2005071302350.html
5 Ver, por exemplo, o relatório Atmosphere of Pressure da Union of Concerned Scientists and Government Accountability Project, fevereiro de 2007, que registrou muitos desses acontecimentos. Está disponível em: www.ucsusa.org/assets/documents/scientific_integrity/Atmosphere-of-Pressure.pdf
6 Ver http://oversight.house.gov/story.asp?ID=1214
7 https://cf.iats.missouri.edu/news/NewsBureauSingleNews.cfm?newsid=9842
8 www.climateinstitute.org.au/cia1/downloads/AP6_Report.pdf

9 http://dir.salon.com/story/opinion/feature/2005/08/06/muckraker/index.html
10 Também conhecida como Assembly Bill 32, ou AB32.
11 Ver www.rggi.org/about.htm
12 www.usmayors.org/climateprotection/
13 www.post-gazette.com/pg/07011/753072-28.stm
14 www.rollingstone.com/politics/story/15051506/global_warming_a_real_solution
15 Ver o seguinte relato do American Council for an Energy Efficient Economy: www.aceee.org/press/0302carbongap.htm
16 Pode-se ter uma fascinante visão desse processo com a leitura do documento — cheio de rasuras vermelhas e marcações — posteriormente trazido a público pelo Greenpeace, que traz os comentários dos Estados Unidos sobre a primeira versão da proposta feita na Alemanha. Ver http://weblog.greenpeace.org/makingwaves/G8%20Summit%20Declaration%20-%20US%20comments%20May%2014-1.pdf
17 http://news.bbc.co.uk/1/hi/sci/tech/6651295.stm
18 Greg Walters. President Has Not Decided on Kyoto. *Moscow Times*. 20 de setembro de 2003, disponível para assinantes em www.themoscowtimes.com/stories/2003/09/30/001.html. No mesmo discurso, Putin reconheceu que algumas partes do país poderiam ser atingidas por enchentes e estiagem.
19 IPCC WGII, capítulo 12.
20 Ver, por exemplo, Anthony Faiola. Japanese Putting All Their Energy Into Saving Fuel. *Washington Post*, quinta-feira, 16 de fevereiro de 2006.
21 www.emissionstrading.nsw.gov.au/
22 www.pm.gov.au/media/Speech/2006/speech2218.cfm
23 Ver www.pmc.gov.au/publications/emissions/index.cfm
24 M. R. Rapauch *et al.* Global and regional drivers of accelerating CO_2 emissions. *PNAS*, 2007, vol. 104, n. 24, p. 10288-93, fig. 5, 12 de junho de 2007. Os Estados Unidos produziram cerca de 29% do total de emissões históricas, e a União Européia, cerca de 26%.
25 Para dividir as reduções entre os países-membros, usou-se o recém-criado método Tríptico (ver capítulo 12), que forneceu resultados bastante amplos a fim de refletir a diversidade dos países. Luxemburgo, por exemplo, concordou com um pesado corte de -28 %, ao passo que à Grécia foi permitida uma variação de +25 %, e a Portugal, +27%. Um acordo modelado a partir dessa abordagem pode agora servir de base para um novo acordo inteiramente global.
26 http://ec.europa.eu/environment/climat/adaptation/index_en.htm
27 www.consilium.europa.eu/ueDocs/cms_Data/docs/pressData/en/ec/93135.pdf

28 A idéia é fazer isso via alguma abordagem semelhante ao Mecanismo de Desenvolvimento Limpo do Protocolo de Kyoto. O mesmo documento declarava que projetos MDL continuariam ligados ao European Trading Scheme (Esquema de Comércio Europeu) mesmo após o seu criador, o Protocolo de Kyoto, se tornar extinto, em 2012.
29 A declaração foi feita na conferência mundial sobre desenvolvimento sustentável ocorrida em Johannesburgo em agosto de 2002.
30 O manual "Meeting the energy challenge" está disponível para download em http:www.dtistats.net/ewp/

Capítulo 14: O que você pode fazer para mudar o mundo

1 www.foe.co.uk/resource/briefings/carbon_offsetting.pdf
2 S. G. Gibbard *et al.* Climate effects of global land cover change. *Geophysical Research Letters*, vol. 32 (23) L23705, 2005.
3 George Monbiot escreveu uma explicação muito bem-articulada sobre por que o plantio de árvores não é uma boa maneira de compensar emissões de carbono e por que a compensação pode nos tornar perigosamente complacentes. O artigo "Buying Complacency" foi publicado no *Guardian* em 17 de janeiro de 2006 e está disponível em www.monbiot.com/archives/2006/01/17/buying-complacency/.)
4 Ver, por exemplo, The inconvenient truth about the carbon offset industry de Nick Davies, *The Guardian*, sábado, 16 de junho de 2007, www.guardian.co.uk/environment/2007/jun/16/climatechange.climatechange
5 Ver www.cdmgoldstandard.org/
6 The Validity of Food Miles as an Indicator of Sustainable Development, DEFRA, 2005, disponível em http://statistics.defra.gov.uk/esg/reports/foodmiles/final.pdf
7 *Ibid.*
8 Caroline Saunders, Andrew Barber e Greg Taylor. Food Miles — Comparative Energy/Emissions Performance of New Zealand's Agriculture Industry, *AERU Research Report* n. 285, julho de 2006, disponível em http://www.lincoln.ac.nz/story_images/2328_rr285_s9760.pdf
9 James MacGregor e Bill Vorley. Fair miles? The concept of "food miles" through a sustainable development lens. In: International Institute for Environment and Development, 2006, disponível online em http://www.iied.org/pubs/pdf/full/11064IIED.pdf
10 http://standby.lbl.gov/faq.html
11 www.defra.gov.uk/environment/climatechange/uk/individual/pca/pdf/pca-scopingstudy.pdf
12 Disponível em: www.ci.austin.tx.us/council/downloads/mw_acpp_points.pdf

13 Ver www.carbonneutralnewcastle.com/home

14 Ver www.capegateway.gov.za/Text/2007/7/ses_july07.pdf

15 Manfred Milinski *et al.* Stabilizing the Earth's climate is not a losing game: supporting evidence from public goods experiments. *Proceedings of the National Academy of Sciences*, vol. 103, p. 3994-8, 14 de março de 2006.

16 Em 2007, a *New Statesman* publicou um excelente artigo que discutia as ramificações dessa atitude. Ver Lois Rogers. Climate change: why we don't believe it. 23 de abril de 2007, disponível em www.newstatesman.com/200704230025

17 Para mais sobre isso, e sobre as novas tecnologias que podem nos ajudar a consegui-lo, ver o excelente livro de Oliver Morton, *Eating the Sun* (Londres: Fourth Estate, 2007).

ÍNDICE

acidificação, processo de, 49-50, 61, 103, 158
ácido sulfúrico, 49
adaptação a mudanças, 61, 67-72
  financiamento, 182
  maneiras naturais de, 45, 70-72
  meta nacional de produção, 171-81
  projetos de engenharia, 60, 61, 66-69
  questões econômicas, 166-67, 181-82
  sistemas de alerta à população, 66, 69-71
  tecnologia para. *Ver* tecnologia para adaptação
adaptação flex-combustível, 129
Adaptation Fund, 167
aerossóis
  efeito de resfriamento dos, 31-32, 34-35, 36, 40, 41, 51, 59
  natureza dos, 31-32, 34-35
aerossóis de sulfato, 51
África
  África do Sul, 136, 190-91, 233
  guerras climáticas, 50-52, 58
  tendências concernentes à, 62, 63
África do Sul, 136, 190-91, 233
Agência Internacional de Energia (AIE), 108, 118, 131, 141, 156
Agência Internacional de Energia Atômica (AIEA), 136
agricultura de desmatamento e queima, 112, 113
agricultura, 105, 110-12, 161
agroflorestamento, 111
água, 57-58
  acidificação da, 49, 61, 103, 158
alterações na circulação dos oceanos, 74-77, 84, 91, 92
alterações na temperatura dos oceanos, 34, 48-49, 53, 56, 61
  enchente, 58, 59, 60, 63, 65-68, 85, 90-92, 132, 187, 203
  estiagem, 51-52, 90, 91, 92, 203, 208, 245, 247
  hidroenergia, 61, 66, 131-32, 189
  impacto do aquecimento global na disponibilidade de, 90
  nível do mar, 53, 60, 63, 65, 66, 68, 71, 75-76, 77-82, 85, 91, 92, 93, 191, 244, 245
  padrões de chuva, 44-45, 57, 58, 59, 75-76, 90
  tendências globais, 61, 62, 64
Alemanha
  conferência do G8 (2007), 201-2, 210-11
  Conselho Assessor Alemão sobre a Mudança Climática (WBGU), 94
  perfil, 212-14
  programa de energia eólica, 139, 212-13

algas, 48
América Central, tendências concernentes à, 64-65
América do Norte. *Ver também* Canadá; manto de gelo da Groenlândia; Estados Unidos; México
  projetos de engenharia, 68-69
  tendências concernentes à, 64-65
América do Sul. *Ver também* Brasil
  tendências concernentes à, 64-65
Amigos da Terra, 174, 221
Andreae, Meinrat, 103
anéis de árvores, 16-17, 19, 36
Anexo 1, países do, 169-70
Angela Merkel, 202, 213-14
Ansari X, prêmio, 101
Antártida
  análise de bolhas de ar, 27-28
  colapso de Larsen B, 73-74, 78-79
  mudança nos mantos de gelo, 46-47, 60, 73-74, 77-80, 85, 91
aparelhos elétricos, 106-8
aquecimento da troposfera, 41
aquecimento global, 89-103. *Ver também* efeito estufa; gases do efeito estufa
  bacia do Ártico, 46, 47-48, 76
  causas do, 30-42
  corais e, 91, 92, 208
  efeito nas plantas, 45-46
  efeito nos animais, 43-50
  elevação "segura" de temperatura, 92-94
  elevações na temperatura global, 15-21
  extensão do, 89-90
  gases do efeito estufa e, 23-25, 39, 40-42
  impacto do, 43-50, 62-65, 89-98
  medições diretas de temperatura, 16, 18-21, 36-41, 54-55
  objetivos de longo prazo para combater o, 95-103
  picos de calor no século XX, 18
  questões econômicas. *Ver* questões econômicas
  registros indiretos, 16-17, 19, 34, 36
  resumo dos impactos do, 62-65
  tempo de defasagem, 56
  vulnerabilidades por faixas de aquecimento, 90-92
aquecimento solar, 139-40
aquecimento, 154
aqüíferos, 142-43
aragem, 111
ar-condicionado, 106, 205
Ásia, tendências concernentes à, 62-63
Austrália
  esquema de comércio de emissões de carbono, 160, 209, 233. *Ver também* mercado de carbono
  perfil, 207-9
  Protocolo de Kyoto e, 197-98, 203-4, 207-9
  tendências concernentes à, 62-63
automóveis, 116, 124-29, 178
aviões, 120-23, 167, 174

bacia do Ártico. *Ver também* capa de gelo da Groenlândia
  degelo do *permafrost*, 81-83
  mudanças nos mantos de gelo, 46, 47-48, 76
Banco Mundial, 158, 160-61, 165, 167, 196
barreira do Tâmisa (Reino Unido), 60, 61, 69
biochar, 102

biocombustíveis, 105, 112, 116-20, 121, 122, 129, 165, 189, 190-91, 201
biodiesel, 116, 119, 121, 124, 129
bioenergia, 133-34
biomassa, 110-11, 121, 133-34
Blair, Tony, 195, 204, 214, 217
BMW, 129
Boeing, 121-22
Bolsa do Clima de Chicago, 160, 215
borboletas, 43-44
Borloo, Jean-Louis, 212
BP, 122, 158, 168
Branson, Richard, 101, 121-22
Brasil, 16, 53, 113, 201, 234
  desmatamento no perfil, 161, 189
  perfil, 188-90
  Proposta Brasileira, 175
  uso de biocombustível, 119, 129, 189
Broecker, Wally, 84
Brown, Gordon, 215, 216
Bush, George W., 117, 174, 196-97, 200, 201, 208, 217, 232
butanol, 122
Byers, Stephen, 94
Byrd-Hagel, Resolução, 195

Caldeira, Ken, 49
Califórnia, 64, 199, 232
  Global Warming Solutions Act, 199
  Parceria da Célula Combustível da Califórnia, 129
camada de ozônio, 29, 103, 120
Canadá, 65, 81-82
  perfil, 206-7
  projetos de engenharia, 68
cana-de-açúcar, 111, 118, 119, 165, 189, 190-91
"cap and trade", esquemas de, 158-62, 200
captura e armazenamento de carbono (CAC), 99-100, 101-2, 141-44, 145, 154, 156, 161, 187-88, 198, 213, 251
  aquecimento solar, 139-41
  energia eólica, 109, 137-39, 213
  energia geotérmica, 129, 132-33
  energia nuclear (fissão), 134-37
  fotovoltaicos (painéis solares), 109, 140-41, 206
  fusão nuclear, 144-45
  geração de calor na, 110
Carbon Trust, 215
carros movidos a eletricidade, 116, 125-26
carvão
  aerossóis provenientes de, 40, 51
  biomassa como aditivo ao, 110-11, 121, 133-34
  captura e armazenagem de carbono (CAC) e, 142-43
  formação do, 25-26
  produção de dióxido de carbono e, 25-26, 135
  uso feito pela África do Sul do, 190
  uso feito pela Alemanha do, 213
  uso feito pela China do, 141, 142-43, 186
cascata de energia, 109
Cazaquistão, 170
células combustíveis, 128-29
celulose, 119-20
Cheney, Dick, 196
Chevron, 196
China
  captura e armazenagem de carbono (CAC) na, 142-43
  perfil, 185-88
  projetos de engenharia, 678, 187-88
  uso de carvão na, 141, 142-43, 186
Chirac, Jacques, 211

Chrysler, 129, 168
ciclones, 53
ciclos Milankovitch, 33-34
clima
  modelos climáticos, 34-42, 51-52, 54, 66-68, 90-92, 95
Climate Change Bill (Reino Unido), 216-17
Climate Institute of Austrália, 198
Clinton, Bill, 172, 195-96
Clinton, Hilary, 202
clorofluorcarbonetos, 29, 251
Coalizão das Florestas Tropicais, 166
co-geração, unidades de (CHP), 109
combustíveis de baixo carbono, 116-20, 128, 165
combustíveis fósseis
  formação dos, 26
  produção de dióxido de carbono e, 26-29
combustível para aeronaves, 120-23
Comitê da Mudança Climática, 217
compensação de carbono, 220-22
Competitive Enterprise Institute, 197
Conference of Mayors' Climate Protection Agreement, 200
Conferência da Terra no Rio, ou Eco 92, 93, 169, 188
controles de emissão, 126
convergência
  contração e convergência, 176
  convergência diferenciada, 176-77
corais, 17, 36, 46, 47-50
  impacto do aquecimento global nos, 91, 92, 208
  tendências globais, 61, 63, 65
correia transportadora do Atlântico Norte, 74-77, 91
Corrente do Golfo, 75
Costa Rica, sapos da, 45-46
criação de novas áreas de floresta, 165-66
Crutzen, Paul, 103
curva Keeling, 28

Darfur, 50-52, 58
Dasgupta, Partha, 152, 156
Departamento de Energia dos Estados Unidos, 122
desenvolvimento das linhas costeiras, 66
desenvolvimento sustentável, 224
deserto de Mojave, 139
desmatamento, 112-14, 161, 165-66, 189
Dia depois de amanhã, O (filme), 73-74, 75, 246
Dinamarca, programa de energia eólica, 138
dióxido de carbono (CO_2)
  absorção pelo meio-ambiente, 85-86, 91, 113
  acidificação da água, 48-50, 61, 103, 158
  aviões e, 120
  combustíveis de baixo carbono, 116-20, 128, 165
  como gás do efeito estufa, 23, 24, 34-35, 85, 91
  concurso para redução do, 101-3
  degelo de *permafrost* e, 81-83
  em testemunhos de gelo, 27-29
  mudança nos níveis de, 25-29, 33-34, 84-85
  tempo de duração na atmosfera, 175
dióxido de enxofre, 103, 158
direita cristã, 200
doença
  em animais, 44
  tendências globais, 62, 64

Ecofys, 185
Edwards, John, 202
efeito estufa, 21-42. *Ver também* aquecimento global; gases do efeito estufa
descoberta do, 21-24, 28-29
descrição, 34-42
impacto positivo do, 21-24
Modelo de Clima Global (ou GCM), 34-42
questões econômicas. *Ver* questões econômicas
eficiência combustível, 122, 126
El Niño/Oscilação Sul, 34
enchentes, 58, 59, 85, 132
impacto do aquecimento global, 90-92, 203
projetos de engenharia, 60 , 61, 66-69, 187
tendências globais, 63, 65, 85
energia eólica, 109, 137-39, 213
energia geotérmica, 128, 132-33
energia nuclear (fissão), 134-37, 154, 190, 205-6, 211, 215, 216
Energy Savings Trust (Reino Unido), 215
Energy Technologies Institute, 131, 161, 192, 216
eras do gelo
formação de glaciares, 33-34
Pequena Era do Gelo, 16, 17, 30-31
erosão, 60
erupções vulcânicas, 32
esgoto, 133
Esquema de Comércio Europeu, 217
esquemas de comércio de créditos de carbono, 158-61, 199, 208-9, 215, 217, 233
Estados Unidos
mercado de créditos de carbono, 160, 199-200
perfil, 194-202
recusa em assinar o Protocolo de Kyoto, 170, 173-74, 195-97, 203, 208
Regional Greenhouse Gas Initiative (ReGGIe), 200
estiagem, 50-52, 90, 91, 103, 203, 208-9
etanol, 116-20, 121, 129, 189
Europa/ União Européia (EU). *Ver também nomes de países específicos*
captura e armazenagem de carbono (CAC), 143-44
fusão nuclear na, 145
iniciativa de misturar combustíveis, 118
iniciativa do ônibus movido a hidrogênio, 128-29
mercado de emissões de carbono, 158-59
objetivo referente ao aquecimento global, 94, 209-10
onda de calor (2003), 53-55, 58, 70
perfil, 209-18
projetos de engenharia, 60, 61, 66-69, 187-88
regulamentação de impostos comerciais, 157-58
tendências concernentes a, 64-65
European Emissions Trading Scheme, 163
Evans, Donald, 196
extinções, 44, 45-47, 49-50, 61, 91, 118
ExxonMobil, 196, 197, 200

feedback positivo, 25, 82
ferrovia Quinghai-Tibete, 68
ferrovia transasiática, 124
fertilizantes, nitrato, 111, 117, 132
Fischer, Linda, 168

fissão nuclear, 134-37
fitoplâncton, 47
Floodranger, 67-68
florestas tropicais, 46, 59, 65, 92, 112-14, 118-19, 165, 189, 246
florestas, 112-14
  desmatamento, 112-14, 161, 165-66, 189
  florestas tropicais, 46, 59, 92, 112-14, 118-19, 165, 189
  linhas de árvores, 45
focas, 47
fogo
  fogos silvestres, 54, 58
  queima de florestas, 112, 113, 118
  tendências globais, 63, 65
Força-Tarefa Internacional para a Mudança Climática, 94
Ford, 126, 168
formação de nuvens, 31, 120-21
fornecedores de energia, 107
Fourier, Joseph, 21-23
Fox News, 168
França, 124, 211-12, 214
Fundo Especial da Mudança do Clima, 166
Fundo para os Países Menos Desenvolvidos, 166
furacões, 52-53, 57, 67, 90, 91, 198
fusão nuclear, 144-45
FutureGen, 143

gás natural. *Ver* metano
gases do efeito estufa. *Ver também* aquecimento global; efeito estufa
  1990 como data-base de emissões de, 172-73, 203
  concentração na atmosfera, 95-98
  concurso para reduzir, 101
  esquema de certificação internacional, 119
  estratégia de "cunhas" para redução, 97-102
  Mecanismo de Desenvolvimento Limpo (MDL), 127, 132, 162, 163-67, 169-70, 181, 187-88, 189, 192-93, 209, 220, 222, 251
  meta global para redução de, 171-72
  metas multiestágios, 177
  metas nacionais para redução de, 171-81
  mudança nos níveis de, 25-42
  natureza dos, 23-25, 28-29
  previsões para o futuro, 97, 98-99
  redução, 89, 98-103, 154
  tempo de duração na atmosfera, 175
General Electric, 121, 200
General Motors, 126, 129, 168
geração de energia, 130-46
  bioenergia, 133-34
glaciares ou geleiras
  aquecimento global e, 36-42, 58, 60, 61, 66, 73-74, 76, 91, 187
  formação de, 33-34
  mudança na calota polar da Groenlândia, 16, 17, 60, 76, 77, 79-81, 84-85, 91
  mudanças nos mantos de gelo da Antártida, 46-47, 60, 73-74, 77-80, 85, 91
  mudanças nos mantos de gelo da bacia do Ártico, 46, 47, 76
  tendências globais, 63, 65
glaciares Pine Island/Thwaites, 79, 85
Glacier National Park, 65
Gleneagles Dialogue, 182, 191, 208, 214, 217
Global Research Technologies, 101

Global Warming Solutions Act (Califórnia), 199
Gold Standard, 123, 164, 222, 231
Google, 168
Gore, Al, 195, 196, 199
Grande Barreira de Coral, 47-49, 208
Grécia, fogos silvestres (2007), 58, 69
Greenpeace, 221
guerras climáticas, 50-52, 58
natureza das, 54
tempo de defasagem das mudanças, 56
tendência de aquecimento, 54-55

Hadley Centre (Reino Unido), 66-68
Hagel, Chuck, 202
Halliburton, 196
Harper, Stephen, 206
Haury, E. W., 114
hidroenergia, 61, 66, 131-32, 189
hidrogênio como combustível, 120-21, 128-29, 206
hidrogênio, na fusão nuclear, 144-45
Howard, John, 208-9

Illarionov, Andrey, 203-4
iluminação, 104-5, 106-7, 154, 168
Implementação Conjunta (IC), 162
Imposto da Mudança Climática (Reino Unido), 215
Índia
captura e armazenagem de carbono (CAC), 141-43, 161, 251
perfil, 191-93
redução de emissões, 162
indústria de cimento, 110, 144
indústria de seguro, 157
Inhofe, James, 200
International Institute for Environment and Development, 224
internet, 127
Islândia, 128, 132
isolamento térmico, 69, 104, 106, 154

Japão, 145, 205-6
Joint European Torus (JET), 144

Katrina (furacão, 2005), 52-53, 67, 198
Keeling, Charles David, 28
Kennedy, Robert F., Jr., 201
King, David, 66, 131, 145, 192, 199, 204, 216

Lackner, Klaus, 101
lago Tsho Rolpa (platô tibetano), 61, 66
lâmpadas fluorescentes, 166-67
Lawrence Berkeley National Laboratory, 108
lêmures, 44
linhas de árvores, 45
lula, 49
luz do sol
aerossóis e, 32-33
aquecimento solar, 139-40, 213
aumento em, 30-31
distribuição de, 33-34
duração do dia, 44-45
painéis solares (fotovoltaicos), 109, 140-41, 206, 213

manchas de sol, 30
manto de gelo da Antártida ocidental, 78, 79, 81, 91, 92

manto de gelo da Antártida oriental, 77-78, 79
manto de gelo da Groenlândia, 16, 17, 60, 76, 79-81, 83-86, 91
Marburger, Jack, 197
marmotas, 43-44
McCain, John, 198, 202
McKinsey Quarterly, 154, 155, 157
Mecanismo de Desenvolvimento Limpo (MDL), 127, 132, 162, 163-67, 169-70, 181, 187, 189, 192-93, 209, 220, 222
mercados de carbono, 113, 160, 165, 198
Mercedes, 129
metano
  como gás do efeito estufa, 23, 24, 35, 81-83, 110, 114, 204
  degelo do *permafrost*, 81-83
  formação do, 26, 110-11, 118
  mudança nos níveis de, 28-29
  na biomassa, 133
meteoros, 49
México
  Gleneagles Dialogue, 182, 191, 208, 214, 217
  perfil, 191
microgeração, 108-9
migração, impacto do aquecimento global na, 90, 91
migração, padrões de, 45
milho
  biocombustíveis, 111-20
  na dieta de gado, 111
Mínimo Maunder, 30
Modelo de Clima Global (GCM), 35-42, 66-68
modo standby, 107-8
Monbiot, George, 221
monções, 59, 75-76, 192
Monte Pinatubo (Filipinas), 32, 40
mortes humanas , 54, 58, 70-71, 92
motores de velocidade variável, 110
mudança de comportamento, 108
mudanças no ecossistema
  bacia do Ártico, 46, 47, 76
  florestas tropicais, 46, 59, 92, 112-14, 118-19, 165, 189
  recifes de corais, 46, 47-49, 91, 92, 208
  serviços do ecossistema, 50, 70-72, 85, 102, 113

Nações Unidas, 119, 201-2
  Conferência do Clima (2009), 183
  Convenção-Quadro das Nações Unidas sobre as Mudanças Climáticas (UNFCCC), 166, 169, 195, 253
  Organização das Nações Unidas para Agricultura e Alimentação, 117
nanotecnologia, 140
natureza do clima, 54
navios, 123, 174
Near-Zero-Emissions Coal Initiative, 143
neblina (efeito do aquecimento), 36-42
neutralidade em carbono, 116, 167, 220-22, 232
nitrogênio
  como gás do efeito estufa, 23, 24
  fertilizantes e, 111, 117, 132
nível de equivalente de dióxido de carbono (CO_2eq), 29, 174, 176, 185, 194, 231, 251-52
nível do mar, 53, 60, 63, 65, 66, 68, 71, 75-76, 77-82, 85, 91, 92, 93, 191, 244, 245
Nordhaus, William, 93
Noruega, 128

imposto de carbono, 157
programa de energia eólica, 138
Nova Orleans, furacão Katrina (2005), 52-53, 67, 198
Nova Zelândia
mudança na alimentação do gado, 111
produtos lácteos da, 223
tendências concernentes à, 62-63
nuvens cirrus, 120, 121

Obama, Barack, 202
oceano
acidificação do, 49, 61, 103, 158
alterações na circulação do, 74-77, 84, 90, 91
alterações na temperatura, 34, 47-49, 53, 56, 61
alterações no nível do mar, 53, 60, 61, 63, 65, 66-68, 71, 76, 77-82, 90, 91, 92, 191, 192, 244, 245
Oeste da África, guerras climáticas, 58
óleo de dendê, dendezeiros, 112, 118, 165
óleo vegetal, 112, 117, 118, 165
ondas de calor, 53-55, 58, 208
impacto do aquecimento global nas, 90, 91
sistemas de alerta à população, 69-70
tendências globais, 63, 65
ônibus, 127-28, 129
orangotango, 118
Organização Mundial de Meteorologia (OMM), 69, 252
Organização Mundial do Comércio (OMC), 180, 204
organizações não-governamentais (ONGs), 222
óxido nitroso, ou gás do riso
como gás do efeito estufa, 110
formação do, 111, 117, 120
oxigênio, como gás do efeito estufa, 23, 24

Pacala, Steve, 99-102
Pachauri, Rajendra, 192
padrões de chuva, 44-45, 57, 58, 59, 75-76. *Ver também* enchentes
estiagem, 50-52, 62-65, 90, 91, 92, 103, 203, 208, 245, 247
monções, 59, 63, 75-77, 91, 192
padrões de hibernação, 43-44
padrões de precipitação de neve, 43-44, 58
painéis solares (fotovoltaicos), 109, 140-41, 206, 213
Painel Intergovernamental sobre Mudanças Climáticas (IPCC), 21, 34, 46, 50, 76, 84-85, 86, 90-93, 99, 111, 123, 133, 143, 144, 152, 192, 196, 199, 203, 210, 252-53
países em rápido desenvolvimento, 184-93
países industrializados, 194-218
papa-moscas, 45
Parceria Americana pela Ação Climática, 168
Parceria Ásia-Pacífico para Desenvolvimento Limpo e Clima, 198, 208
parcerias regionais de captura de carbono143. *Ver também* captura de carbono
parques nacionais, 45, 65
pegadas de carbono, 224
Pequena Era do Gelo, 16, 17, 31
Período Carbonífero, 25-26
Período Quente Medieval, 16, 17, 18
permafrost, 69, 81-83, 86, 92, 203
Permissões da União Européia, 160

petróleo. *Ver* combustíveis fósseis
Pew Center on Climate Change, 168
Plano de Proteção do Clima de Austin, 232-33
plantas. *Ver também* florestas
  absorção de dióxido de carbono, 102, 113, 165
  efeito do aquecimento global nas, 45-46
plataforma de gelo Larsen B, 73-74, 78-79
platô tibetano, 61, 187
pólen, 17
Ponte da Confederação (Canadá), 68
prédios, 104-9, 154, 161
Prescott, John, 215
produção de alimentos, 59
  agricultura no processo de adaptação, 105, 110-12, 161
  competição com produção para biocombustíveis, 112, 118, 165
  florestas e, 112-14
  impacto do aquecimento global na, 90, 91, 92
  tendências globais, 61, 62, 64
produtos eletrônicos, 107-8
projetos de engenharia, 60 ,61, 66-69, 187-88
Protocolo de Kyoto, 160, 162, 188, 204
  1990 como data-base de emissões, 172-73, 195, 203
  fim da primeira fase em 2012, 170
  Gleneagles Dialogue, 182, 191, 208, 214, 217
  Mecanismo de Desenvolvimento Limpo (MDL), 127, 132, 162, 163-67, 169-70, 181, 187, 189, 192-93, 209, 220, 222
  Proposta Brasileira, 175
  ratificação, 203-7
  recusa dos Estados Unidos em apoiar o, 170, 172-75, 195-98, 203
  requisitos para um novo acordo internacional, 172-82
Putin, Vladimir, 203-4

querosene, 121
questões econômicas, 149-68
  adaptação à mudança climática, 166-67
  custos da mudança climática, 153-57
  efeito Robin Hood, 161-66
  importância das, 167-68
  maneiras de se pagar pela mudança climática, 157-66
  pague agora ou pague depois, 149-53
quilometragem de alimento, 223-24

radiação infravermelha, 22, 23, 24, 30, 34-42
Railteam, 124
raios cósmicos, 31
Reator Nuclear Pebble Bed da África do Sul, 135, 190
Reator Termonuclear Experimental Internacional, 145
Redução de Emissões de Desmatamento (RED), 166
reflorestamento, 165, 189
regiões polares. *Ver também* Antártida; bacia do Ártico
  tendências concernentes às, 64-65
Regional Greenhouse Gas Initiative (ReGGIe), 200
Registro de Temperatura da Região Central da Inglaterra, 16

Reino Unido
- captura e armazenamento de carbono (CAC), 143-44
- esquemas de comércio de créditos de carbono, 159, 215, 217
- fusão nuclear no, 144-45
- perfil, 214-17
- programa de energia eólica, 137-38
- projeto Foresight, 66-68
- projetos de engenharia, 60, 61, 66-68
- redução em emissões, 199
- Wigglybus, 127

represa Aswan, 132
resfriamento da estratosfera, 35
respiração, produção de dióxido de carbono e, 26-27
Revolução Industrial, 25, 93, 130, 174
Rice, Condoleezza, 196
rio Nilo, 58
Romney, Mitt, 202
Rússia
- Protocolo de Kyoto e a, 172-73, 180-81, 202-5
- perfil, 202-5

sapos dourados, 45
sapos, 45-46
Sarkozy, Nicolas, 212, 214
Schwarzenegger, Arnold, 199
Siba, Kapil, 192
silicose, 135
sistemas de alerta à população, 66, 69-70
Snowe, Olympia, 94
Sociedade Real (Reino Unido), 49
Socolow, Robert, 99-102
Stern, Nicolas, 149-52
Stern, relatório de, The Economics of Climate Change, 149-52, 153-57, 165, 181
Sudão, 50-52
Suécia, programa de energia eólica, 138

tecnologia para adaptação, 98-103, 166-67. *Ver também* geração de energia
- agricultura, 105, 110-11, 160
- automóveis, 116, 124-29, 179
- aviões, 120-23
- biocombustíveis, 105, 112, 116-20, 121-22, 129, 165, 189, 190-91
- concurso, 101-3
- "cunhas", estratégia para reduzir gases de efeito estufa, 99-102
- florestas, 105, 112-14
- indústria, 105, 109-10
- prédios, 104-9, 154, 161
- transporte, 105, 115-29, 161
- tratamento do lixo, 105, 114, 154
- trens, 121-22, 123-24

tecnologia wireless, 127
tempestades, 57, 59, 60, 75-76
testemunhos de gelo, 17, 19, 27-29, 34, 36
TGV (trem), 124
Toyota, 125, 129
transferência tecnológica, 181
transporte público, 127-28, 129
transporte, 115-29, 161
- automóveis, 117, 124-29, 179
- aviões, 120-23, 167, 174
- biocombustíveis, 105, 112, 116-20, 121, 129, 165, 189, 190-91, 200
- navios, 123, 174
- ônibus, 127, 128-29
- quilometragem de alimentos, 223-24
- trens, 121-22, 123-24

Tratado de Não-Proliferação de Armas Nucleares, 136
tratamento do lixo, 105, 114, 134-35, 140, 144, 154
trens elétricos, 124

trens, 121-22, 123-24
tufões, sistemas de alerta, 69-70
Tyndall, John, 22-24

União Soviética, ex-, Protocolo de Kyoto e, 170, 172-73, 180
urânio, 134
ursos polares, 46-47
usinas de energia elétrica. *Ver* geração de energia

vapor d'água
  aumento na troposfera, 41
  como gás do efeito estufa, 23, 24, 41
veículos híbridos, 125-26
Verdade inconveniente, Uma (Gore), 199
vikings, 16, 17
Virgin Atlantic, 121
Virgin Fuels, 122
Virgin, grupo, 101

walk-away safety, 135
Wal-Mart, 168, 200
Watson, Bob, 196
Westinghouse, 135
World Wildlife Fund (WWF), 163, 164, 221

Zona de Convergência Intertropical, 52

markgraph

Rua Aguiar Moreira, 386 - Bonsucesso
Tel.: (21) 3868-5802 Fax: (21) 2270-9656
e-mail: markgraph@domain.com.br
Rio de Janeiro - RJ